Rosa-Maria Dallapiazza, Eduard von Ian.
Beate Blüggel, Anja Schümanı

TANGRAM

Deutsch als Fremdsprache

Kursbuch und Arbeitsbuch 2 A

Max Hueber Verlag

3.
2003   2002   2001   Die letzten Ziffern
                                    bezeichnen Zahl und Jahr des Druckes.
Alle Drucke dieser Auflage können, da unverändert,
nebeneinander benutzt werden.
1. Auflage
© 1999 Max Hueber Verlag, D-85737 Ismaning
Zeichnungen: ofczarek!
Verlagsredaktion: Silke Hilpert, Werner Bönzli
Lithographie: Agentur Langbein Wullenkord, München
Druck und Bindung: Schoder Druck, Gersthofen
Printed in Germany
ISBN 3–19–001615–1

Vorwort

 Beim Sprachenlernen stehen die Menschen im Mittelpunkt: die, die sich gemeinsam im Kurs die neue Sprache aneignen wollen, aber auch die, um deren Sprache es geht – in diesem Fall also um die Menschen zwischen Alpen und Nordsee, deren Muttersprache Deutsch ist. Nicht nur, wie sie sich ausdrücken, auch welchen gesellschaftlichen Normen sie folgen, welche Institutionen in ihr Leben eingreifen, was ihnen wichtig ist, worüber sie sich freuen oder ärgern – all das interessiert die Lernenden, weil die neue Sprache eben nur vor diesem Hintergrund Sinn macht.

Wir, die Autoren und der Verlag, hoffen, dass es uns mit dem Lehrwerk Tangram gelungen ist, den Lernenden diese Menschen in einer Form nahezubringen, die das Lernen zu einem ebenso angenehmen wie erfolgreichen Erlebnis macht – und dass wir darüber hinaus die Kursleiterinnen und Kursleiter bei der Vermittlung der deutschen Sprache so weitgehend unterstützen, wie dies durch das Medium eines Lehrwerks eben möglich ist. Über Reaktionen aus der Unterrichtspraxis würden wir uns sehr freuen.

Inhalt

Inhalt

Anhang

Piktogramme

Text auf Cassette und CD mit Haltepunkt

Text auf Extra-Cassette und CD „Nachklang" mit „Geschichten vom Franz"
nach Christine Nöstlinger, gesprochen von Andrea Wildner-Zander

Schreiben

Wörterbuch

Hinweis aufs Arbeitsbuch

Hinweis aufs Kursbuch

Regel

Wiederholung der Grammatik aus Tangram 1

Gewohnte Verhältnisse?

A

Wohnstile

A 1

Wie heißen diese Häuser auf Deutsch? Ergänzen Sie.

complete

A

B

C

D

A 2

Arbeiten Sie zu dritt oder zu viert und diskutieren Sie.

– Wo wohnt man teuer? Wo billig?
– Wo wohnt man zentral? Wo im Grünen?
– Wo ist es laut? Wo ruhig?
– Wo hat man viel Platz?
– Wo kann man Haustiere haben?

household pet

– Wo wohnt man anonym?
– Wo kennen sich die Nachbarn?
– Wo gibt es in der Nähe Kneipen oder Geschäfte?

Wo würden Sie gern wohnen? Warum?

„würd-" + Infinitiv: über Wünsche, Träume, Fantasien sprechen

ich würde ...	wir würden ...	**Höflichkeitsform:**
Würdest du ...?	**Würd**et ihr ...?	**Würd**en Sie ...?
sie/er/es würde ...	sie würden ...	

Wo **würden** *Sie gern* **wohnen?**
    Ich **würde** *gern auf dem Land* **wohnen**, *weil ich die Natur liebe.*

Sehnsucht
von Heinz Erhardt
*Ich sehne mich nach einem Häuschen
in Bayern oder an der Spree,
ein Zimmer braucht es nur zu haben,
dazu ein Bad und ein WC.
Im Zimmer würde ich notieren,
was ich beim Baden grad gedichtet,
und im WC würd' dann das Machwerk
von mir gleich hinterrücks vernichtet.*

Arbeiten Sie zu dritt und sprechen Sie über die Fotos. Zu welchen Fotos passen die Formulare?

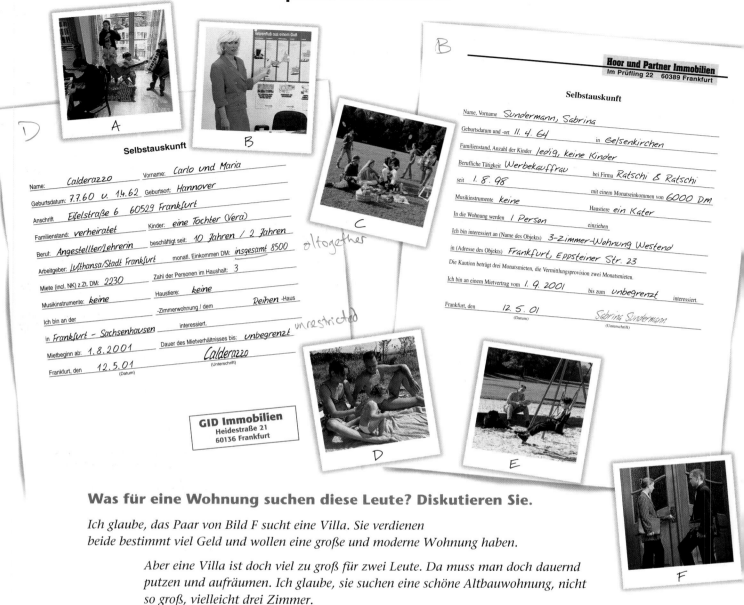

Selbstauskunft (A)

Name: *Calderazzo*   Vorname: *Carlo und Maria*

Geburtsdatum: *7.7.60 u. 14.62*   Geburtsort: *Hannover*

Anschrift: *Eifelstraße 6   60529 Frankfurt*

Familienstand: *verheiratet*   Kinder: *eine Tochter (Vera)*

Beruf: *Angestellter/Lehrerin*   beschäftigt seit: *10 Jahren / 2 Jahren*

Arbeitgeber: *Lufthansa/Stadt Frankfurt*   monatl. Einkommen DM: *insgesamt 8500*

Miete (incl. NK) z.Zt. DM: *2230*   Zahl der Personen im Haushalt: *3*

Musikinstrumente: *keine*   Haustiere: *keine*

Ich bin an der ___ -Zimmerwohnung / dem *Reihen*-Haus

in *Frankfurt - Sachsenhausen* ___ interessiert.

Mietbeginn ab: *1.8.2001*   Dauer des Mietverhältnisses bis: *unbegrenzt*

Frankfurt, den *12.5.01*   *Calderazzo*
      (Datum)   (Unterschrift)

GID Immobilien
Heidestraße 21
60136 Frankfurt

altogether

unrestricted

Hoor und Partner Immobilien
Im Prüfling 22   60389 Frankfurt

Selbstauskunft (B)

Name, Vorname *Sundermann, Sabrina*

Geburtsdatum und -ort *11. 4. 64*   in *Gelsenkirchen*

Familienstand, Anzahl der Kinder *ledig, keine Kinder*

Berufliche Tätigkeit *Werbekauffrau*   bei Firma *Ratschi & Ratschi*

seit *1. 8. 98*   mit einem Monatseinkommen von *6000 DM*

Musikinstrumente *keine*   Haustiere *ein Kater*

In die Wohnung werden *1 Person* einziehen

Ich bin interessiert an (Name des Objekts) *3-Zimmer-Wohnung Westend*

in (Adresse des Objekts) *Frankfurt, Eppsteiner Str. 23*

Die Kaution beträgt drei Monatsmieten, die Vermittlungsprovision zwei Monatsmieten.

Ich bin an einem Mietvertrag vom *1. 9. 2001* bis zum *unbegrenzt* interessiert.

Frankfurt, den *12. 5. 01*   *Sabrina Sundermann*
      (Datum)   (Unterschrift)

ARBEITSBUCH A5

Was für eine Wohnung suchen diese Leute? Diskutieren Sie.

Ich glaube, das Paar von Bild F sucht eine Villa. Sie verdienen beide bestimmt viel Geld und wollen eine große und moderne Wohnung haben.

Aber eine Villa ist doch viel zu groß für zwei Leute. Da muss man doch dauernd putzen und aufräumen. Ich glaube, sie suchen eine schöne Altbauwohnung, nicht so groß, vielleicht drei Zimmer.

Vielleicht lieben sie ja auch die Natur und wollen auf dem Land leben. Dann suchen sie bestimmt …

Sie vermieten eine Wohnung. Welche Fragen stellen Sie den Interessenten?

Machen Sie eine Liste. Arbeiten Sie zu zweit, fragen und antworten Sie und machen Sie Notizen.

Bornheim: kl. gemütl. 2-ZW, 65m², zentral gelegen (Nähe U-Bahn), 780,– + U/Kt,.
☎ 06196/32589

Wie heißen Sie?
Woher kommen Sie?

Wie *heißen* Sie? ↘   *Mohammed Badran.* ↘

Wie *schreibt* man das? ↘   *B-a-d-r-a-n.* ↘

Woher kommen Sie? ↘   *Aus Ägypten,* → *aus Kairo.* ↘

Sind Sie *verheiratet*? ↗   *Ja,* → *und ich habe zwei Kinder.* ↘

…

Arbeiten Sie dann zu viert und berichten Sie.

Wohnung dringend gesucht!

B

B 1 Wer interessiert sich für welche Wohnung? Lesen Sie die Anzeigen und markieren Sie.

Advertisement

quadrat meter   *einbauküche*

6030   2½- und 3-Zimmer-Wohnungen (Frankfurt)

① ✗ **Westend 3-ZW,** 78m², Blk., EBK, 1300,– + NK+Kt. Hoor und Partner Immob. 069/97102737 *Provision Bezahlen 2 monaten*

② **3-ZKB,** AB, ca. 90m², Etagenhzg. 1500,– + 100,– NK, an ruh. Ehepaar o. Kind ✉ ZF2389125 *Altbau zentral heizung*

> Umzüge mit Schreiber
> 3 Mann/Lkw pro Stunde DM 150,80
> Telefon 06102/272431

③ ✗ **Nachmieter: Fechenheim: 3-ZKB,** 65m², 1.5., 1100,– + NK/Kt., EG und trotzdem hell! WG geeig. 06182/21840

④ **3-ZW,** AB, Parkett, 102m², F-City, KM 1200,– + 400,– Nk., ab sof. zu verm. ☎ 069/59795163 od. 069/6122030

⑤ **Von Privat:** Schön anonym im Hochhaus in **Eckenheim, 3 Zi.,** 84m², Wohnkü/Bad/WC, Südblk, Keller, 5 Min von der U-Bahn, DM 1.499,– Tel./Fax 06172/647717

⑥ **Nachmieter: Westend,** helle **3-ZKBB,** 106m², G-WC, NB, 10 Min. z. City, 1900,– + Nk, ab 1.6., keine Haustiere ☎ 069/7292022

6050   Großwohnungen und Häuser (Frankfurt)

⑦ **Sachsenhausen,** nettes RH, kl. Gart. EBK, Loggia, Bad, G-WC, Hobbyraum, Parkett, 117m², Gar. 2420,– + NK+Kt. GID Immob. GmbH ☎ 069/796431

⑧ ✗ **Nähe Dornbusch RH,** ruhig u. zentr. (U-Bahn 5 Min.), 7 Zi., 150m², Parkett, 2 Bäder, Abstand, 2520,– zzgl. NK 069/201021

⑨ ✗ **Uni-Nähe, WG möglich,** Parkett, G-WC, 6 Zi., 160m², 2880,– zzgl. NK. *AB 450* Hoor und Partner Immob. 069/97102737 *S4 Robert Maier*

⑩ **Ffm-Kalbach,** Fachwerkh. 85m², 3 Zi,. Bad, EBK, Terr., v. priv. ab 1.9. f. 1300,– + NK. ☎ 069/505129

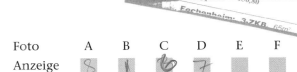

Foto	A	B	C	D	E	F
Anzeige	8	1	6	7		

> „Dreimal umziehen ist wie einmal abbrennen."
> BENJAMIN FRANKLIN, ERFINDER DES BLITZABLEITERS

B 2 🔊 1/ 1-7

Hören Sie die Gespräche und markieren Sie.

Result/outcome   *(appointment)*

Dialog	Anzeige	Bild	Ergebnis / Termin
1	8	C	Fehler. Die vermieter legen das Telefon auf
2	9	C	11am Termin
3	8	A	7.30pm Ebersheimer 17
4	3	E	✗
5	1	B	19.10pm B 1st floor AB
6	1	E	1/8. 250 DM 3m Kt. 2m MK 10min NK
7	8	D	7.30pm Ebersheimer 17

Sie sind der Vermieter oder die Maklerin. Wem geben Sie die Wohnung? Warum? ARBEITSBUCH B3-B4

B 3

Was bedeuten diese Wörter? Sortieren Sie.

1 solide — *e*
2 jemand etwas in
   die Hand drücken — *g*
3 bemerkenswert *remarkable* — *c*
4 Auskunftspflicht *information duty* — *b*
5 üblich *usual* — *h*
6 vorbestraft *previously convicted* — *i*
7 Vermögen *Wealth* — *f*
8 beteiligt sein an etwas *take part* — *a*
9 unverschämt *impudent impertinent* — *d*
10 Menschenwürde — *j*
11 Datenschutz *Data protection* — *k*

a) einen Teil von etwas besitzen
b) man muss die Fragen beantworten
c) besonders, auffallend *striking*
d) unanständig, beleidigend *indecent / insult*
e) stabil
f) Besitz, wertvolle Sachen *valuable property / possession.*
g) geben
h) normal
i) von einem Gericht verurteilt *condemn/sentence / decent to treate*
j) jeder Mensch hat das Recht, als Mensch / anständig behandelt zu werden
k) *protection* Schutz der Privatsphäre; hier: sehr persönliche / private Fragen darf man nicht stellen *ask* und muss man nicht beantworten

B 4

Lesen Sie den Text und markieren Sie.

Die beiden Frankfurter schicken den Fragebogen *questionnaire* an den Hausbesitzer *Houseowner*, …

a) … weil das in Deutschland normal ist. Das machen alle Mieter.
✓ b) … weil sie die Fragen vom Hausbesitzer unverschämt finden und wollen, dass er einmal nachdenkt.
c) … weil sie die Wohnung *unconditional* unbedingt bekommen wollen.
d) … weil sie Journalisten sind und einen Zeitungsartikel schreiben wollen.

Eine solide Partnerschaft   *reverse*

Was Vermieter ihre Mieter so alles fragen – und umgekehrt

Vor ein paar Tagen hat ein Hausbesitzer *owner* einem wohnungssuchenden Ehepaar aus Frankfurt einen Fragebogen in die Hand gedrückt, der mit folgendem bemerkenswerten Satz beginnt:
„Die Grundlage für eine solide Partnerschaft zwischen Vermieter und Mieter ist die Auskunftspflicht vor Abschluss des Mietvertrages."
Den üblichen Fragen zur Person (Geburtsort, -datum, Familienstand) folgen dann unter anderem folgende ebenfalls bemerkenswerte Fragen:
conclusion
otherwise
Haben Sie Ihre Miete in den letzten zwei Jahren pünktlich gezahlt?
Sind Sie mit einer Nachfrage bei Ihrem jetzigen Vermieter einverstanden?
Wie hoch ist das Nettoeinkommen aller Familienmitglieder pro Monat?
Wie hoch sind Ihre festen monatlichen Kosten?
to owe Haben Sie Schulden oder müssen Sie Kredite abbezahlen?
Besitzen Sie Wertsachen, Wertpapiere oder sonstiges Vermögen?
Sind Sie vorbestraft? Wenn ja, warum? *convicted*

Die Wohnungssuchenden sagten sich: Was für den einen Partner gilt (die Auskunftspflicht vor Abschluss des Mietvertrages), das sollte auch für den anderen gelten, und so schickten sie dem Hausbesitzer und Vermieter folgenden Fragebogen:
Wie viele Häuser besitzen Sie?
Sind sie schon bezahlt?
Wie hoch ist das Einkommen aus diesen Mieten?
Ist Ihre Frau an dem Gewinn beziehungsweise an den Häusern beteiligt?
Sind Sie mit einer Nachfrage beim Finanzamt einverstanden?
Sind Sie vorbestraft? Wenn nein, warum nicht?
Ist Ihnen bewusst, dass Ihre Fragen unverschämt sind, weil sie gegen die Menschenwürde und den Datenschutz verstoßen? *reject*

Bis heute haben die beiden Frankfurter von dem Hausbesitzer und „Partner" keine Antwort bekommen.

Welche Fragen sind bei Ihnen üblich? Welche nicht?
Hat Ihnen schon einmal ein Vermieter unverschämte Fragen gestellt? Berichten Sie.

B 5 **Arbeiten Sie zu zweit oder zu dritt, wählen Sie eine Situation und spielen Sie den Dialog.**

1 Sie sind Vermieter. Sie wollen ruhige Mieter, am liebsten ein älteres Ehepaar. Sie wollen keine Kinder im Haus. Sie wollen auch keine WG. Sie wollen Ihre Wohnung schnell vermieten. Sie geben folgende Anzeige auf:

5-ZW in City, 2 Bäder, 1450,– +NK+Kt, Abstand f. EBK, ab sof. Tel. 7648392

2 Sie sind Vermieterin. Sie wollen ein Reihenhaus vermieten. Sie möchten Mieter mit einem guten Einkommen. Alles andere ist Ihnen egal. Sie geben folgendes Inserat auf:

RH, ruh. Lage, 124m², EBK, DM 2000,– NK/Kt., Tel. (089) 876123

A Sie sind verheiratet und haben drei Kinder. Sie lesen die Anzeigen und finden beide interessant. Rufen Sie an, fragen Sie alles für Sie Wichtige und vereinbaren Sie einen Besichtigungstermin.

B Sie sind vier junge Studenten und suchen ganz dringend eine Wohnung. Sie lesen die beiden Anzeigen und rufen sofort an. Versuchen Sie, unbedingt einen Besichtigungstermin zu bekommen.

C Sie sind ein Ehepaar aus …, beide in Rente, und leben seit zwölf Jahren in Deutschland. Sie haben ein Haustier und machen auch gern Hausmusik. Sie suchen eine Wohnung mit viel Platz oder ein kleines Haus. Rufen Sie an, informieren Sie sich und vereinbaren Sie einen Besichtigungstermin.

Der Ton macht die Musik

Der Wohnungssuche-Rap

C
1/8

1 Andre lesen so zum Spaß – ich bin eigen: Ich les' Anzeigen,
andre rufen Freunde an – ich hab' nur noch Makler dran,
andre geh'n nur so spazieren – ich geh', um mich zu informieren:
Ich such' ne Wohnung und tu' alles nur noch zur Lösung dieses Falles.
Doch egal, was ich entdecke, was ich tue, was ich checke, wo ich frage, ich hör' nur:

Refrain   Schon weg! – Es fällt mir immer schwerer, diesen Spruch zu glauben.
Schon weg! – Dieser Spruch fängt an, mir den Schlaf zu rauben.
Schon weg! – Ich habe keine Lust mehr, diesen Spruch zu hören.
Ich sag's jetzt mit Betonung: Ich will endlich eine Wohnung!

2 Es muss ja gar kein Schloss sein, es muss auch nicht sehr groß sein,
eine Villa wär' nicht schlecht, doch mir sind auch zwei Zimmer recht.
Ich brauche kein Esszimmer. Was soll das? Ich ess' immer
am liebsten in der Küche, doch mir reicht auch 'ne Kochnische.
Citylage wär' schon schön, doch Stadtrand würde auch geh'n.
Ich wollt' schon immer hoch hinaus, warum dann nicht ein Hochhaus?
Doch egal, was ich entdecke, was ich tue, was ich checke, wo ich frage, ich hör' nur:

Refrain

3 Als Typ bin ich eigentlich total normal,
genial neutral, als Mieter ideal,
und der absolute Hit ist mein Wohnungssuche-Outfit:
ganz im Elegant-Look mit Hut – so macht man Eindruck. *impression*
Ich hab' kein Kind, kein Tier, keine Gitarre, kein Klavier,
ich lebe gern allein – will auch keine WG sein,
bin fest angestellt, hab' nichts angestellt
und (den Urlaub ausgenommen) komm' ich aus mit meinem Einkommen.
Doch egal, was ich entdecke, was ich tue, was ich checke, wo ich frage, ich hör' nur:

Refrain   *discover*

ARBEITSBUCH
C1-C5

1

Rolf Lang, 32

Werbekaufmann
95-Quadratmeter-Altbau-
wohnung in der City mit
Holzfußboden, Stuck,
Balkon, Mitbewohner: die
Katzen „Kleines" und
„Frido". Möbel aus Paris,
Bali, vom Flohmarkt und
von Ikea. Putzfrau einmal
in der Woche.

A

Edith, 53, und Frank, 59

Eltern von

160-Quadratmeter-
Luxuswohnung am Hamburger
Alsterufer. (Fluss in Hamburger).
möbel to measure
Maßgefertigte Möbel in Weiß
und Altrosa, lackierte Wände
mit Stuck, Marmorkamin, _marble fireplace._
Wintergarten, Gemälde an den
Wänden.
Eine Haushaltshilfe kommt
alle zwei Tage.

D 1 **Sprechen Sie über die Fotos. Wie finden Sie die Wohnungseinrichtungen und die Leute?**

> _Ich finde Rolfs Wohnung sehr schön. Sie ist hell und groß._
>> _Nein, das ist mir alles zu kühl und zu nüchtern._
>>> _Mir gefällt das auch nicht. Ich finde die Wohnung von Ute am schönsten, weil …_

Genitiv bei Namen:
Rolfs Wohnung =
die Wohnung von Rolf

ARBEITSBUCH
D1-D5

2

Birke Breckwoldt, 27

Hutdesignerin
45-Quadratmeter-
Neubauwohnung mit Balkon.
Blaues Kaufhaussofa,
Lattenrost mit Matratze als
Bett, Bilder,
rote Leuchttulpen, Stereo-
anlage, Fernseher.
Keine Putzfrau, putzt
einmal die Woche.

3

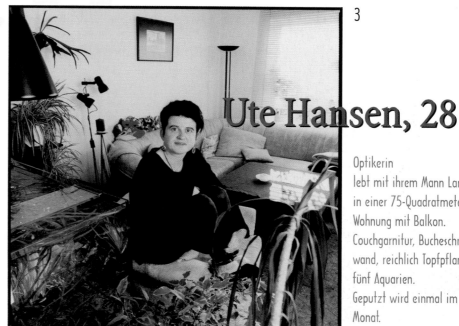

Ute Hansen, 28

Optikerin
lebt mit ihrem Mann Lars, 25,
in einer 75-Quadratmeter-
Wohnung mit Balkon.
Couchgarnitur, Bucheschrank-
wand, reichlich Topfpflanzen,
fünf Aquarien.
Geputzt wird einmal im
Monat.

B

Gerda, 59 und Rudolf, 60

Eltern von

wohnen mit ihrem Hund im
100-Quadratmeter-Eigenheim
mit großem Garten und
Wintergarten direkt am Deich. _Dyke_
Innen Strukturtapete, _wallpaper_
Teakholzschrankwand,
Couchgarnitur, viele Seefahrer-
Andenken. Geputzt wird
einmal im Monat.

C

Anita, 64, und Armin, 63

Eltern von

72-Quadratmeter-Eigentums-
wohnung mit Balkon im
Außenbezirk. _district_
Nussbaumschrankwand, Couchgarnitur, Glastisch. Geputzt
wird einmal die Woche.
Dazu ein Schrebergarten, _allotment_
wenige Fußminuten von der
Wohnung entfernt. _distance_

D 2   **Was meinen Sie? Wer gehört zusammen? Diskutieren und ergänzen Sie.**

Ich glaube, Ute Hansen ist die Tochter von Anita und Armin. Die beiden Frauen sehen sich sehr ähnlich. _similar_
Sie haben beide kurzes dunkles Haar.

Das finde ich überhaupt nicht. Armin und Rolf sehen sich viel ähnlicher.

Schauen Sie auf die Seiten 8 und 9 und vergleichen Sie.

Rolf Lang, 32
Werbekaufmann

Die Welt, in der ich lebe, ist meinen Eltern fremd. In der Werbeagentur verwalte ich ein Millionenbudget, es ist für mich ganz normal, zum Essen mal eben schnell ins Restaurant zu gehen, und wenn ich beruflich unterwegs bin, wohne ich in teuren Hotels. Genau diese Großzügigkeit brauche ich auch privat: große, schöne Räume mit Platz und viel Licht. Dafür zahle ich gern 1900 Mark Miete im Monat.

Meine Eltern leben ganz anders. Sie haben eine Eigentumswohnung außerhalb der Stadt. Mit brauner Schrankwand, Sofa und passendem Holztisch aus dem Möbelhaus. Nicht gerade mein Geschmack. Es ist zwar nicht richtig spießig, aber die Wohnung hat einfach keinen Stil. Und mein altes Kinderzimmer ist kleiner als meine Küche! Ich kann mir nicht mehr vorstellen, da mal gewohnt zu haben. Trotzdem fühle ich mich in der Wohnung meiner Eltern wohl. Weil sie da wohnen.

Zu Weihnachten hat mir meine Mutter früher immer etwas gebastelt. Das fand ich zwar süß, aber gefallen hat mir das Zeug nie. Irgendwann hab ich ihr das auch gesagt, und seitdem hat sie aufgehört, mir Sachen für die Wohnung zu schenken. Von meinen Eltern sind nur die Waschmaschine und der Geschirrspüler. Ich kaufe meine Möbel ganz spontan, wenn ich etwas Schönes sehe. Auf einem Flohmarkt in Paris oder in einem Shop auf Bali. Auch wenn es teuer ist. Und wenn mir die Sachen dann irgendwann nicht mehr gefallen, verkaufe ich sie eben und hole mir was Neues.

Meine Eltern sind viel bescheidener und konservativer. Sie haben Angst, etwas Spontanes zu machen, sie denken über jede Investition haargenau nach. Aber sie haben länger Freude an ihren Sachen, weil sie in ihrem Leben auch erfahren haben, wie schlimm es ist, nichts zu besitzen. Ich habe keine Zeit, meine Eltern regelmäßig zu besuchen. Deshalb sehen wir uns höchstens einmal im Monat. Meistens fahre ich zu ihnen.

Eltern Lang

Rolf macht einmal im Monat das Fenster auf und wirft fast 2000 Mark hinaus. Und das für eine Altbauwohnung! Aber die jungen Leute wollen ja unbedingt in der Stadt wohnen, koste es, was es wolle. Und Rolf wollte schon immer hoch hinaus. An das Alter denkt er überhaupt nicht. Wie will er denn später mit einer Rente seinen jetzigen Lebensstandard finanzieren? Und im hohen Alter noch mal umziehen zu müssen – das ist doch bitter.

Also, wir haben immer <u>bescheiden</u> gelebt und versucht, etwas fürs Alter zurückzulegen. Deshalb konnten wir uns auch damals eine Eigentumswohnung kaufen. Rolf hatten wir hier ganz in der Nähe auch eine Wohnung gekauft: 40 Quadratmeter mit separater Küche. Wir hatten eigentlich gehofft, ihn überreden zu können, dort einzuziehen – aber er wollte nicht.

Ehrlich gesagt: Es fällt uns manchmal schwer, Rolf zu verstehen. Er hat halt einen ganz anderen Lebensstandard als wir: Er geht öfter in teure Lokale als wir zu Karstadt und verreist öfter mit dem Flugzeug, als wir mit der U-Bahn fahren. Solchen Luxus brauchen wir nicht. Unsere Wohnung ist schön ruhig, mitten im Grünen, und das Einkaufszentrum ist gleich um die Ecke. Was brauchen wir mehr? Rolfs Wohnung finden wir von der Einrichtung her zu kalt. In seiner Wohnung gibt es überhaupt nichts Gemütliches. Trotzdem besuchen wir ihn manchmal. Er ist ja schließlich unser Sohn.

Birke Breckwoldt, 27
Hutdesignerin

Eine schicke, große Wohnung und ein tolles Auto – brauche ich alles nicht. Ich war ein Jahr in New York, und da ist mir klar geworden: Ich kann gut ohne Statussymbole leben. Deshalb reicht mir meine einfache, aber schnuckelige Zweizimmerwohnung. Und ich hab auch keine Lust, viel Geld für ein Auto auszugeben. Ich nehme sowieso lieber mein Fahrrad. Ich finde, eine Wohnung ist zum Schlafen, Fernsehen und Essen da. Wozu soll ich viel Geld für Möbel ausgeben? Meine sind billig und praktisch, mehr nicht.

Meine Eltern sehen das ganz anders. Für sie ist die Wohnung ein wichtiger Teil des Lebens. Klar ist es toll, so wie sie zu wohnen – mit herrlichem Blick aufs Wasser und all das. Aber die Einrichtung… viel zu steril. Alles superclean und -ordentlich. Wenn meine Eltern mal verreisen, schlafe ich in ihrer Wohnung und passe auf. Ich genieße dann den Luxus, aber ich habe immer Angst, etwas schmutzig zu machen. Oder ich vergesse, hinterher alles wieder aufzuräumen. Dann hinterlasse ich die Wohnung „nicht zu ihrer Zufriedenheit", wie meine Mutter sagt.

Deshalb mögen sie auch meine Wohnung nicht. Wegen der Unordnung. Wenn meine Mutter kommt, fängt sie sofort an aufzuräumen. Schrecklich. Was soll das? Schließlich ist das mein Leben. Früher war ich so verrückt, sauber zu

---

„deshalb" und „trotzdem"
Ich habe wenig Zeit. **Deshalb** treffe ich meine Eltern höchstens einmal im Monat.
(= Ich treffe meine Eltern höchstens einmal im Monat, *weil ich wenig Zeit habe.*)
Die Wohnung hat einfach keinen Stil. **Trotzdem** fühle ich mich dort wohl.
(= Ich fühle mich in der Wohnung wohl, *obwohl sie keinen Stil hat.*)

Nomen aus Adjektiven
Ich kaufe meine Möbel ganz spontan, wenn ich **etwas S**chönes sehe.
In seiner Wohnung gibt es überhaupt **nichts** Gemütliches.

machen, bevor sie zu Besuch gekommen sind, aber inzwischen kommen sie fast nie mehr in meine Wohnung. Trotzdem verstehe ich mich gut mit meinen Eltern und freue mich immer, sie zu sehen. Wir treffen uns so alle zehn Tage, aber fast nur noch bei ihnen. So kann man einem Problem natürlich auch aus dem Weg gehen.

Eltern Breckwoldt

Birke ist momentan auf dem Oppositionstrip. Sie glaubt, alles ganz anders als wir machen zu müssen. Sie hat ihren eigenen Weg noch nicht gefunden, auch wenn sie jetzt gerade ihren ersten Laden aufgemacht hat. Das ist sicherlich auch der Grund für die Unordnung in ihrer Wohnung: Bei Birke ist eben alles noch ein wenig durcheinander. Das muss man akzeptieren.

Allerdings – wie kann man nur in so einem Chaos leben wie Birke? Wir könnten das nicht. Für uns ist die Einrichtung der Wohnung Ausdruck von Ästhetik und Persönlichkeit. Deshalb haben wir einen Innenarchitekten gebeten, die Wohnung ganz nach unseren Wünschen zu gestalten. Fast alle Möbel sind maßgeschneidert. Wir haben dem Architekten da völlig freie Hand gelassen. Für Birke hat eine Wohnung nicht diesen Stellenwert. Vielleicht ist es ihr persönlicher Stil, Unordnung zu schaffen. Das gefällt uns nicht, und deshalb besuchen wir sie auch nur noch selten. Aber wir haben natürlich nicht das Recht, uns da einzumischen.

Birke legt großen Wert darauf, für sich selbst verantwortlich zu sein. Dieser Abnabelungsprozess fiel uns am Anfang ganz schön schwer. Aber Birke hat Recht: Nur so lernt sie, auf eigenen Beinen zu stehen. Natürlich hat Birke auch nicht die finanziellen Mittel, sich schöne Sachen zu kaufen – so wie wir. Und wir wollen ja auch nicht immer als Finanzspritze hinter ihr stehen. Das würde Birke auch nicht akzeptieren.

Ute Hansen, 28 Optikerin

Als ich 16 war, wollte ich unbedingt von zu Hause weg. Wollte Schauspielerin werden, in die Stadt ziehen und richtig was losmachen. Und dann ist alles ganz anders gekommen: Für die Schauspielerei hatte ich zu wenig Talent, und ausgezogen bin ich erst mit 25. Es ist mir fast ein bisschen peinlich, so lange zu Hause gelebt zu haben, aber nach der Pubertät habe ich festgestellt, dass es bei meinen Eltern richtig schön ist. Außerdem war mein Vater viel auf See – so war wenigstens ich bei meiner Mutter.

Dann fing ich eine Lehre in Lübeck an. Es war schrecklich schwer, von zu Hause wegzugehen, ich hatte dauernd Heimweh. Deshalb bin ich am Anfang mit Lars fast jedes Wochenende nach Hause gefahren. Wir haben in meinem alten Kinderzimmer geschlafen, und ich war glücklich, wieder bei meinen Eltern zu sein.

Inzwischen wohnen wir nur zehn Kilometer von meinen Eltern entfernt, in einer netten Mietwohnung. Es ist ein schönes Gefühl, so nah beisammen zu sein, falls mal irgendwas ist. Ich sehe meine Eltern ungefähr zweimal die Woche. Meistens donnerstags zum Essen und sonntags zum Kaffee. Mal bei ihnen, mal bei uns. Ich glaube, sie finden unsere Wohnung ganz gemütlich und sind sehr gern hier. Ist eigentlich auch kein Wunder: Viele Möbel, zum Beispiel der Wohnzimmertisch, sind alte Sachen von ihnen.

Nächstes Jahr wollen wir neben meinen Eltern bauen. Das Grundstück gehört meiner Mutter. Ich kann mir das schon genau vorstellen: ein kleines Häuschen mit Garten, Hund und vielen Kindern. Meine Eltern freuen sich auch schon sehr.

Eltern Mehlich

Mit 15 oder 16 hatte Ute eine ganz wilde Phase. Sie war wie ein Rennpferd. Es war unmöglich, sie zu stoppen. Sie trug diese schwarzen Gammelklamotten und war mit komischen Jungs zusammen. Und wie alle jungen Leute fand unser Dorf öde und langweilig. Sie wollte unbedingt in die Stadt. Wir konnten das ja verstehen, besonders spannend ist es hier ja wirklich nicht. Aber wir konnten ihr natürlich auch nicht einfach erlauben, in die Stadt zu ziehen und dort in irgendeiner WG zu wohnen – sie war ja noch ein Kind. Das war nicht einfach damals, unter einem Dach zusammenzuleben.

Inzwischen ist Ute ruhiger und vernünftiger geworden, sie hat sich wohl genug ausgetobt. Und wir sind sehr froh, sie jetzt wieder in unserer Nähe zu haben. Wir sind halt Menschen vom Land und gehören hierher. Wenn wir zum Einkaufen fahren, besuchen wir Ute immer. Ihre Wohnung ist richtig schön. Sie ist gemütlich und schick eingerichtet. Wir fühlen uns dort fast genauso wohl wie in unserem Haus. Nur die schwarze Schrankwand ist nicht ganz unser Geschmack. Aber Schwarz ist halt bei den jungen Leuten „in". Es macht uns sehr stolz, dass Ute vorhat, auf unserem Grundstück zu bauen und hier ihre Kinder großzuziehen.

D 3 **Arbeiten Sie in Gruppen. Lesen Sie einen Text. Machen Sie Notizen zu den folgenden Punkten und berichten Sie.**

Was sagen die Leute zu …
– ihrer eigenen Wohnung?
– der Wohnung der Eltern / der Wohnung der Tochter / oder des Sohnes?
– ihrer Beziehung zu den Eltern / ihrer Beziehung zur Tochter oder zum Sohn?

1 Rolf eigene Wohnung	Wohnung der Eltern	Beziehung zu den Eltern
großzügig, wie im Beruf		

Vergleichen Sie die Aussagen der Kinder mit den Aussagen der Eltern.

Lesen Sie die Sätze und unterstreichen Sie alle „Infinitive mit zu".

1 Es ist für mich ganz normal, zum Essen mal eben schnell ins Restaurant <u>zu gehen</u>.
2 Ich kann mir nicht mehr vorstellen, da mal <u>gewohnt zu haben</u>.
3 Seitdem hat sie aufgehört, mir Sachen für die Wohnung zu schenken.
4 Sie haben Angst, etwas Spontanes zu machen.
5 Ich habe keine Zeit, meine Eltern regelmäßig zu besuchen.
6 Im hohen Alter noch mal umziehen zu müssen – das ist doch bitter.
7 Wir haben versucht, etwas fürs Alter zurückzulegen.
8 Wir hatten gehofft, ihn überreden zu können, dort einzuziehen.
9 Es fällt uns manchmal schwer, Rolf zu verstehen.

Nach welchen Ausdrücken steht der „Infinitiv mit zu"?
Lesen Sie die Sätze noch einmal und machen Sie eine Liste.

> *Lerntipp:*
>
> Machen Sie Listen von Ausdrücken mit „Infinitiv mit zu" und ergänzen Sie passende Aussagen.
> Ergänzen Sie die Listen, wenn Sie neue Wörter mit „Infinitiv mit zu" lernen oder wenn Sie neue Ideen für passende Aussagen haben.
> Tauschen Sie Ihre Listen mit anderen und befragen Sie sich gegenseitig: *Warum (hast du keine Zeit, einkaufen zu gehen)? – Weil ...* usw.

„Infinitiv mit zu" nach		
Verben	*Adjektiv/Nomen + sein*	*Nomen + haben*
(sich) vorstellen	*es ist ganz normal*	*Angst haben*

Partizip Perfekt ◆ Verben ◆ Vorsilbe ◆ Modalverb ◆ am Ende ◆ im Infinitiv

1 Der „Infinitiv mit zu" steht nach einigen _____ und Ausdrücken. Er kann weitere Ergänzungen haben, aber „zu + Infinitiv" steht immer _____ .
2 Bei trennbaren Verben steht „zu" zwischen _____ und Verbstamm.
3 Steht der „Infinitiv mit zu" im Perfekt, dann steht „zu" zwischen dem _____ und „sein" oder „haben".
4 Gibt es beim „Infinitiv mit zu" ein Modalverb, dann stehen beide Verben _____ ; „zu" steht zwischen Verb und _____ .

Lesen Sie die Texte 3–6 noch einmal, suchen Sie weitere „Infinitive mit zu" und ergänzen Sie Ihre Listen.

ARBEITSBUCH D6–D10

Zwischen den Zeilen

Lesen Sie die Beispiele und ergänzen Sie die Regeln.

„weil" und „obwohl"	„deshalb" und „trotzdem"
Grund (Ursache) ↔	**Folge (Wirkung, Ergebnis)**
Rolf hat wenig Zeit.	Er trifft seine Eltern höchstens einmal im Monat.
Hauptsatz	**Hauptsatz mit „deshalb"**
Rolf hat wenig Zeit.	**Deshalb** trifft er seine Eltern höchstens einmal im Monat.
Nebensatz mit „weil"	**Hauptsatz**
Weil Rolf wenig Zeit hat,	trifft er seine Eltern höchstens einmal im Monat.
Gegengrund ←|→	**unerwartete Folge (Gegensatz, Widerspruch)**
Die Wohnung hat einfach keinen Stil.	Rolf fühlt sich dort wohl.
Hauptsatz	**Hauptsatz mit „trotzdem"**
Die Wohnung hat einfach keinen Stil.	**Trotzdem** fühlt Rolf sich dort wohl.
Nebensatz mit „obwohl"	**Hauptsatz**
Obwohl die Wohnung keinen Stil hat,	fühlt Rolf sich dort wohl.

Mit _____ betont man den Grund, mit _____ die Folge.

Mit _____ betont man den Gegengrund, mit _____ die unerwartete Folge.

Sätze mit „weil" und „obwohl" sind _____ (= Verb am Ende),

Sätze mit „deshalb" und „trotzdem" sind _____ (= Verb auf Position 2).

E 2

Was passt zusammen? Markieren Sie.

1 Wir konnten uns eine schöne Eigentumswohnung kaufen, *e*

2 Wir besuchen Rolf manchmal,

3 Mir reicht eine kleine Wohnung,

4 Ich verstehe mich gut mit meinen Eltern,

5 Ich bin fast jedes Wochenende nach Hause gefahren,

6 Ich würde gern auf einem Bauernhof wohnen,

7 Ich lebe gern in der Stadt,

a) weil ich die Natur liebe und gern Tiere um mich habe.

b) weil ich gut ohne Statussymbole leben kann.

c) weil ich in Lübeck dauernd Heimweh hatte.

d) weil ich oft ausgehe – ins Kino, in die Disko oder einfach in die Kneipe um die Ecke.

e) weil wir immer bescheiden gelebt haben.

f) obwohl auf dem Land nicht viel los ist.

g) obwohl die Fahrt über zwei Stunden gedauert hat.

h) obwohl hier alles ziemlich anonym ist und niemand den anderen kennt.

i) obwohl sie nicht gern in meine Wohnung kommen.

j) obwohl wir seine Wohnung ungemütlich finden.

Sagen Sie es anders: Bilden Sie Sätze mit „deshalb" und „trotzdem".

Wir haben immer bescheiden gelebt, deshalb konnten wir uns eine schöne Eigentumswohnung kaufen.
Wir finden Rolfs Wohnung ungemütlich. Trotzdem besuchen wir ihn manchmal.

E 3

Wie ist das bei Ihnen? Diskutieren oder schreiben Sie.

sich (nicht) gut mit den Eltern verstehen ◆
sich langweilen ◆ sich wohl fühlen ◆
mehr Freiheiten haben ◆ selbständig sein ◆
einen anderen Lebensstil haben ◆
Vorschriften machen ◆ verbieten ◆ ...

... trotzdem ...
... deshalb ...
... weil ...
... obwohl ...

zu Hause wohnen ◆ von zu Hause ausziehen
◆ umziehen ◆ in eine andere Stadt ziehen ◆
ins Ausland gehen ◆ auf dem Land leben ◆
in der Stadt leben ◆ lernen ◆
studieren ◆ ...

F

Papan:
Gute Nachbarschaft

elf **11**

„würd-" + Infinitiv

Wo **würden** Sie gern **wohnen**?	Am liebsten auf dem Land. Und Sie?
Ich **würde** gern in einer Villa **wohnen**.	
Welche Wohnung **würdest** du **nehmen**?	Ich **würde** die 6-Zimmer-Wohnung in Uni-Nähe **nehmen**, weil in Studentenvierteln immer was los ist.

„Infinitiv mit zu"

Ich habe keine Zeit, →	meine Eltern regelmäßig **zu besuchen**.
Ich kann mir nicht mehr vorstellen, →	da mal **gewohnt zu haben**.
Es fällt uns manchmal schwer, →	Rolf **zu verstehen**.
Im Alter noch mal **umziehen zu müssen**, →	das ist doch bitter.
Wir haben versucht, →	etwas fürs Alter **zurückzulegen**.
Wir hatten eigentlich gehofft →	ihn **überreden zu können**, dort **einzuziehen**.
Es ist toll, →	so wie meine Eltern **zu wohnen**.
Wenn meine Mutter kommt, →	fängt sie sofort an **aufzuräumen**.
Birke glaubt →	alles ganz anders als wir **machen zu müssen**.
Birke legt großen Wert darauf, →	für sich selbst verantwortlich **zu sein**.
Es ist mir fast ein bisschen peinlich, →	so lange zu Hause **gelebt zu haben**.
Ute hat vor, →	auf unserem Grundstück **zu bauen** und hier ihre Kinder **großzuziehen**.

„deshalb" und „trotzdem"

Ich habe keine Zeit, meine Eltern regelmäßig zu besuchen. **Deshalb** sehen wir uns höchstens einmal im Monat.

Die Wohnung meiner Eltern hat einfach keinen Stil. **Trotzdem** fühle ich mich dort wohl.

Wir haben immer bescheiden gelebt und versucht, etwas fürs Alter zurückzulegen. **Deshalb** konnten wir uns auch eine Eigentumswohnung kaufen.

Rolfs Wohnung finden wir von der Einrichtung her zu kalt. In seiner Wohnung gibt es überhaupt nichts Gemütliches. **Trotzdem** besuchen wir ihn manchmal.

Nützliche Ausdrücke

Ist die Wohnung noch frei?	Nein, tut mir Leid. **Die ist schon weg.**
Wie hoch sind **die Nebenkosten**?	350 Mark **pro Monat**.
Wie hoch ist **die Kaution**?	Zwei **Monatsmieten**.
Ab wann ist die Wohnung denn frei?	**Ab sofort**.
Ich finde Rolfs Wohnung sehr schön. Sie ist hell und groß.	Nein, **das ist mir alles zu** kühl und zu nüchtern.
Die Wohnung meiner Eltern? **Nicht gerade mein Geschmack.**	**Ehrlich gesagt**: Es fällt uns manchmal schwer, Rolf zu verstehen.
Vera hat einen neuen Freund.	**Das ist doch nichts Neues.**
Hallo, Roman. **Was ist los?**	**Mir ist vielleicht was** Verrücktes **passiert**! Das muss ich dir erzählen.
Wolltest du mir nicht **noch was** erzählen?	Ich weiß nicht mehr – das war sicher **nichts Wichtiges**.

A

Stationen des Lebens

der Park

die Bank

7 Jahre alt.

1 2 3 4 5 6 7 8 9

A 1

Was passt zusammen? Ergänzen Sie.

Education

9 Ausbildung	6 Kindheit	5 Heirat	1 Alter	7 Beruf
2 Baby-Alter	8 Familie	4 Schule	3 erste Liebe	

Bringen Sie die Fotos in eine passende Reihenfolge und vergleichen Sie.

ARBEITSBUCH
A1-A2

Was passt wo? Ergänzen Sie die Definitionen.

order/commission *exhibition* *boarding school*

~~Auftrag~~ *(m)* ◆ Ausstellung *(f)* ◆ Goethe-Institut *(n)* ◆ Illustration *(f)* ◆ Internat *(n)* ◆
Konzept *(n)* ◆ Seminar *(n)* ◆ Theorie *(f)* ◆ Verlag *(m)* *Publishing House*

1 *Ein Auftrag*   ist die Bestellung einer Ware oder einer Arbeit.
2 *Konzept*   ist ein Plan oder Programm für einen Text oder ein Projekt.
3 *Ausstellung*   ist eine Sammlung *Collection* von Gemälden, Fotos …, die sich jeder ansehen kann.
4 *Internat*   ist eine Schule, in der die Schüler auch wohnen.
5 *Seminar*   ist eine Unterrichtsveranstaltung zu einem Thema mit Diskussion.
6 *Illustration*   ist ein Foto oder eine Zeichnung zu Texten.
7 *GI*   macht deutsche Sprachkurse und Kulturarbeit im Ausland.
8 *Verlag*   stellt Bücher, Zeitungen oder Zeitschriften her.
9 *die Theorie*   ist das Gegenteil von Praxis.

In welchen Berufen hat Philipp Möller gearbeitet?
Hören Sie das Interview und markieren Sie.

Fotograf ✓ ◆ Sänger ◆ Kamera-Assistent ◆ Produzent ◆ Schauspieler ◆ Autor ◆ Filmregisseur ◆
Journalist ◆ Seminarleiter *Leader* ◆ Hotelmanager ◆ Lehrer ◆ Grafiker

Hören Sie noch einmal und ergänzen Sie.

Philipp Möller *Hohenschwangau*

Ausbildung - education

Beruf
1950   geboren in __München__
1969   verlässt die Schule, Reisen in die Türkei, in den Iran und nach __Morocco__
1970   Arbeit als __K A__
1972   __Auftrag__ einer Multivisionsshow für die Olympischen Spiele
seit 1973   Arbeit als __Photo Assistent__ in München 2½
1975–1984   Reisen nach Mexiko, Guatemala und durch ganz __Europa__
1978–1984   Aufenthalte *Stay* in __Tibet__ und Nepal, __Autor__ von Büchern über diese Länder
1983   erste Kontakte mit dem Goethe-Institut, __Seminarleiter__ und Seminare in Indien
1989–1994   __Lehrer__ für Fotografie in Australien *Auckland NZ* *wahlheimat* *NZ*
Privatleben
1976–1985   __Verheiratet__ __Tochter__
1977   __Alise__
1993   __Verheiratet__ __Journalistin NZ__
heute   __Fotografieren__, __Schreiben__ und Produzent von Deutsch-Materialien in Neuseeland
     und __Projekt__ *Beziehung*

Kennen Sie Personen mit interessanten Lebenswegen? Berichten Sie.

Arbeiten Sie zu zweit, machen Sie ein Interview zu den wichtigsten Stationen des Lebens und notieren Sie.

Wann bist du in die Schule gekommen?
Mit sechs, das war 1965.
…

Berichten Sie.

ARBEITSBUCH A3

B

Berühmte Frauen

B 1

Was ist auf Briefmarken abgebildet?

(handschriftliche Notizen: Karikatur, Malerin, Musikerin, Klavierspieler, Dichter)

(handschriftliches Diagramm: Berühmte Deutsche Menschen (Dichter, Schriftsteller, Wissenschaftler) — Briefmarken — Tiere)

B 2 **Beschreiben Sie die Bilder. Wann haben die Frauen gelebt? Wofür waren sie berühmt?**

Clara Schumann

Paula Modersohn-Becker

Lesen Sie die Kurzbiografie und markieren Sie die richtige Reihenfolge.

4 Heirat

7 Konzentration auf den Beruf

2 musikalische Ausbildung durch den Vater

8 Klavierlehrerin in Frankfurt

6 Tod von Robert Schumann

5 Erziehung der Kinder

1 Geburt

3 erste eigene Kompositionen

CLARA SCHUMANN

Sie war ein „Wunderkind", die 1819 geborene Tochter des Leipziger Klavierpädagogen Friedrich Wieck. Der Einfluss des Vaters auf Claras musikalische Entwicklung begann sehr früh. Schon als kleines Kind bekam sie zu Hause Klavierunterricht, und mit neun Jahren gab sie ihr erstes Konzert im Leipziger Gewandhaus. Schon früh spielte Clara selbst komponierte Werke, und von 1832 an ging sie mit ihrem Vater auf Konzertreisen.

Gegen den Willen ihres Vaters heiratete sie 1840 den Komponisten Robert Schumann. Als Ehefrau und Mutter von sieben Kindern blieb ihr nur noch wenig Zeit für ihre künstlerische Arbeit. Erst nach dem Tod ihres Mannes (1856) konzentrierte sie sich wieder stärker auf ihre Arbeit als Interpretin und Musikpädagogin. Sie musste jetzt alleine für den Lebensunterhalt der Familie sorgen und machte deshalb wieder regelmäßige Konzertreisen im In- und Ausland. 14 Jahre ihres Lebens (1878–92) verbrachte sie in Frankfurt am Main und arbeitete dort als erste Klavierlehrerin am neu gegründeten Hochschen Konservatorium. Clara Schumann starb 1896. Sie gilt als die bedeutendste Pianistin des 19. Jahrhunderts.

Unterstreichen Sie die Verben und ergänzen Sie die Tabelle.

Regelmäßige Verben / Mischverben		Unregelmäßige Verben	
Infinitiv	Präteritum (-t-)	Infinitiv	Präteritum
arbeiten		beginnen	*begann*
heiraten		bekommen	
sich konzentrieren		bleiben	
machen		geben	
müssen		gehen	
spielen		sterben	
verbringen			

Ergänzen Sie die Regeln.

> Modalverben ◆ Perfekt ◆ Präteritum ◆ Präteritum-Signal ◆
> Regelmäßige Verben ◆ -te ◆ Unregelmäßige Verben

1 Mit Präteritum und Perfekt berichtet man über Vergangenes (vor fünf Minuten, gestern, vor zehn Jahren, ...).

_____Präteritum_____ : z.B. Märchen, schriftliche Berichte, Lebensläufe

_____Perfekt_____ : z.B. Konversation, mündliche Berichte, persönliche Briefe

2 ___Regelmäßige Verben___ *(spielen)* und ___Modalverben___ *(müssen)* haben im Präteritum vor der Verb-Endung immer das ___Präteritum- Signal___ „-t-" *(ich spiel-t-e, ich muss-t-e).* Die Endungen sind gleich bei

ich und *sie/er/es* (Singular) Endung _-te_

wir und *sie* (Plural) Endung _-en_

3 ___Unregelmäßige Verben___ verändern im Präteritum den Verbstamm *(geben → gab).* Bei *ich* und *sie/er/es* gibt es keine Verb-Endung.

Ausnahme: Es gibt einige „Mischverben". Sie verändern ihren Stamm, haben aber die gleichen Endungen wie regelmäßige Verben: *(ver)bringen – (ver)brachte, denken – dachte, kennen – kannte, nennen – nannte, wissen – wusste.*

Regelmäßige Verben mit Verbstamm auf „-t" oder „-d" (arbei**t**-en, re**d**-en) bekommen im Präteritum noch ein zusätzliches „e": arbei**t**-e-te, re**d**-e-te.

be·kom·men¹; *bekam, hat bekommen;* ⟨Y̆c⟩ kein Passiv! **1** *etw.* (*von j-m*) *b.* in den Besitz e-r Sache kommen, indem j-d sie einem gibt od. schickt ≈

ge·ben; *gibt, gab, hat gegeben;* ⟨Y̆c⟩ **1** *j-m etw. g.* etw. in j-s Hände od. in seine Nähe legen / tun, sodass er es nehmen kann ≈ *j-m etw. reichen* ↔ *j-m etw.*

Lerntipp:

Lernen Sie die unregelmäßigen Verben und die Mischverben immer mit ihren Stammformen (Infinitiv, Präteritum, Partizip Perfekt).
bekommen – bekam – bekommen
verbringen – verbrachte – verbracht
Sie finden diese Informationen in der Wortliste und im Wörterbuch.
Bei unregelmäßigen Verben mit Vokalwechsel lernen Sie auch die Präsensform:
geben / gibt – gab – gegeben

B 4 ## Lesen Sie die Kurzbiografie und ergänzen Sie die Verben im Präteritum.

arbeiten ◆ bekommen ◆ fahren ◆ machen ◆ sein ◆ verbringen ◆ müssen ◆
zeigen ◆ wohnen ◆ studieren ◆ ~~haben~~ ◆ sterben ◆ leben ◆ heiraten

PAULA MODERSOHN-BECKER

Zu Lebzeiten von Paula Modersohn-Becker *hatten* noch viele Menschen Vorurteile gegenüber Frauen, die künstlerisch _____ . Auf Wunsch ihrer Familie _____ Paula einen „richtigen Brotberuf" erlernen. Deshalb _____ die 1876 geborene Dresdnerin zuerst in Bremen eine Ausbildung als Lehrerin, bevor sie an der Berliner Kunstschule _____ .
Bei der ersten Ausstellung ihrer Werke 1899 in der Bremer Kunsthalle _____ ihre Bilder sehr schlechte Kritiken. 1901 _____ Paula Becker den Maler Otto Modersohn und _____ mit ihm im Künstlerdorf Worpswede. Dort _____ sie sehr zurückgezogen und _____ ihre Werke nicht in der Öffentlichkeit. Worpswede _____ für sie bald zu klein. Sie _____ immer mehr Zeit im Ausland und _____ oft nach Paris, um dort künstlerisch zu arbeiten.
1907 _____ sie in Worpswede, kurz nach der Geburt ihrer Tochter.

ARBEITSBUCH B1-B3

B 5 ## Erfinden Sie eine Geschichte.

Benutzen Sie die Verben im Kasten. Verwenden Sie jedes Verb nur einmal. Nur die Verben „sein" und „haben" darf man immer benutzen. TN 1: *Es war einmal eine junge, fröhliche Studentin. Sie lebte …* TN 2 ergänzt einen passenden Satz im Präteritum.

arbeiten ◆ beginnen ◆ bekommen ◆ bleiben ◆ denken ◆ essen ◆ fahren ◆ finden ◆
geben ◆ gehen ◆ heiraten ◆ kennen (lernen) ◆ ~~leben~~ ◆ machen ◆ nehmen ◆ schlafen ◆
schreiben ◆ sehen ◆ sitzen ◆ sterben ◆ studieren ◆ treffen ◆ trinken ◆ verbringen ◆
vergessen ◆ wohnen ◆ …

… Jahre/Monate später … ◆ … Jahre/Monate lang … ◆ Dann … ◆ Danach … ◆ Plötzlich … ◆
Aber … ◆ Deshalb … ◆ Trotzdem … ◆ …

ARBEITSBUCH B4

C

Erinnerungen

Sounds

C 1

Was ist was? Hören Sie die Geräusche und markieren Sie.

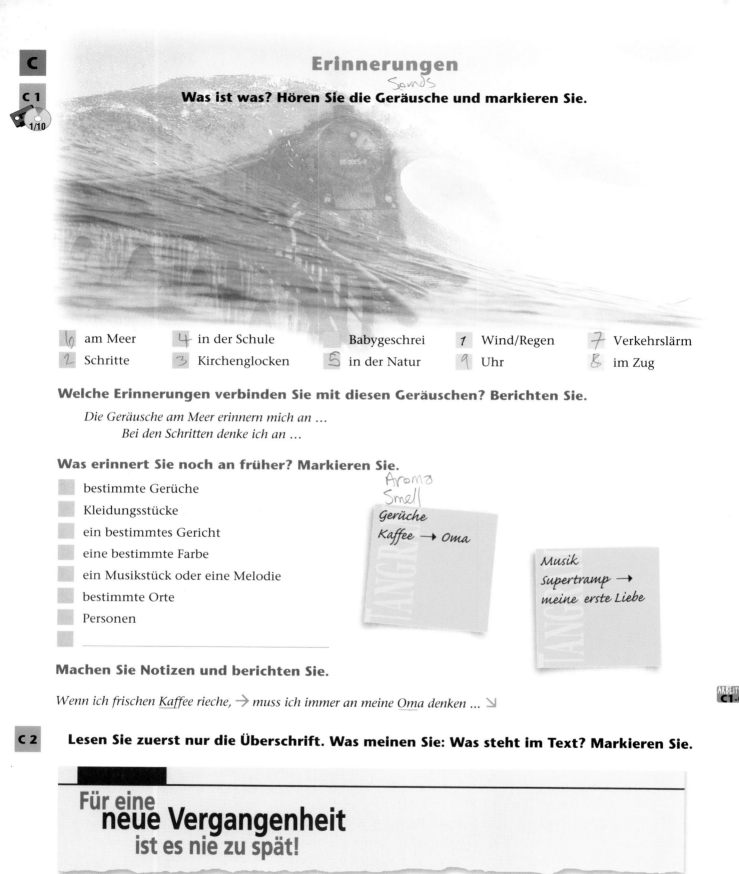

6 am Meer	4 in der Schule	Babygeschrei	1 Wind/Regen	7 Verkehrslärm
2 Schritte	3 Kirchenglocken	5 in der Natur	9 Uhr	8 im Zug

Welche Erinnerungen verbinden Sie mit diesen Geräuschen? Berichten Sie.

Die Geräusche am Meer erinnern mich an …
Bei den Schritten denke ich an …

Was erinnert Sie noch an früher? Markieren Sie.

bestimmte Gerüche

Kleidungsstücke

ein bestimmtes Gericht

eine bestimmte Farbe

ein Musikstück oder eine Melodie

bestimmte Orte

Personen

Aroma
Smell
Gerüche
Kaffee → Oma

Musik
Supertramp →
meine erste Liebe

Machen Sie Notizen und berichten Sie.

Wenn ich frischen Kaffee rieche, → muss ich immer an meine Oma denken … ↘

ARBEITSBUCH
C1-C3

C 2

Lesen Sie zuerst nur die Überschrift. Was meinen Sie: Was steht im Text? Markieren Sie.

Für eine neue Vergangenheit ist es nie zu spät!

a) Junge Menschen können aus der Geschichte ihres Landes lernen.

b) Informationen über das menschliche Gedächtnis

c) Tipps für Menschen, die ihr Leben verändern wollen

Browse _Supposition / Suspicion_

Überfliegen Sie den Anfang des Textes und vergleichen Sie mit Ihrer Vermutung. _assess_

A   Sich erinnern bedeutet immer, die Vergangenheit anzuschauen und sie gleichzeitig zu bewerten. Das ist oft abhängig von der Stimmung, in der man gerade ist. An schlechten Tagen erinnert man sich vor allem an _Mood_ negative Dinge, an guten Tagen sieht Vergangenes gleich viel positiver aus. Auch die Persönlichkeit eines _proven_ Menschen spielt eine große Rolle. Tests haben ergeben, dass glückliche und optimistische Menschen sich _more frequently_ häufiger an ihre Erfolge als an ihre Misserfolge erinnern. Zwei Menschen können also ganz unterschiedliche _Memories_ _misfortune_ _Create_ Erinnerungen an dasselbe Ereignis haben.

B   Die Auswahl der Erinnerungen, die im Gedächtnis bleiben, beginnt sehr früh: Die Sinnesorgane schicken alles, _Choice_ _Memory_ _Brain_ was wir sehen, fühlen, riechen, schmecken oder hören, über Nervenbahnen zum Gehirn. Aber weil dort _constant_ pausenlos unendlich viele Informationen ankommen, sortiert das Gehirn sofort. Wir merken uns, was in dem Moment neu und besonders ist, was Folgen hatte und mit starken Gefühlen verbunden war. Der Rest bleibt draußen. Je tiefer diese Gefühle sind, umso intensiver und dauerhafter ist die Erinnerung. _durable_

Lesen Sie jetzt den ganzen Text genau und unterstreichen Sie in jedem Abschnitt _Paragraph_
die wichtigste Information.

sensual
sensory impression
experience

C   Unser Gedächtnis verbindet auch Erfahrungen miteinander, zum Beispiel Ereignisse und sinnliche Eindrücke. _smells_ _sounds_ Das können Gerüche, Geräusche oder Farben sein. Wenn so ein Eindruck irgendwann später wieder _pop up_ _appear_ auftaucht, erscheint auch die damit verbundene Erinnerung wieder.

D   Psychologen sind der Meinung, dass für die bewusste Erinnerung eine Vorstellung von der eigenen Person _conscious_ _idea / intro_ _Performance_ _necessary_ nötig ist, die man erst im Alter von etwa drei Jahren entwickelt. Also können solche Erinnerungen erst in _develop_ _such_ diesem Alter einsetzen. _utilise_

E   Dann aber sind sie lebenswichtig. Denn ohne sie könnten wir nicht lernen, dass Feuer heiß, Autos schnell oder Menschen manchmal gefährlich sind. Wer sich nicht an Fehler erinnert, weiß nicht, dass es welche waren, und macht die gleiche Dummheit noch einmal.

F   Letztlich entscheidet aber jeder selbst, was er aus seiner Erinnerung macht. Man kann sie nutzen, man kann _hide_ _present_ aus ihr lernen. Man kann sich hinter ihr verstecken, wenn man nicht in der Gegenwart leben will. Man kann _alter_ sie auch benutzen, um sich zu verändern. Erinnerungen sind wie Personalausweise: Sie dokumentieren unsere _falsify_ Identität. Wie Ausweise können auch Erinnerungen verändert und gefälscht werden. Ausweise zu fälschen ist _punishable_ strafbar. Die eigenen Erinnerungen zu fälschen ist fantasievoll.

Ordnen Sie die Aussagen 1–6 den Abschnitten A–F zu.

1   Aus Fehlern wird man klug.   E

2   Wir erinnern uns vor allem an Ereignisse und Personen, die für uns sehr wichtig waren.   B

3   Erinnerungen sind flexibel. Die Menschen verändern sie.   F

4   Unsere Stimmung hat Einfluss auf unsere Erinnerung.   A

5   Die Menschen können sich nicht an ihr Baby-Alter erinnern.   D

6   Auch ein Geruch kann eine Erinnerung wachrufen.   C

C 3
1/
11-13

Die Leute sprechen über Erinnerungen. Welche Aussagen (1–6) passen zu
ihren Berichten? Hören und markieren Sie. _bezogen_
Report _zugesicht_

Bericht	Tina	Eva	Christian
Aussage	6	3	2

Hören Sie noch einmal und ergänzen Sie.

1 _Immer_ _wenn_ mir der Duft von Apfelstrudel in die Nase steigt, passiert etwas Merkwürdiges: Ich fühle mich entspannt, geborgen und sicher.

2 Dieser Duft erinnert mich an _Früher_, _als_ ich noch ganz klein war.

3 _Wenn_ wir dann nach Hause kamen, duftete es _immer_ schon im ganzen Haus.

4 _Als_ _dann_ [zeit] unser Opa gestorben ist, dachten wir alle: Na ja, er war alt und krank, es ist wohl besser so.

5 _Wenn_ die beiden Streit hatten, und das kam _oft_ vor, ist er sofort laut geworden und hat angefangen zu schreien.

6 Zu mir hat sie dann gesagt: Heirate bloß nicht, Kind. Mit Männern hat man nur Probleme. Freu dich, _wenn_ du deine Ruhe hast. (Präsens) immer oft

7 Und _wenn_ ich sie dann besuche, erzählt sie mir _jedesmal_, wie schön die Zeit mit ihm doch war und wie liebevoll er sie behandelt hat. +roat

8 Na ja, wer weiß, wie's ist, _wenn_ ich mal so alt bin. (Präsens)

9 An _damals_, _als_ ich so 14, 15 war, kann ich mich eigentlich kaum noch erinnern. at that time

10 _Wenn_ ich _manchmal_ so an die Schulzeit denke, habe ich gar keine Gesichter mehr vor Augen.

11 Nur an ein Gesicht kann ich mich erinnern: Elke. Schon _als_ ich _erst_ zuerst _mal_ in die Klasse kam, habe ich mich in sie verliebt.

12 _Immer_ _wenn_ sie mich ansprach, wurde ich rot und konnte kein Wort mehr sagen.

Unterstreichen Sie die Nebensätze mit „wenn" oder „als".

Lesen Sie die Beispiele und ergänzen Sie die Regeln.

Immer **wenn** mir der Duft von Apfelstrudel in die Nase **steigt**, passiert etwas Merkwürdiges. →Präsens Dieser Duft erinnert mich an *die Zeit*, **als** ich noch ganz klein **war**. →Vergangenheit **Wenn** wir dann nach Hause **kamen**, duftete es *meistens* schon im ganzen Haus.

als ◆ Nebensätzen ◆ wenn ◆ Konjunktionen

1 „Wenn" und „als" sind temporale _Konjunktionen_. Sie stehen am Anfang von _Nebensätzen_.

2 Gegenwart oder Zukunft _wenn_
   Vergangenheit: ein Zustand oder ein einmaliges Ereignis _als_
   Vergangenheit: ein wiederholtes Ereignis _wenn_

Welche Zeitangaben passen zu „wenn" und „als"? Machen Sie eine Liste.

ARBEITSBUCH
C4-C9

C 5

Erzählen Sie aus Ihrem Leben, z.B. über eines der folgenden Themen.
Verwenden Sie dabei „wenn" und „als".

Ausbildung/Studium ◆ Beruf ◆ erste Liebe ◆ Familie ◆ Freunde ◆ Hobbys ◆
Hochzeit ◆ Kindergarten ◆ politische Ereignisse ◆ Reisen ◆ Schule ◆ …

Als ich zum ersten Mal in den Kindergarten musste, …
Ich hatte mit meinen Geschwistern immer Streit, wenn …

D

Der Ton macht die Musik

Lesen Sie den Liedtext und ergänzen Sie.

als ◆ Buntpapier ◆ Genuss ◆ groß ◆ liebevoll ◆ Kraft ◆ Stoß ◆ Teil ◆ wenn ◆ Wind

Lied für Generationen

_____ ich klein war, schien die Welt
riesig _____ , ziemlich _____ ,
und sie schloss sich um mich her
wie ein Schoß, wie ein Schoß.
_____ ich zehn war, war die Welt
wie ein Blatt _____ ,
war ein Ball und war ein Schiff,
zwei und zwei war nicht vier.

_____ man zwanzig, ist die Welt
liebeleer, _____ ,
brennt uns Muster in die Haut,
macht uns reich, macht uns toll.
Ist man dreißig, bleibt die Welt
noch ganz rund, noch _____ ,
jedes Rätsel wird gelöst,
ist noch Spiel und nicht Muss.

_____ man stark ist, nährt die Welt
unsre _____ , unsre _____ ,
und man fühlt sich wie ein Baum,
keine Axt, die ihn schafft.
Wird man älter, lässt die Welt
keinen los, keinen los,
und man bietet noch die Stirn
jedem Schlag, jedem _____ .

_____ man grau wird, ist die Welt
jünger schon, als wir sind.
Manchmal sitzt man schon zu Haus',
weht ein _____ , leichter _____ .
Wär man hundert, wär die Welt
auch von uns noch ein _____ ,
wenn man besser sie gemacht,
in sie trieb seinen Keil.

_____ man klein ist, ist die Welt
riesig _____ , ziemlich _____ ,
und sie schließt sich um uns her
wie ein Schoß, wie ein Schoß.
Wenn man stark ist, nährt die Welt
unsre _____ , unsre _____ ,
und man fühlt sich wie ein Baum,
keine Axt, die ihn schafft.

Man kann sterben, doch die Welt hat man einst mitgebaut.

Puhdys

Neben „Karat" und „City" sind die „Puhdys" – gegründet 1969 – bis heute eine der erfolgreichsten und bekanntesten Kultbands aus Ostdeutschland. Bekannt wurden sie vor allem mit ihrem Lied „Alt wie ein Baum". „Das Lied für Generationen" ist eines der beliebtesten Lieder der Puhdys. Der Text entstand nach der Musik. Für viele ist die Band aufgrund ihrer lebensnahen Themen und ihrer einfachen Sprache Ausdruck eines bestimmten Lebensgefühls.

Schoß	hier: der Bauch einer Frau
Muster in die Haut	hier: Zeichen und Spuren, z. B. Falten, auf der Haut
Axt, die ihn schafft	Axt, die den Baum fällt / umschlägt
bietet noch die Stirn	leistet Widerstand
trieb seinen Keil	veränderte / beeinflusste die Welt

 Hören und vergleichen Sie.

D1-D4

Das werde ich nie vergessen ...

E

E 1

Lesen Sie die Überschrift. Was meinen Sie: Was steht im Text?

„Diese Nacht war nicht zum Schlafen da"
(nach Walter Momper, 1989–1991 Regierender Bürgermeister in Berlin)

Lesen Sie den Text und vergleichen Sie mit Ihren Vermutungen.

Über die Mauer hinweg lächeln sich ein Junge und ein Mädchen freundlich an. Ein Wahlplakat der Berliner SPD im Dezember 1988. Überschrift: „Berlin ist Freiheit". Die nächste Generation soll die Trennung überwinden – das war die Botschaft dieses Bildes. Manche Leute schüttelten den Kopf über so viel Fantasie, viele kritisierten das Plakat. Es war damals einfach unvorstellbar, dass von heute auf morgen die Mauer nicht mehr existieren sollte. Fast 30 Jahre lang hatte sie unser Leben in Berlin geprägt! Die Mauer hatte nicht nur eine Stadt in zwei Hälften geteilt: Sie hatte Familien zerrissen, Ehepaare getrennt und Kontakte zu alten Freunden abgeschnitten – sie ging mitten durch das Herz der Berliner. Wer in Berlin wohnte, der hatte sich schon daran gewöhnt, nicht ohne weiteres in die Umgebung fahren zu können, der hatte gelernt, dass es einfacher war, nach Mallorca zu reisen als an den Müggelsee, obwohl der nur ein paar Kilometer entfernt war. Seit dem Bau der Mauer 1961 hatten die Deutschen auf diesen Tag gewartet, und plötzlich war er da.

Wir alle mussten die neue Situation erst sinnlich erfahren. Als man in der Nacht vom 9. zum 10. November 1989 die ersten Bilder von der Grenzöffnung im Fernsehen sehen konnte, waren schon Tausende von Berlinern aus beiden Teilen der Stadt zu den Grenzübergängen losgezogen: Jeder wollte es selbst sehen, das Unglaubliche. Unbeschreibliche Szenen spielten sich nach der Grenzöffnung am Kontrollpunkt Invalidenstraße ab: Die Menschen applaudierten stürmisch, stießen mit Rotkäppchen-Sekt auf die neuen Besuchsmöglichkeiten an und bewarfen die Trabbis mit Blumen. Viele Ost-Berliner weinten hemmungslos vor Freude, nachdem sie die Grenze überschritten hatten. Nach kurzer Zeit war der Kontrollpunkt von Menschen überschwemmt. Es war eine Stimmung wie auf einem Volksfest, eine Stadt lag sich in den Armen. Hier zeigte sich: Niemand hatte sich wirklich mit der Mauer abgefunden.

Diese Nacht war nicht zum Schlafen da. Ich blieb bis zum Morgengrauen am Kontrollpunkt und sprach mit den Berlinern aus dem Osten. Viele waren wieder auf dem Heimweg, nachdem sie aus Neugier mitten in der Nacht schnell mal zum Ku'Damm* gefahren waren. Dann kamen die ersten West-Berliner aus dem Ostteil der Stadt zurück: Sie hatten auf dem Alexanderplatz gefeiert. Wild-fremde Menschen, aber auch Familien, die sich seit Jahren nicht mehr gesehen hatten, lagen sich in dieser Nacht jubelnd in den Armen. Der Slogan „Berlin ist Freiheit" war jetzt keine Fantasie mehr, sondern Wirklichkeit.

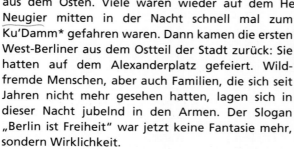

* Ku'Damm = Kurfürstendamm, die bekannteste
 Einkaufsstraße in West-Berlin

E 2   **Lesen Sie den Text noch einmal und ergänzen Sie die passenden Verben.**

Erzähl-Zeit   *Rückschau*   *Perfekt.*

(Was war oder passierte?)

(Was war oder passierte vorher?)

1 Es _____ damals einfach unvorstellbar, dass von heute auf morgen die Mauer nicht mehr _____ _____ – sie _____ mitten durch das Herz der Berliner.

Fast 30 Jahre lang _____ sie unser Leben in Berlin _____ ! Die Mauer _____ nicht nur eine Stadt in zwei Hälften_____ sie _____ Familien _____ , Ehepaare _____ und Kontakte zu alten Freunden _____ .

2 Als man in der Nacht vom 9. zum 10. November 1989 die ersten Bilder der Grenzöffnung im Fernsehen _____ _____ ,

_____ schon Tausende von Berlinern aus beiden Teilen der Stadt zu den Grenzübergängen _____ _____ .

3 Unbeschreibliche Szenen _____ sich nach der Grenzöffnung am Kontrollpunkt Invalidenstraße _____ : ... Viele Ost-Berliner _____ hemmungslos vor Freude, Hier _____ sich:

nachdem sie die Grenze _____ _____ . Niemand _____ sich wirklich mit der Mauer _____ .

E 3   **Ergänzen Sie die Regeln.**

Plusquamperfekt ◆ vorher ◆ Partizip Perfekt ◆ nachdem

1 Über Vergangenes berichtet man im Präteritum oder im Perfekt. Wenn man etwas beschreiben will, was schon _____ passiert ist, dann benutzt man das **Plusquamperfek**t.

2 Plusquamperfekt = „hatt-" oder „war-" + _____

3 In Nebensätzen mit _____ benutzt man sehr oft das _____ .

Lesen Sie den Text noch einmal und unterstreichen Sie alle Plusquamperfekt-Formen.

E 4   ✱MWST REVISE   **Ein Berliner erinnert sich. Machen Sie Sätze mit „nachdem".**

vorher   *nachher*

modal verben mit infinitiv

1 die Bilder von der Mauer im Fernsehen sehen — erst mal ins Bett gehen

2 am nächsten Morgen noch mal die Nachrichten hören — auch nach West-Berlin fahren wollen   *wollte ich...*   *fahren.*

3 meine Sachen packen *gepackt hatte*   *bin ich* — zur Grenze fahren

4 lange am Grenzübergang warten *gewartet hatte* — endlich im Westen sein

5 auf dem Ku'Damm Sekt trinken   *habe ich* — meinen Bruder in West-Berlin besuchen   *(AKK)*   *besucht*

wir 6 die ganze Nacht feiern *gefeiert hatte.*   *bin ich* — wieder nach Hause fahren   *gefahren.*

7 zu Hause ankommen *(+ sein).*   *habe ich* — mit Freunden und Nachbarn ein „Mauer-Fest" organisieren   *organisiert*

Nachdem ich die Bilder von der Mauer im Fernsehen gesehen hatte, ging ich erst mal ins Bett.

Haben Sie im Fernsehen oder Radio etwas über den Fall der Mauer gehört? Berichten Sie.

ARBEITSBUCH
E2-E4

Zwischen den Zeilen

Schriftsprache:

<u>Mit neun Jahren</u> gab Clara ihr erstes Konzert im Leipziger Gewandhaus.

<u>Gegen den Willen ihres Vaters</u> heiratete sie 1840 den Komponisten Robert Schumann.

<u>Nach dem Tod ihres Mannes</u> konzentrierte sie sich wieder stärker auf ihre künstlerische Arbeit.

<u>Zu Lebzeiten von Paula Modersohn-Becker</u> hatten noch viele Menschen Vorurteile gegenüber Frauen, die künstlerisch arbeiteten.

<u>Auf Wunsch ihrer Familie</u> musste Paula einen „richtigen Brotberuf" erlernen.

<u>Vor ihrem Studium an der Berliner Kunstschule</u> machte sie eine Ausbildung als Lehrerin.

<u>Bei der ersten Ausstellung ihrer Werke</u> bekamen ihre Bilder sehr schlechte Kritiken.

Unbeschreibliche Szenen spielten sich <u>nach der Grenzöffnung</u> am Kontrollpunkt Invalidenstraße ab.

Viele Ost-Berliner weinten hemmungslos <u>vor Freude</u>, …

Ich blieb <u>bis zum Morgengrauen</u> am Kontrollpunkt und sprach mit den Berlinern.

Viele waren wieder auf dem Heimweg, nachdem sie <u>aus Neugier</u> mitten in der Nacht schnell mal zum Ku'Damm gefahren waren.

Gesprochene Sprache:

Als Clara neun war, hat sie ihr erstes Konzert im Leipziger Gewandhaus gegeben.

1840 hat sie den Komponisten Robert Schumann geheiratet, obwohl ihr Vater das nicht wollte.

Nachdem ihr Mann gestorben war, hat sie sich wieder stärker auf ihre künstlerische Arbeit konzentriert.

Als Paula Modersohn-Becker gelebt hat, hatten noch viele Menschen Vorurteile gegenüber Frauen, die künstlerisch gearbeitet haben.

Paula musste einen „richtigen Brotberuf" lernen, weil ihre Familie das so wollte.

Bevor sie an der Berliner Kunstschule studiert hat, hat sie eine Ausbildung als Lehrerin gemacht.

Als sie ihre Werke zum ersten Mal ausgestellt hat, haben ihre Bilder sehr schlechte Kritiken bekommen.

Unbeschreibliche Szenen haben sich am Kontrollpunkt Invalidenstraße abgespielt, nachdem man die Grenze geöffnet hatte.

Viele Ost-Berliner haben hemmungslos geweint, weil sie sich so gefreut haben, …

Ich bin am Kontrollpunkt geblieben, bis es Morgen wurde, und habe mit den Berlinern gesprochen.

Viele waren wieder auf dem Heimweg, nachdem sie mitten in der Nacht schnell mal zum Ku'Damm gefahren waren, weil sie neugierig waren.

Was passt zusammen? Ergänzen Sie.

Nominaler Ausdruck (Präposition + Nomen)	**Nebensatz** (mit Konjunktion)
Mit neun Jahren	, als … _____
_____	, bevor … _____
_____	, bis … _____
Nach dem Tod ihres Mannes	, nachdem … _____
_____	, obwohl … _____
Auf Wunsch ihrer Familie	, weil … _____

Vergleichen Sie noch einmal die Aussagen und ergänzen Sie die Regeln.

Nebensätze ◆ nominale Ausdrücke ◆ Perfekt ◆ Präteritum

1 Wenn man über Vergangenes berichtet, benutzt man in der Schriftsprache oft das _____ und in der gesprochenen Sprache meistens das _____ .

2 In der Schriftsprache benutzt man oft _____ und in der gesprochenen Sprache oft _____ .

F 2

Schreiben Sie in Schriftsprache über sich selbst oder eine andere Person und benutzen Sie dabei nominale Ausdrücke.

mit … (Jahren) … ◆ bis zum Ende der Schulzeit/der Reise … ◆
nach Abschluss meiner Ausbildung/meines Studiums … ◆ vor meinem Umzug/meiner Heirat … ◆
bei meiner Hochzeitsfeier/Reise nach … ◆ auf Wunsch/Empfehlung (von) … ◆ vor
Aufregung/Freude/Glück … ◆ aus Angst/Langeweile/Nervosität/Neugier/Wut …

Mit vier Jahren kam ich in den Kindergarten. Am Anfang ging ich aus Angst vor den anderen Kindern nicht gern hin, aber …

Arbeiten Sie jetzt zu dritt oder zu viert und berichten Sie.

Als ich vier war, → bin ich in den Kindergarten gekommen.↘ Zuerst bin ich nicht gern hingegangen , → weil ich vor den anderen Kindern Angst hatte.↘ Aber …

ARBEITSBUCH
F1-F2

G

ARBEITSBUCH
G1-G5

Kurz & bündig

Das Präteritum

Auf Wunsch ihrer Familie **musste** Paula Modersohn-Becker einen „richtigen Brotberuf" erlernen. Deshalb **machte** die 1876 geborene Dresdnerin zuerst in Bremen eine Ausbildung als Lehrerin, bevor sie an der Berliner Kunstschule **studierte**. 1901 **heiratete** Paula Becker den Maler Otto Modersohn. Paula Modersohn-Becker **verbrachte** viel Zeit im Ausland und **fuhr** oft nach Paris, um dort künstlerisch zu arbeiten.

„Eigentlich **war** ein glücklicher Zufall der Grund dafür, dass ich mit dem Schreiben von Kinder- und Jugendliteratur **begann**. 1970 **bekam** ich den Auftrag, die Bilder für ein Kinderbuch zu malen." Was Christine Nöstlinger damals nicht **wusste**: Sie **musste** auch den Text dazu selber schreiben.

Regelmäßige Verben (-t-)	Unregelmäßige Verben	Mischverben (-t-)
müssen – muss-**t**-e	fahren – f**u**hr	
machen – mach-**t**-e	bekommen – bek**am**	verbringen – verbr**ach**-**t**-e
studieren – studier-**t**-e		wissen – w**uss**-**t**-e
heiraten – heirat-**et**-e	beginnen – beg**ann**	

„Wenn" oder „als"?

Immer **wenn** mir der Duft von Apfelstrudel in die Nase **steigt**, passiert etwas Merkwürdiges: Ich fühle mich entspannt, geborgen und sicher. Der Duft von Apfelstrudel erinnert mich an *die Zeit*, **als** ich noch ganz klein **war**. Sonntags haben wir nach dem Mittagessen immer einen Spaziergang gemacht. **Wenn** wir dann nach Hause **kamen**, duftete es *meistens* schon im ganzen Haus. Meine Oma hatte frischen Kaffee gekocht und ihren köstlichen Apfelstrudel gebacken.

Plusquamperfekt

Es war damals einfach unvorstellbar, dass die Mauer von heute auf morgen nicht mehr existieren sollte. Fast 30 Jahre lang **hatte** sie unser Leben in Berlin **geprägt**. Die Mauer **hatte** nicht nur eine Stadt in zwei Hälften **geteilt**: Sie **hatte** Familien **zerrissen**, Ehepaare **getrennt** und Kontakte zu alten Freunden **abgeschnitten** – sie ging mitten durch das Herz der Berliner. Als man in der Nacht vom 9. zum 10. November 1989 die ersten Bilder von der Grenzöffnung im Fernsehen sehen konnte, **waren** schon Tausende von Berlinern aus beiden Teilen der Stadt zu den Grenzübergängen **losgezogen**.

Unbeschreibliche Szenen spielten sich nach der Grenzöffnung am Kontrollpunkt Invalidenstraße ab: Viele Ost-Berliner weinten hemmungslos vor Freude, **nachdem** sie die Grenze **überschritten hatten**. Es war eine Stimmung wie auf einem Volksfest. Hier zeigte sich: Niemand **hatte** sich wirklich mit der Mauer **abgefunden**.

Nützliche Ausdrücke

Als 19-Jähriger hat er als Maschinenschlosser gearbeitet. **(Im Jahre) 1966** hat er geheiratet. **In den 70er-Jahren** hat er als Berufsschullehrer gearbeitet. **Anfang der 90er-Jahre** ist er nach Mauritius geflogen.

Schon als kleines Kind bekam sie Klavierunterricht, und **mit neun Jahren** gab sie ihr erstes Konzert. **Von 1832 an** ging sie mit ihrem Vater auf Konzertreisen.

Zu Lebzeiten von Paula Modersohn-Becker hatten viele Menschen Vorurteile gegenüber Frauen, die künstlerisch arbeiteten.

Wann bist du in die Schule gekommen?
Mit sechs. Das war 1965.

Kannst du dich gut an Gesichter erinnern?
Ja, aber **Namen kann ich mir nicht (gut) merken.**

Woran können Sie sich besonders gut erinnern?
An meinen ersten Schultag.

Woran denken Sie, wenn sie Kirchenglocken hören?
Kirchenglocken **erinnern mich an mein** Heimatdorf.

Was erinnert Sie an früher?
Der Duft von Apfelstrudel. Ich **denke dann immer an** die Sonntage mit meiner Oma.

In welchen Situationen haben Sie Angst?
Manchmal, wenn ich nachts alleine bin.

Können Sie sich erinnern, **wann Sie das erste Mal diese Angst hatten?**
Mit drei Jahren, als **ich nachts aufgewacht bin und meine Eltern nicht da waren.**

A

A 1

Entdecken Sie Leipzig!

Was für Sehenswürdigkeiten gibt es in Leipzig? Sprechen Sie über die Bilder.

ARBEITSBUCH
A1-A2

Ich glaube, Bild B ist eine Kirche.
Die Kirche ist alt und sehr stilvoll.
Mir gefällt sie nicht. Ich finde es zu eng da drin.
…

A

B

C

D

E

F

TOURISTISCHE
INFORMATIONSBROSCHÜRE

**LEIPZIG
KOMMT!**

„Ich komme nach Leipzig, an einen Ort, wo
man die ganze Welt im Kleinen sehen kann."
GOTTHOLD EPHRAIM LESSING

Welche Beschreibung passt zu welchem Bild? Lesen Sie die Texte und markieren Sie.

1 Leipzigs Hauptbahnhof ist gleichzeitig ein modernes Einkaufszentrum: Cafés, Bistros und 140 Fachgeschäfte laden auf drei Ebenen zum Bummeln und Kaufen ein. Vom Buch bis zur Buttermilch, von der Jeans bis zum Jackett, vom Eis bis zum Espresso kann man hier alles bekommen. Natürlich kann man hier auch eine Reise beginnen und den Luxus eines modernen Bahnhofs genießen. Das frisch renovierte Gebäude kann auf eine lange Geschichte zurückblicken. Die erste deutsche Lokomotive fuhr von hier nach Dresden!

2 Die Nikolaikirche ist die älteste Kirche der Stadt (1017 erstmals schriftlich erwähnt). Ihren Namen gab ihr der Schutzheilige der Reisenden und Kaufleute, St. Nikolaus. Die Orgel der Nikolaikirche ist eine der größten in Deutschland. In der Nikolaikirche haben sich 1989 viele Menschen immer montags zu Friedensgebeten getroffen und die Vereinigung der beiden deutschen Staaten gefordert.

3 Der größte Musiker der Stadt und einer der bekanntesten deutschen Komponisten überhaupt lebte im 18. Jahrhundert: Johann Sebastian Bach. Das Bach-Museum erinnert an sein Leben und an seine Arbeit in Leipzig. Das Museum liegt im Nachbarhaus der Familie Bach, dem so genannten Bosehaus. In drei Sonderausstellungen kann man jedes Jahr wertvolle Originalhandschriften sehen.

Außerdem gibt es ein interessantes Programm mit Veranstaltungen für Kinder, Schüler und Jugendliche.

4 Auerbachs Keller ist ein historisches Lokal mit langer Tradition. Berühmt wurde es durch Johann Wolfgang von Goethe: Eine Szene in seinem Drama „Faust" spielt in Auerbachs Keller. Faust verkauft dem Teufel Mephisto seine Seele und bekommt dafür besondere Fähigkeiten. So kann er auf einem Weinfass aus Auerbachs Keller reiten wie auf einem Pferd – und bekommt das Weinfass vom Wirt geschenkt. Daran erinnert heute das Schild am Eingang, das Faust und Mephisto zeigt. Die Speisen und Getränke schmecken übrigens auch heute noch teuflisch gut!

5 Erholung und Erfrischung nach dem Stadtspaziergang bietet das Stadtbad. Es hat ein Wellenbad und eine Sauna, und auch seine Inneneinrichtung lohnt einen Besuch: Die Halle verbreitet einen Hauch von orientalischem Luxus wie in einem Märchenpalast.

6 Das Gewandhausorchester existiert seit über 250 Jahren. Seit 1981 hat es am Augustusplatz sein drittes Zuhause: Das Neue Gewandhaus besteht aus einem großen Saal für 1900 Zuhörer und einem Kammermusiksaal für 500 Besucher. Mit seinem umfangreichen klassischen Programm ist das Orchester weltbekannt.

Vergleichen Sie Ihre Ergebnisse.

Sie sind einen Tag in Leipzig. Was würden Sie tun? Warum?

Ich würde in Auerbachs Keller gehen, weil es da auf jeden Fall etwas zu essen und zu trinken gibt!
Ich würde ins Neue Gewandhaus gehen. Ich höre nämlich gern Musik.
Ich würde etwas ganz anderes machen ...

A 4 **Was sieht man auf welcher Messe? Sammeln und ergänzen Sie.**

Messestadt Leipzig

■ Februar:

Motorrad-Messe

Modemesse *Hosen, Schuhe, Kleider,...*

Messe Haus-Garten-Freizeit *Spiele, Möbel ...*

■ März:

EUROMED: Medizin und Pflege

CADEAUX: Geschenk- und Wohnideen

Leipziger Buchmesse

■ April:

Auto Mobil International

■ Mai:

KIDS DAYS: Kindertage Leipzig

■ Juli – August:

Schuhfachmesse

Uhren- und Schmuckmesse

■ September:

efa: Elektrotechnik und Elektronik

■ Oktober:

Bau-Fachmesse

Touristik & Caravaning

Modell & Hobby: Modelleisenbahn und Kreatives Gestalten

Leipziger Messe GmbH
PF 10 07 20 • D-o4007 Leipzig
Messe-Allee 1 • D-o4356 Leipzig
Telefon: (03 41) 6 78-0
Telefax: (03 41) 6 78-87 62
E-Mail: info@leipziger-messe.de
http://www.leipziger-messe.de

1996 wurde das neue Messegelände und Kongresszentrum eröffnet. Die unmittelbare Nähe zum Flughafen Leipzig-Halle, direkte Anbindung an die Autobahn A14 Halle–Dresden und die Straßenbahnverbindung zur Innenstadt (8 km) bieten eine gute Verkehrsanbindung.

Welche Messen sind für Sie privat interessant? Welche beruflich?

Ich arbeite in einem Schuhgeschäft. Ich würde gern die Schuhfachmesse besuchen.
…

A 5 **Diskutieren Sie zu zweit oder zu dritt und machen Sie einen Plan für zwei Tage.**

Sie sind zwei Tage in Leipzig. Welche Messe besuchen Sie, und was machen Sie sonst noch?

Wir könnten doch zur Modemesse gehen. Da sehen wir die neueste Mode.
Und abends gehen wir in ein Konzert im Gewandhaus.
  Ich würde lieber zur Auto Mobil International gehen, weil da die teuersten
  Autos sind. Und abends sollten wir unbedingt in Auerbachs Keller essen gehen.

ibis hotel

Wann immer Sie kommen – Sie sind uns willkommen: Wir garantieren für freundlichen Empfang rund um die Uhr – 24 Stunden lang.
Moderne, freundliche Zimmer – davon 42 Nichtraucherzimmer – mit Dusche/WC, Direktwahltelefon, Weckdienst, Farb-TV (Kabel) und Radio warten auf Sie. Außerdem verfügt unser Hotel über
4 behindertenfreundliche Zimmer.

Beginnen Sie Ihren Tag mit unserem reichhaltigen Frühstücksbuffet von 6.30 Uhr bis 10 Uhr, an Wochenenden und Feiertagen bis 11 Uhr. Für Frühaufsteher gibt es ein kleines Frühstück ab 4 Uhr, für die Spätaufsteher bis 12 Uhr.

Wie wär's mit einem Drink oder einem kleinen Snack in unserer gemütlichen Hotelbar, die rund um die Uhr für Sie geöffnet ist?

Genießen Sie die zentrale Lage – idealer Ausgangspunkt für Geschäfts- und Freizeitreisen. Kostenpflichtige Parkmöglichkeiten im benachbarten, öffentlichen Parkhaus.

Und all das besonders PreisWert – da lacht Ihr Sparschwein!

hotel ibis Leipzig Zentrum • Brühl 69 • 04109 Leipzig
Telefon (03 41) 2 18 60 • Telefax (03 41) 2 18 62 22

---

ibis Hotels:
Komfortabel
Herzlich
PreisWert

ZIMMERPREISE

Einzelzimmer	EZ	DM 125,00
Doppelzimmer	DZ	DM 125,00
Frühstückbuffet pro Person		DM 15,00
Hund		DM 8,00
Tiefgarage		DM 12,00

(Preisänderungen vorbehalten)
(Preise inklusive MwSt.)

Anreise

Flugzeug
Leipzig/Halle (24 km)

Auto
„A 14", Abfahrt: „Leipzig"
Richtung: „Hauptbahnhof"

Bahn
Hauptbahnhof: „Leipzig" (50 m)
Öffentliche Verkehrsmittel
Straßenbahn: Nr. 1, 3, 4, 6, 11, 15, 17, 22
Haltestelle: „Hauptbahnhof" (50 m)

HOTEL ACCENTO

Preise 1998

Einzelzimmer	DM 179,– bis 249,–
Doppelzimmer	DM 179,– bis 249,–
Businesszimmer	DM 209,– bis 279,–
Suiten	DM 299,– bis 399,–
Tiefgaragengebühr	DM 15,– für 24 h
Freiparkplätze	Kostenfrei
Frühstücksbuffet	DM 18,–

Fragen Sie nach unseren Wochenendraten.
Alle Übernachtungspreise beinhalten Benutzung der Sauna und des Fitnessraumes sowie gesetzl. Mehrwertsteuer und Bedienungsgeld.

Reservierung:
Hotel ACCENTO
Tauchaer Straße 260
04349 Leipzig
Telefon (03 41) 92 62-0
Telefax (03 41) 92 62-100
oder
SRS - Steigenberger Reservation Service
Telefon (01 80) 5 24 28 28

Lage:
Im Nordosten von Leipzig,
Stadtteil Portitz
Autobahnverbindung A 14,
Halle/Dresden
Ausfahrt Leipzig-Nordost
7 km zur Innenstadt
3 km zum Messegelände
16 km zum Flughafen Leipzig/Halle
Zimmer:
115 Zimmer, davon
4 Suiten, 11 Businesszimmer,
Nichtraucherzimmer verfügbar
Modernste, umweltfreundliche
Ausstattung
Alle Zimmer mit Bad/Dusche/WC,
TV/Radio, Kabelanschluss
Pay-TV, Selbstwahltelefon
Alle Zimmer mit Modem/Faxanschluss
Businesszimmer und Suiten
mit ISDN-Anschluss
Restaurant / Bar:
Restaurant „AL TAVOLO"
Bistrobar „LiBARare"
Konferenz:
5 Konferenzräume für
5–80 Personen
Alle mit Tageslicht und
voll klimatisiert
Modernste Medien- und
Kommunikationstechnik
Parken:
27 Tiefgaragenplätze
350 Freiparkplätze
3 Busparkplätze

B 1   **Sie wollen nach Leipzig fahren und suchen eine Unterkunft. Sehen Sie sich die Prospekte an und sortieren Sie die Informationen.**

Name	Lage	Anzahl der Zimmer	Zimmerpreis	Extras
Hotel ibis Leipzig Zentrum	sehr zentral (am Hauptbahnhof)	126 Zimmer, davon 42 Nichtraucherzimmer	125,00 DM	24 Stunden Empfang, Nichtraucherzimmer, behindertenfreundliche Zimmer, Hotelbar, Weckdienst

Vergleichen Sie die Hotels. Arbeiten Sie zu dritt. Welches Hotel nehmen Sie? Warum?

Ich würde im Hotel ibis wohnen, das ist zentral und nicht zu teuer.
    Das ist mir zu laut. Ich würde außerhalb von Leipzig übernachten, im Hotel Accento.
...

KEMPINSKI
HOTEL FÜRSTENHOF LEIPZIG

first rate *already*

Das Kempinski Hotel Fürstenhof Leipzig ist heute wieder eine erste Adresse, die sich bereits seit weit über 200 Jahren durch vorzügliche Gastlichkeit auszeichnet. Das Kempinski Hotel Fürstenhof Leipzig liegt direkt am Innenstadtring zwischen dem erholsamen parkähnlichen Rosental mit Zoologischem Garten und der historischen Altstadt, die jeweils in wenigen Minuten zu Fuß erreichbar sind. Willkommen im feinen kleinen Grand Hotel.

Preisliste

Kategorie	Einzelzimmer	Doppelzimmer
Standard	DM 340,-	DM 390,-
Superior	DM 400,-	DM 450,-
Deluxe	DM 460,-	DM 510,-
Suiten	DM 650,- bis 2.100,-	
Frühstück	DM 31,- pro Person	

Kinder bis 12 Jahre im Zimmer der Eltern kostenfrei.
Wochenend- und Gruppenpreise auf Anfrage.
Preise inklusive Bedienungsgeld und Mehrwertsteuer, gültig ab 1. November 1997.

the

Lage: Im Zentrum der Stadt; ca. 17 km vom Flughafen Leipzig/Halle; ca. 500 m vom Hauptbahnhof.
Zimmer: 92 Zimmer und Suiten mit Klimaanlage, 3 Telefone mit Voice-mail, Safe, Radio, TV, Fax- und PC-Anschluss, Minibar
Gastronomie: Restaurant „Fürstenhof", Bar „Wintergarten", Hofgarten im Sommer
Bankett: 5 Konferenzräume für bis zu 100 Personen (29–115 m²)
Fitness: 650 m² Wellnessbereich „Aqua Marin"
Tiefgarage: 44 Plätze, direkter Zugang zum Hotel

Tröndlinring 8 • 04105 Leipzig
Telefon 0341/140-0 • Fax 0341/140-3700

Informationen aus dem DJH-Landesverband Sachsen e.V.:

Am neuen Standort in Klein-Paris:

Jugendherberge Leipzig-Centrum

Anschrift:
Jugendherberge Leipzig-Centrum
Volksgartenstraße 24
04347 Leipzig
Herbergsleiter: Michael Bopp

Tel. 0341/ 2457011   **Fax: 0341/ 2457012**

Mein Leipzig lob ich mir, es ist ein Klein-Paris.
J. W. von Goethe

Geeignet für alle DJH-Mitglieder, besonders für Gruppen, Einzelgäste und Familien, die auf Leipzig und die Sachsen neugierig sind, aber auch für Tagungen und Seminare ... *curious*

Lage: Die JH liegt zwischen dem Stadtzentrum Ost und der Neuen Leipziger Messe im Stadtteil Schönefeld.

Anreise: Bahn: Leipzig Hbf., dann Straßenbahnlinie 17, 27, 37, 57 bis Haltestelle Löbauer Str. (7 Stationen);

Auto: A 14, Abfahrt Leipzig Nordost, Richtung Stadtzentrum auf der B 87, dann rechts in die Permoserstraße einbiegen.

Raumangebot: 176 Betten in 2- bis 6-Bett-Zimmern. Die Sanitärbereiche befinden sich zentral auf den Etagen. Leiter- und Familienzimmer sind vorhanden.

Freizeitmöglichkeiten: Tischtennis, Sportraum, TV, Video, Videokamera, Dia- und Tageslichtprojektor, Leinwand, Flipchart, Programm- und Kartenservice in der JH. *canvas screen*

ÜF: Jun. 24,00 DM; Sen. 29,00 DM

Voranmeldung wird empfohlen, 5 Tage vor Anreisetermin ist eine telefonische Reservierung möglich.

Der Leipzig Tourist Service hilft Touristen bei der Suche nach einer Unterkunft.
Hören Sie die Telefonanrufe und ergänzen Sie die Tabelle.

Name	Telefonnummer	Wie viele Personen?	Wie lange in Leipzig?	Gewünschte Lage für das Hotel	Preisvorstellung
Uschi Mai	050475329	3	eine Woche	zentral *Fuß*	
Riethenschneider	06643523	—	2 Nächte	„comfort"	kein Problem
Sibylle Schneider	0171230977	—	3 Tage	ruhig Sauna Messegelände	
Edelmann	0211885367	2 BB 2 K. mit bad	1 Wochenende	mittelstadt	nicht so teuer

---

B 3

Welche Unterkunft würden Sie den Anrufern empfehlen?
Diskutieren Sie zu zweit und vergleichen Sie Ihre Ergebnisse.

Ich würde Uschi Mai und ihren Freundinnen das Hotel ibis empfehlen.
Die Jugendherberge ist aber noch preiswerter ...

 ARBEITSBUCH B1-B3

Hören Sie den Dialog und ergänzen Sie die Angaben.

1/16

● Leipzig Tourist Service, Zimmervermittlung, Ebert, guten Tag.

■ Guten Tag, mein Name ist Renker. Ich brauche am
kommenden _____ ein _____
in Leipzig.

● Doppelzimmer oder Einzelzimmer?

■ Ein _____ , bitte.

● Können Sie mir sagen, wann Sie ankommen? Freitag oder
Samstag?

■ Am _____ .

● Wissen Sie schon, wie lange Sie bleiben möchten?

■ Bis _____ . Also zwei Nächte.

● Möchten Sie Vollpension oder Halbpension? Oder nur
Übernachtung mit Frühstück?

■ Nur _____ , bitte. … Meine Frau fragt gerade,
ob es auch _____ mit Swimming-Pool gibt.

● Natürlich, wie ist denn Ihre Preisvorstellung?

■ Wie bitte?

● Ich wollte wissen, wie teuer das Hotel sein darf.

■ Hm, so bis _____ Mark pro Nacht.

● Ist die Lage wichtig?

■ … Entschuldigung, wie war die Frage?

● Ich habe gefragt, ob das Hotel im _____ liegen soll.

■ Ja, möglichst zentral. Aber nicht so _____ .
Und ich brauche eine Parkmöglichkeit.

● Einen Moment bitte …

Lerntipp:

Indirekte Fragen klingen höflicher als direkte Fragen.
Seien Sie doch einmal eine Deutschstunde oder
einen Tag lang besonders höflich und formulieren
Sie alle Ihre Fragen als indirekte Fragen. Fragen Sie
also nicht „Wie spät ist es?", sondern … , und nicht
„Wann machen wir Pause?", sondern … Und denken
Sie daran: Auch die Satzmelodie ist wichtig!

Lesen Sie den Dialog noch einmal und unterstreichen Sie alle Nebensätze (Verb am Ende). Nach welchen Ausdrücken stehen diese Nebensätze? Machen Sie eine Liste.

Indirekte Fragen nach

Können Sie mir (schon) sagen, … ?

…

B 5 **Machen Sie aus den Nebensätzen direkte Fragen und ergänzen Sie die Regeln.**

Indirekte Frage	Direkte Frage
Hauptsatz + Nebensatz	**Hauptsatz**
Können Sie mir sagen, **wann** Sie ankommen?	**Wann** kommen Sie an?
Wissen Sie schon, **wie lange** Sie bleiben möchten?	Wie lange möchten sie bleiben ?
Meine Frau fragt gerade, **ob** es auch Hotels mit Swimming-Pool gibt.	Gibt es auch Hotels mit Swimming-Pool?

sign

| Fragewort ◆ Fragezeichen ◆ „Ja" oder „Nein" ◆ Komma ◆ ob ◆ Punkt |

1 Indirekte Fragesätze beginnen mit einem _Fragewort_ oder mit _ob_ . Sie beginnen
mit „ob", wenn man die Antwort _Ja oder Nein_ erwartet.

expect

statement

expression/phrase

2 Indirekte Fragesätze stehen meistens nach Ausdrücken wie *Können Sie mir sagen, …* (= Frage) oder
*Ich bin nicht siche*r, … (= Aussage). Bei Fragen steht am Satzende ein _Fragezeichen_ , bei
Aussagen steht am Satzende ein _Punkt_ . Zwischen Hauptsatz und Nebensatz steht immer
ein _Komma_ .

B 6   **Spielen Sie zu zweit ein Gespräch mit der Zimmervermittlung.**

| EZ/DZ ◆ Datum ◆ Dauer ◆ Preis ◆ Lage ◆ Parkmöglichkeit ◆ Vollpension … ◆ Schwimmbad … |

ARBEITSBUCH
B4-B7

C

Zwischen den Zeilen

C 1   **Lesen Sie die Erklärung und die Dialoge und ergänzen Sie die „Echofragen".**

Im Gespräch benutzt man manchmal „Echofragen": Man wiederholt die Frage des Gesprächspartners als
indirekte Frage und ohne Hauptsatz (also ohne „Du fragst, …").
„Wann machst du Urlaub?" „Wann ich Urlaub mache? … Wahrscheinlich erst nächstes Jahr."
Mit Echofragen kann man zurückfragen (*„Habe ich die Frage richtig verstanden?"*) oder Zeit gewinnen (und
länger über die Antwort nachdenken).

1 ● Was machst du denn am Wochenende?
  ■ _Was ich am Wochenende mache?_ →
  Ich weiß noch nicht genau. Vielleicht …

2 ● Spielst du eigentlich Volleyball?
  ■ _____ ?
  ● Ja …
  ■ Also früher habe ich mal …

3 ● Was möchten Sie trinken?
  ■ _____ ?
  Ein Bier … nein, lieber einen Rotwein, bitte.

4 ● Und? Wie finden Sie Leipzig?
  ■ _____ ?
  ● Ja … Sie waren doch in Leipzig, oder?
  ■ Nein, ich war in Berlin. …

5 ● Kannst du mir beim Umzug helfen?
  ■ _____ ?
  Das kommt darauf an. Wann …

6 ● Haben Sie schon einmal eine Diät gemacht?
  ■ _____ ?
  Ja, vor zwei Jahren habe ich mal …

1/
17-22
**Hören Sie, vergleichen Sie und markieren Sie bei den „Echofragen" die Satzmelodie (↗, →
oder ↘). Ergänzen Sie dann die Regel.**

| Echofragen zum Zeitgewinn: _____ oder _____ | Der Sprecher erwartet keine Antwort. |
| Echofragen als Rückfragen: _____ | Der Sprecher erwartet eine Antwort. |

C 2   **Arbeiten Sie zu zweit und machen Sie ein Partnerinterview.**

| Ausbildung ◆ Beruf ◆ Familie ◆ Wohnung ◆ Reisen ◆ Deutschkurs ◆ … |

Benutzen Sie bei Ihren Antworten „Echofragen" und reagieren Sie auf Rückfragen.

ARBEITSBUCH
C1-C3

D 1

Hören Sie die Rede und schreiben Sie die Jahreszahlen zu den Ereignissen.

1/23

Jahr		Bild
_____	Pension Waldhof öffnet	*A*
_____	Parkhotel Waldhof öffnet	
_____	Mutter stirbt	
_____	junge Dame kommt	
_____	Herbert und Gaby heiraten	
_____	erstes Hallenbad	
_____	Parkplatz und Tennisplatz	
_____	Friseur und Massagepraxis	
_____	Vitalschlössl	
_____	Jubiläum	

Welches Foto passt? Ordnen Sie die Bilder den Ereignissen zu.

D 2

Welche Reihenfolge ist richtig? Lesen Sie die Kurzfassung der Rede und sortieren Sie.

○ Die Gäste kamen so zahlreich, dass Mutter bald von einem eigenen Hotel träumte. Am 7. Mai 1969 wurde ihr Traum wahr: Das Parkhotel Waldhof nahm den Betrieb auf. Mutti war an der Rezeption, meine Schwestern Evi und Regina machten den Service, und ich übernahm die Küche. Heute überrascht es mich, wie gut damals alles geklappt hat.

○ Wir mussten nach dem Tod der Mutter wieder Fuß fassen, und unser Vater hat uns dabei sehr geholfen. Wenn wir ihn brauchen, ist er immer für uns da. Das ist überhaupt das Wichtigste: Wir Ebners können uns hundertprozentig aufeinander verlassen.

① Ein Jubiläum ist eine Gelegenheit zurückzuschauen, auch für die Ebners vom Waldhof. Für uns bedeutet das die Erinnerung an unsere Mutter. Sie kam auf die Idee, im Sommer Gäste aufzunehmen. Das „Zimmer frei"-Schild hat sie selbst gemalt und sie hat es eigenhändig mit Hammer und Nagel neben die Haustür gehängt.

Aber <u>es</u> kamen auch schwere Zeiten. Unsere Mutter wurde krank und starb im Dezember 1972. Noch heute denken wir oft an sie und an die Herzlichkeit, mit der sie die Gäste immer wie gute Freunde behandelt hat.
treat

In diesem Zusammenhang möchte ich dich, liebe Gaby, besonders erwähnen: Ohne dich würde die Geschichte des Waldhofs anders aussehen. <u>Du bist immer</u> fürs Hotel und für unsere drei Kinder da, das ist schon etwas ganz Besonderes.

Wir Kinder erinnern uns noch genau daran: Im Juli/August wurden die Schlafzimmer für die „Gäste" geräumt. „Mit dem verdienten Geld <u>kann ich euch</u> für den Winter einkleiden", hat die Mutti immer gesagt, und auch unsere Zimmer bekamen jedesmal eine Verschönerung. Unserer Mutter ist es jedenfalls gelungen, dass <u>wir die</u> Sommergäste nie störend fanden – im Gegenteil, <u>wir</u> haben <u>uns</u> immer <u>auf sie</u> gefreut.
S   DAT   her pleased
                     tous

D 3

Wer oder was ist „uns", „es", ... ? Lesen Sie den Text in der richtigen Reihenfolge noch einmal und ergänzen Sie.

Pronomen	Nomen	Pronomen	Nomen
Für **uns** ...	*die Ebners*	... überrascht es **mich** ...	das Kind
Sie kam auf die Idee ...	*die Mutter*	... denken wir oft an **sie** ...	die Mutter
... sie hat **es** ...	das schild	... wenn wir **ihn** brauchen ...	der Vater
... kann **ich** euch ...	die Mutter	... ist **er** immer für uns da ...	der Vater
... kann ich **euch** ...	die Kinder	... ist er immer für **uns** da ...	die Kinder
... dass **wir** die Sommergäste	die Kinder	... ohne **dich** ...	Gaby
... auf **sie** gefreut ...	die Mutter	**Du** bist immer ...	Gaby

Unser Vater hat uns dabei sehr geholfen. Wenn wir **ihn** brauchen, ist **er** immer für uns da.

In Texten und Dialogen ersetzen _____ bekannte _____ . Meistens steht also zuerst das _____ . Wenn klar ist, welche Person oder Sache man meint, benutzt man das kürzere ___form___ . Danach benutzt man oft abwechselnd _____ und _____ : So kann man Wiederholungen vermeiden.

Ergänzen Sie die Tabelle mit den Pronomen.

Nominativ:	ich	du	sie	er	es	wir	ihr	sie
Dativ:	mir	dir	ihr	ihm	ihm	uns	euch	ihnen
Akkusativ:	mich	dich	sie	ihn	es	uns	euch	sie

D 4

Lesen Sie den Text und ergänzen Sie die fehlenden Pronomen.

Herr Ebner senior erzählt: „Meine Frau war die Gründerin des Hotels Waldhof – ohne _____ würde es den Waldhof heute nicht geben. Anfang der 50-er Jahre hatte sie die Idee, Sommergäste aufzunehmen. Sie malte ein Schild „Zimmer frei" und hängte es eigenhändig neben die Haustür. Bald kamen die Gäste so zahlreich, dass wir sie in unserem Haus gar nicht mehr unterbringen konnten. So bauten wir eine kleine Pension und später sogar ein richtiges Hotel. Meine Frau kümmerte sich um die Gäste, und ich habe den Hausmeister gespielt und gekocht – das war die ideale Rolle für mich. Die Kinder haben uns von Anfang an unterstützt, vor allem unser Herbert: Auf ihm konnten wir uns immer verlassen. Er hat von früh bis spät gearbeitet, ohne Pause, ohne Wochenende. „Mach doch mal Urlaub, denk doch auch mal an uns !", haben wir immer gesagt, aber er hat nur gelacht: „Was wollt ich denn! Ich habe doch das beste Vorbild: Euch !"

 Hören und vergleichen Sie.
1/24

E 1

Was machen Anna und Sebastian in Graz? Sprechen Sie über die Bilder.

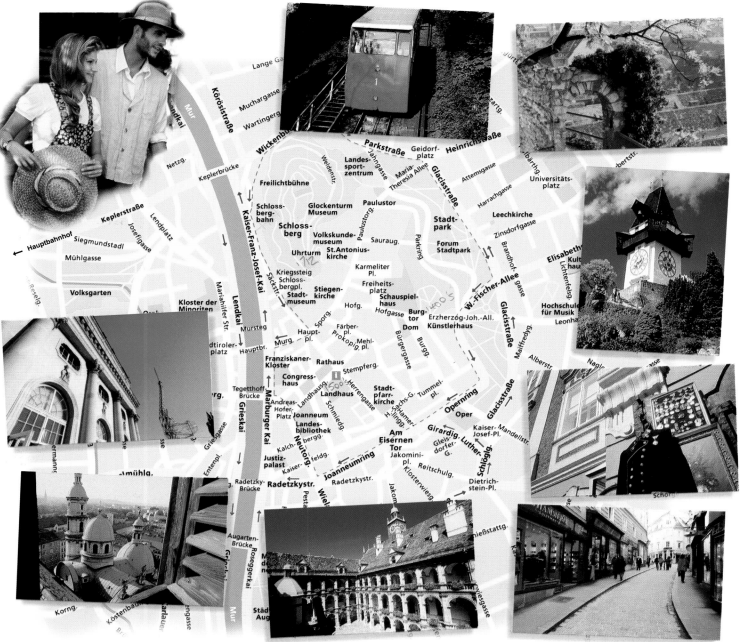

 Welchen Weg gehen Anna und Sebastian?
Hören Sie die Geschichte und zeichnen Sie den Weg auf dem Stadtplan ein.

E 2

 Hören Sie die Geschichte noch einmal und diskutieren Sie.

1 Was ist „das Steilste" in Graz?
2 Warum geht Anna gern mit Sebastian durch das Tor?
3 Was ist das Besondere an der Uhr des Uhrturms? Wie erklärt Anna diese Besonderheit?
4 Was gibt es in der „Sackstraße"?
5 Warum findet Anna es peinlich, nach dem Landhaushof zu fragen?
6 Wo steht: „Nicht mein Wille – der Deine geschehe!"? Was heißt das für Anna?
7 Was ist „der krönende Abschluss" ihres Rundgangs?

Entschuldigung. Wo ist ... ?
Wissen Sie, wo ... ?
Wie komme ich bitte zu ... ?
Können Sie mir sagen, wie ... ?

Ja, gern./Natürlich.
Gehen Sie ...

durch (das Tor/die ...gasse) (AKK)

bis zur (Kreuzung) (DAT)

gegenüber (vom Dom) (DAT)

neben (der Oper) (DAT)

am (Tummelplatz) (vorbei) (DAT)

Sehen Sie das Haus dort hinten? Das ist ...
Das ist ganz in der Nähe/nicht weit.

Vielen Dank!

E 3

**Sie sind in Graz an der Tourist Information (Ecke Landhausgasse/Herrengasse).
Arbeiten Sie zu zweit und spielen Sie Auskunft.**

Dom ◆ Franziskanerkloster ◆ Landhaushof ◆ Lichtschwert ◆ Oper ◆ ~~Schauspielhaus~~ ◆
Schlossbergbahn ◆ Stadtmuseum ◆ Stadtpark ◆ Stadtpfarrkirche ◆ die ...straße ◆
Antiquitäten ◆ Blick über Graz ◆ die komische Uhr ◆ schöner Spaziergang ◆ ...

Können Sie mir sagen, → wie ich zum Theater komme? ↗
    Zum Schauspielhaus? ↗ Ja, gern. ↘ Gehen Sie hier die Herrengasse entlang → bis zur großen Kreuzung
    dort hinten, → das ist der Hauptplatz. ↘ Dann gehen Sie rechts in die Sporgasse → und dann die zweite
    wieder rechts, das ist die Hofgasse. ↘
Bis zur Kreuzung, → dann rechts und die zweite wieder rechts? ↗
    Genau, ↘ und dann immer geradeaus. ↘ Das Schauspielhaus ist auf der linken Seite, → gegenüber vom
    Dom, → neben dem Burgtor. ↘
Vielen Dank! ↘

ARBEITSBUCH E2–E4

E 4

**Straßennamen haben oft eine Bedeutung. Was meinen Sie: Warum heißen
diese Straßen in Graz so?**

**Kennen Sie andere deutsche Straßennamen? Was bedeuten sie?
Wie bekommen Straßen in Ihrem Land ihre Namen?**

Schönes Wetter heute!

F 1

Wie ist das Wetter in Mitteleuropa normalerweise? Schreiben Sie etwas über die Temperaturen, Sonne, Regen und Schnee.

Frühling   Sommer   Herbst   Winter

Arbeiten Sie zu viert und vergleichen Sie Ihre Ergebnisse.

Es regnet.   (sehr) viel/nur wenig
Es schneit.   nie/selten/oft/immer
Es ist warm/kalt/schön.
Es gibt (viel/wenig) Sonne/Regen/…

F 2

Das Wetter in Deutschland

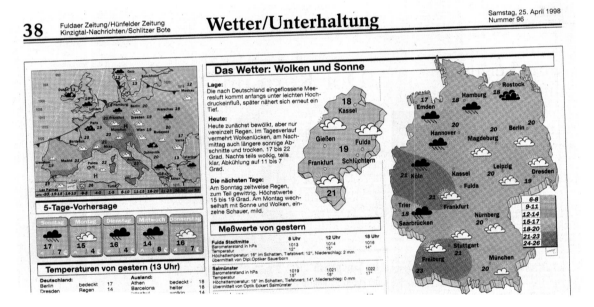

Beschreiben Sie das Wetter. Wo ist es am wärmsten? Wo ist es am schönsten?

In Köln ist es warm.

Aber da regnet es. In Leipzig ist es trocken.

…

Die Wetterkarte ist vom 25. April. Wie wird das Wetter in den nächsten Tagen?

F 3

Das Wetter ist ein beliebtes Gesprächsthema. Diskutieren Sie diese Aussagen: Was heißt das? Wer sagt das wann? Und was sagen Sie über das Wetter?

Das ist vielleicht ein Wetter heute.   *Ist das eine Affenhitze!*   *Das ist ja wie in Sibirien.*

So ein Sauwetter!   *Ein Wetter wie im Bilderbuch!*   *Da jagt man ja keinen Hund vor die Tür.*

Für die Jahreszeit viel zu …   *Was (für) ein Wetter!*

Wenn der Hahn kräht auf dem Mist, ändert sich das Wetter oder es bleibt wie's ist. ✳ *Wenn Engel reisen, lacht der Himmel.* ✳ *Auf Regen folgt Sonnenschein* ✳ *Es gibt kein .*

Der Ton macht die Musik

Wann wird's mal wieder richtig Sommer?
gesungen von Rudi Carell

Wir brauchten früher keine große Reise.
Wir wurden braun auf Borkum und auf Sylt.
Doch heute sind die Braunen nur noch Weiße,
Denn hier wird man ja doch nur tiefgekühlt.
Ja, früher gab's noch hitzefrei,
Das Freibad war schon auf im Mai,
Ich saß bis in die Nacht vor unsrem Haus.
Da hatten wir noch Sonnenbrand
Und Riesenquallen an dem Strand
Und Eis
Und jeder Schutzmann zog die Jacke aus.

Refrain:
Wann wird's mal wieder richtig Sommer
Ein Sommer wie er früher einmal war?
Ja, mit Sonnenschein von Juni bis September
Und nicht so nass und so sibirisch wie im letzten Jahr.

Und was wir da für Hitzewellen hatten.
Pulloverfabrikanten gingen ein.
Da gab es bis zu 40 Grad im Schatten.
Wir mussten mit dem Wasser sparsam sein.
Die Sonne knallte ins Gesicht,
Da brauchte man die Sauna nicht.
Ein Schaf war damals froh, wenn man es schor.
Es war hier wie in Afrika.
Wer durfte, machte FKK.
Doch heut', heut' summen alle Mücken laut im Chor:

Refrain: Wann wird's ...

Der Winter war der Reinfall des Jahrhunderts.
Nur über 1000 Meter gab es Schnee.
Mein Milchmann sagt: „Dies Klima hier, wen wundert's,
Denn schuld daran ist nur die SPD" (hähähä)
Ich find', das geht ein bisschen weit,
Doch bald ist wieder Urlaubszeit,
Und wer von uns denkt da nicht dauernd dran.
Trotz allem glaub' ich unbeirrt,
Dass unser Wetter besser wird.
Nur wann?
Und diese Frage geht uns alle an!

Refrain: Wann wird's ...

Riesenquallen: Tier, das im Meer lebt und die Form eines Schirms hat.

Schutzmann: Polizist

Pulloverfabrikanten gingen ein.: ... mussten schließen.

Schaf: ein Tier, aus seinem Fell macht man Wolle

schor: Präteritum von: scheren, die Haare / das Fell sehr kurz abschneiden

FKK: Abkürzung für „Freikörperkultur", nackt baden

Reinfall des Jahrhunderts: ein großer Misserfolg

SPD: Abkürzung für „Sozialdemokratische Partei Deutschlands"

... das geht ein bisschen weit.: ... das ist übertrieben.

unbeirrt: ganz überzeugt sein

Und diese Frage geht uns alle an!: Diese Frage ist wichtig für jeden von uns.

ARBEITSBUCH G1-G4

Die Prüfung

schlechtes Wetter, es gibt nur die falsche Kleidung. ☀ Je weißer die Schäfchen am Himmel geh'n, desto länger bleibt das Wetter schön. ☀ So hoch der Schnee, so hoch das Gras.

Konjunktiv für Pläne und Vorschläge: „würd-", „könnt-" und „sollt-"

Was **würden Sie** gern in Leipzig machen?	**Ich würde** erst ins Neue Gewandhaus gehen und anschließend in Auerbachs Keller.
Wir könnten zur Modemesse gehen.	**Ich würde lieber** die Auto Mobil International besuchen.
	Und abends **sollten wir** unbedingt in Auerbachs Keller essen gehen.

Direkte Fragesätze / Indirekte Fragesätze

Direkte Fragesätze	Indirekte Fragesätze
Wann kommen Sie an?	Können Sie schon sagen, **wann** Sie **ankommen**?
Wie lange möchten Sie bleiben?	Wissen Sie schon, **wie lange** Sie bleiben **möchten**?
Gibt es auch ein Hotel mit Swimming-Pool?	Meine Frau fragt gerade, **ob** es auch ein Hotel mit Swimming-Pool **gibt**.
Wie teuer darf das Hotel sein?	Ich wollte wissen, **wie** teuer das Hotel sein **darf**.
Soll das Hotel im Zentrum liegen?	Ich habe gefragt, **ob** das Hotel im Zentrum liegen **soll**.
	Ich bin nicht sicher, **ob** wir so kurzfristig noch ein passendes Zimmer **finden**.
	Es ist nicht so wichtig, **wo** das Hotel **liegt**.

Echofragen

Kannst du mir beim Umzug helfen? ↗	**Ob ich dir beim Umzug helfen kann?** → Das kommt darauf an. ↘
Und? ↗ Wie finden Sie Leipzig? ↗	**Wie ich Leipzig finde?** ↗
Ja, → … Sie waren doch in Leipzig, → oder? ↗	Nein, → ich war in Berlin. ↘

Personalpronomen (Akkusativ)

Ein Jubiläum ist eine Gelegenheit zurückzuschauen, auch für die Ebners vom Waldhof. Für **uns** bedeutet das die Erinnerung an unsere Mutter.

Heute überrascht es **mich**, wie gut damals alles geklappt hat.

Wir fanden die Sommergäste nie störend, im Gegenteil, wir haben uns immer auf **sie** gefreut.

„Mit dem verdienten Geld kann ich **euch** für den Winter einkleiden", hat die Mutti immer gesagt.

Unsere Mutter wurde krank und starb im Dezember 1972. Noch heute denken wir oft an **sie**.

Unser Vater hat uns sehr geholfen. Wenn wir **ihn** brauchen, ist er immer für uns da.

In diesem Zusammenhang möchte ich **dich**, liebe Gaby, besonders erwähnen.

Orts- und Richtungsangaben

Entschuldigung, **können Sie mir sagen, wie ich zum** Theater **komme**?	Ja, gern. Gehen Sie die Herrengasse **entlang bis zur Kreuzung**, dann **rechts** in die Sporgasse und dann **die zweite wieder rechts**, das ist die Hofgasse. Dann **immer geradeaus**. Das Schauspielhaus ist **auf der linken Seite, gegenüber vom** Dom und **neben dem** Burgtor.
Wie komme ich bitte zum Franziskanerkloster?	Sie gehen hier vorne links **um das Rathaus herum, am** Congresshaus **vorbei** und **bis zum** Andreas-Hofer-Platz, dann rechts **am Fluss entlang**. Da ist es dann gleich **auf der rechten Seite**.
Wissen Sie, wo die Stadtpfarrkirche **ist**?	Die ist **ganz in der Nähe**. Sehen Sie die Kirche **dort hinten links**? Das ist die Stadtpfarrkirche.

Nützliche Ausdrücke

Leipzigs Hauptbahnhof ist gleichzeitig ein modernes Einkaufszentrum: **Vom** Buch **bis zur** Buttermilch, **von** der Jeans **bis zum** Jackett, **vom** Eis **bis zum** Espresso kann man hier alles bekommen. Das Stadtbad **lohnt einen Besuch**: Die Halle **verbreitet einen Hauch von** orientalischem Luxus.

Wie komme ich denn von hier zum Bahnhof?	**Das ist ein ganzes Stück**, da nehmen Sie am besten ein Taxi.

Jeder Gast will etwas von mir. Und ich **tue, was ich kann**. Oft sind die Gäste nett, aber manchmal **behandeln** sie mich **wie den letzten Dreck**. Solchen Gästen möchte ich gern mal **die Meinung sagen**.

Mutter **kam auf die Idee**, im Sommer Gäste aufzunehmen.

Ohne dich, liebe Gaby, **würde** die Geschichte des Waldhofs **anders aussehen**.

Das ist vielleicht ein Wetter heute.	Ja, sehr schön. Endlich mal Sonne.
	Ja, so ein Sauwetter. Richtig ungemütlich.

Beziehungen

„Gleich und gleich gesellt sich gern."

„Gegensätze ziehen sich an."

A

A 1

Auf Partnersuche ...

Welche Personen finden Sie sympathisch? Warum?

Ich finde, die Frau oben links mit dem blonden Haar sieht sympathisch aus. Sie lacht so nett.

Ja, das finde ich auch. Sie hat ein freundliches Gesicht.

Na ja, es geht so. Die Frau daneben gefällt mir besser.

Wer passt zu wem? Warum?

Ich finde, der Mann mit dem weißen Hemd passt gut zu der blonden Frau oben rechts.

Das finde ich überhaupt nicht. Die ist doch viel jünger.

Na und? Ich finde auch, dass die beiden gut zusammenpassen.

A1-A2

A 2 Überfliegen Sie die Anzeigen. In welcher Rubrik einer Zeitung findet man sie? Markieren Sie.

(handschriftlich: Column)

Samstag/s...

| Freizeit | Reisen | Immobilien | Kontakte | Vermietungen | Stellenangebote |

Karriere, Geld, Erfolg, o.k. – mein Problem: kaum Zeit, einen lieben Mann zu finden.

Du bist ein Mann mit Herz, ehrlich, zuverlässig, humorvoll. Du interessierst dich auch für Kultur und suchst eine dauerhafte Beziehung. Bin 1,72 m groß, dkl.haarig und alt genug. Meld dich doch einfach mal! Ich freue mich auf deine Post. Chiffre 2085

Jetzt versuchen wir (zwei Ingenieure, 29 u. 34) es auf diesem Weg. Warum ist es

nur so schwierig, nette, ganz „normale" und unkomplizierte Frauen kennen zu lernen, die Lust auf gemeinsame Aktivitäten (und evtl. mehr ...) haben?! Welche Frauen interessieren sich für Kino, Wandern und Tanzen? (Aussehen und Beruf egal) Meldet euch ganz schnell unter Chiffre 7712.

ICH HASSE
schlanke Frauen!!! Bin 39, erfolgreicher Künstler und von Gr. 34–36-Frauen, die ich beruflich treffe, total

frustriert. DU bist eine unkomplizierte, natürliche Rubens-Frau und liebst das Leben und gutes Essen. Ärgere dich nicht über deine Figur, vergiss die Komplexe und schreib jetzt sofort an Chiffre 1146.

Möchtest du dich auch endlich mal wieder so richtig

verlieben? Wir (w, 36, seit zwei Jahren geschieden, und Laura, 8) träumen von einem

harmonischen Familienleben auf dem Lande ohne finanzielle Probleme. Wenn du ehrlich, häuslich, naturverbunden, tolerant, aber nicht langweilig bist und genug hast vom Alleinsein, dann schick ein Foto. Wir melden uns ganz bestimmt! Chiffre 9835

Sportstudent (23, 181, gut aussehend) will sich endlich vom Single-Leben verab-

schieden. Welches sportliche, unkomplizierte (und vielleicht hübsche?) Mädchen möchte sich auch verlieben und mit mir das Leben und die Liebe entdecken? Bald ist Frühling – ich hoffe auf ein Zeichen von DIR. Chiffre 3051

Für einen Neuanfang ist es nie zu spät! Humorvolle ältere, aber jung gebliebene Dame (73, Witwe) träumt

von einem niveauvollen, seriösen Partner, um gemeinsam die schönen Seiten des Lebens zu genießen. Das Alter spielt keine Rolle, aber aktiv sollte ER sein (geistig und körperlich!). Sind Sie vielleicht mein Kavalier? Dann freuen Sie sich – wie ich – schon jetzt auf das erste Treffen! Chiffre 4053

Lesen Sie die Anzeigen jetzt genau.
Welche finden Sie am interessantesten, am witzigsten, am langweiligsten? Warum?

A 3 Drei Personen stellen sich vor. Wo sind die Leute? Hören und markieren Sie.

Die Leute sind ☐ in einer Fernsehsendung zum Thema „Partnersuche".

☑ in einem Heiratsinstitut.

☐ in einer Therapiegruppe für einsame Menschen.

Hören Sie noch einmal und machen Sie Notizen.

	Alter	Beruf	Familien-stand	Interessen	Wünsche an den Partner
1 Heike	34	_Reakteur Zeitung_	_ItalienLeidig_	_Italiano Essen, × Atign_	_Aussicht × Liebe uns_
2. Philip	36			_Kino, Theatre Kunst ×Natur_	_Lächeln zuverlässig_
3. Bauer Verner		_Electroladen_	_geschieden_	_Natur ×Stadtleben ×am Problems_	

Suchen Sie für diese Leute eine Partnerin oder einen Partner in den Anzeigen von A2.

Person	1	2	3
Anzeige			

A 4   **Lesen Sie die Kontaktanzeigen von A2 noch einmal und ergänzen Sie die Sätze.**

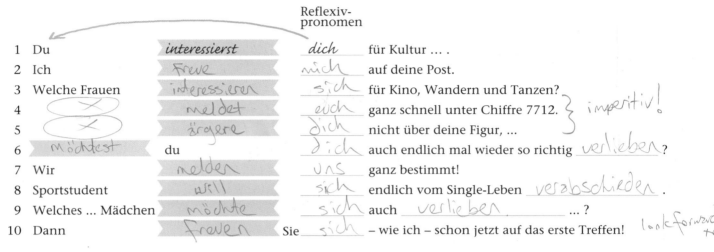

Reflexiv-pronomen

				Reflexiv-pronomen	
1	Du	_interessierst_	_dich_	für Kultur … .	
2	Ich	_Freue_	_mich_	auf deine Post.	
3	Welche Frauen	_interessieren_	_sich_	für Kino, Wandern und Tanzen?	
4	✗	_meldet_	_euch_	ganz schnell unter Chiffre 7712.	} _imperitiv!_
5	✗	_ärgere_	_dich_	nicht über deine Figur, …	
6	_möchtest_	du	_dich_	auch endlich mal wieder so richtig _verlieben_?	
7	Wir	_melden_	_uns_	ganz bestimmt!	
8	Sportstudent	_will_	_sich_	endlich vom Single-Leben _verabschieden_.	
9	Welches … Mädchen	_möchte_	_sich_	auch _verlieben_ … ?	
10	Dann	_freuen_	Sie _sich_	– wie ich – schon jetzt auf das erste Treffen!	_look forward to_

Ergänzen Sie jetzt die Tabelle und die Regel.

Subjekt	Verb	Akkusativ-Ergänzung
Personalpronomen (NOM)		Personalpronomen (AKK)
Ich	liebe	dich.
Personalpronomen (NOM)		Reflexivpronomen (AKK)
Ich	freue	mich.

Personal-pronomen (NOM)	Personal-pronomen (AKK)	Reflexiv-pronomen (AKK)
ich	mich	_mich._
du	dich	_dich_
sie/er/es	sie/ihn/es	sich
wir	uns	_uns_
ihr	euch	_euch._
sie	sie	_sich_
Sie	Sie	_sich_

Lerntipp:

In der Wortliste stehen reflexive Verben so:

interessieren + sich + für AKK

Viele reflexive Verben haben Präpositional-ergänzungen. Lernen Sie diese Verben immer zusammen mit Reflexivpronomen und Präposition und schreiben Sie Beispielsätze auf die Wortkarten:

interessieren + sich + für AKK
Ich interessiere mich für Kunst.

gleich ◆ sich ◆ ~~Personalpronomen~~ ◆ ~~Reflexivpronomen~~ ◆ ~~reflexive Verben~~

1 Verben mit Reflexivpronomen nennt man ___reflexive Verben___ .

   Das ___Reflexiv Pronomen___ zeigt zurück auf das Subjekt : **Ich** freue **mich**.

2 Reflexivpronomen und ___Personal Pronomen___ sind im Akkusativ ___gleich___ .

   Ausnahme: das Reflexivpronomen ___sich___ im Singular und Plural.

A3-A5

A 5   Was bedeutet „Partnerschaft"? Ergänzen Sie.

sich ärgern (über) ◆ sich beklagen (über) ◆ sich bedanken (für) ◆ sich entschuldigen (für)
sich erinnern (an) ◆ sich freuen (über) ◆ sich gewöhnen (an) *get used to* ◆ sich kümmern (um) *take care of*
sich interessieren (für) ◆ sich verabschieden ◆ sich verlieben ◆ sich wohl fühlen

verabschieden
kümmern
entschuldigen
interessieren
beklagen
gewöhnen
bedanken
erinnern
freuen
ärgern
wohl fühlen
verlieben

1 ____ *sich* immer mit einem Kuss _____
2 ____ gern um den Haushalt ____ *kümmert* _____
3 ____ für seine Fehler ____ *entschuldigt* _____
4 ____ für die Hobbys des Partners ____ *interessiert* ____
5 ____ oft über die Schwiegereltern _____
6 ____ leicht an negative Eigenschaften des Partners *(qualities?)* ____ *gewöhnt* ____
7 ____ beim Partner für ein gutes Essen ____ *bedankt* ____
8 ____ an den ersten Kuss ____ *erinnert* ____
9 ____ über kleine Geschenke ____ *freut* ____
10 ____ oft über Kleinigkeiten *(trifle)* _____
11 ____ in der Partnerschaft _____
12 ____ jeden Tag neu _____

Machen Sie ein Interview und notieren Sie die Antworten.

Interessieren Sie sich für die Hobbys Ihres Partners? ↗
    Nein, der ist Fußball-Fan, → und Fußball finde ich langweilig. ↘
Finden Sie es wichtig, → dass man sich für seine Fehler entschuldigt? ↗
    …

Finden Sie Gemeinsamkeiten und berichten Sie.

Wir freuen uns beide über kleine Geschenke. ↘ Ich entschuldige mich nicht gern, →
aber Jasmin hat damit keine Probleme. ↘ Unsere Partner …

A 6   Schreiben Sie eine Kontaktanzeige für Ihre Nachbarin oder Ihren Nachbarn.

Stellen Sie vorher weitere Fragen und machen
Sie Notizen (Alter, Aussehen, Beruf, Hobbys,
Eigenschaften, Wünsche an den Partner …).
Mischen Sie dann alle Anzeigen und lesen Sie
sie laut vor. Die anderen raten: Wer sucht hier
einen Partner?

Leidenschaftlicher Pizzabäcker
(28, 173, gut aussehend und
charmant) träumt noch immer
von einer romantischen
Beziehung. Welche zärtliche
und treue SIE interessiert sich für
meine Rezepte
(z.B. Quattro Stagioni
oder Capricciosa)?
Bestellungen unter Chiffre 3952

B

Allein oder zusammen?

B 1

Lesen Sie den Textanfang.

EDITORIAL

Wer ist wie ich?   *Who is like me?*

Immer mehr Menschen leben heute allein. Die neuesten Statistiken zeigen: Schon 35% der deutschen Haushalte sind Ein-Personen-Haushalte. In den deutschen Groß- städten liegt die Quote sogar bei 50%. Und es werden immer mehr. Für diesen Trend gibt es zahlreiche Erklärungen. Hier die psycholo- gische:

Was meinen Sie: Was ist das für ein Text? Was steht im Text? Markieren Sie.

Das ist …

- ☐ ein Zeitungsartikel in der Rubrik „Politik".
- ☐ eine Anzeige für ein Heiratsinstitut.
- ☐ ein literarischer Text.
- ☑ ein Artikel in einer Zeitschrift für Psychologie.

Immer mehr Menschen leben heute allein, …

- ☑ weil sie keinen Partner brauchen.
- ☐ weil die Eltern geschieden sind.
- ☑ weil sie zu anspruchsvoll sind.
- ☐ weil sie keine Kinder haben möchten.

B 2

Lesen Sie jetzt weiter und überprüfen Sie Ihre Vermutungen.

… Viele Alleinstehende bleiben lieber allein, als in einer festen Beziehung zu leben, die ihnen als schlechter Kompromiss erscheint. Der bürgerlich-romantische Mythos vom idealen Partner lebt weiter: Irgendwo gibt es den einen Menschen, der wirklich zu mir passt, irgendwann treffen sich unsere Blicke und es macht „klick". Die Erwartungen an einen potentiellen (Ehe-)Partner sind also extrem hoch. Deshalb ist die Chance, dass sich zwei so anspruchsvolle Menschen treffen und ineinander verlieben, sehr klein.

Früher haben die Menschen diese Vor- stellung vor allem in der Fantasie ausgelebt, im wirklichen Leben arrangierten sie sich mit der Realität. Traumpaare fanden sich nur in Romanen, Opern oder Filmen, nicht in der harten Wirklichkeit: Im Alltag war für den Traum vom idealen Partner kein Platz. Doch diese Einstellung hat sich in den letzten Jahrzehnten geändert: Heute sind immer weniger Menschen bereit, sich vom Mythos des idealen Partners zu verab- schieden, und die Wünsche nach Perfektion werden immer größer.

Verhaltensforscher erklären diese Entwicklung so: Die Men- schen in unserer heutigen Gesell- schaft überschätzen sich oft selbst. Sie halten sich für so attraktiv, dass ihr Traumpartner alles sein muss: gut aussehend und erfolgreich, intel- ligent und gefühlvoll, seriös und humorvoll. Da man solche Menschen aber höchstens in Filmen findet und nicht in der Realität, lässt das große Glück lange auf sich warten. Die Partnerschaftsforscher raten zu mehr Be- scheidenheit. Ihre Untersuchungen beweisen nämlich eines: Du bekommst meistens das, was du selber bist.

Dr. Wilfried Neidhart

Lesen Sie die Erklärungen, suchen Sie die Wörter im Text und ergänzen Sie.

die Quote	=	die Prozentzahl
Alleinstehende	=	sie leben allein, ohne feste Beziehung
Kompromiss.	=	eine Lösung „in der Mitte"
Mythos	=	sehr alte Geschichte bzw. Idee
	=	man verliebt sich (umgangssprachlich)
	=	die Meinung, Überzeugung, Haltung *conviction/power of persuasion → attitude*
	=	sie erklären, warum Menschen und Tiere so handeln, wie sie handeln *A/behave.*
sich überschätzen	=	glauben, dass man besser ist, als man in Wirklichkeit ist
auflassen	=	spät oder nicht kommen
Bescheidenheit	=	mit wenig zufrieden sein (Nomen) *satisfied*

Machen Sie eine Textzusammenfassung. Sortieren Sie die Sätze.

	Partnerschaftsforscher raten deshalb zu mehr Bescheidenheit.
1	Über ein Drittel der Menschen in Deutschland leben heute allein.
	Den Traummann oder die Traumfrau gab es nur in ihrer Fantasie.
	Sie finden keinen Partner, weil ihre Erwartungen sehr hoch sind.
	Heute suchen viele Menschen den perfekten Partner auch in der Realität.
	Früher waren die Menschen realistischer.
	Sie überschätzen sich selbst und haben deshalb zu hohe Erwartungen.

Sind Sie einverstanden? Gibt es andere Erklärungen für den Trend zum Single-Leben? Diskutieren Sie.

▶ nach der Meinung fragen
Glaubst du/glauben Sie, (dass) … ?
Was hältst du/halten Sie von … ?
Was denkst du/denken Sie über … ?
Wie findest du/finden Sie … ?
Was meinst du/meinen Sie denn dazu?

▶ (feste) Überzeugungen ausdrücken
Es ist doch (ganz) klar, (dass) …
Ich bin (ganz) sicher, (dass) …
Ich bin fest davon überzeugt, (dass) …

▶ seine Meinung sagen
Ich glaube/finde, (dass) …
Ich denke/meine, (dass) …
Ich halte das (nicht) für …
Meiner Meinung nach …

▶ Unsicherheit ausdrücken
Ich bin mir nicht sicher, (w-/ob) …
Ich weiß nicht, (w-/ob) …
Das ist schwer zu sagen.
Was soll ich dazu sagen?
Keine Ahnung.

klar widersprechen
(Nein,) das finde/glaube ich nicht.
(Ich glaube,) das siehst du/sehen Sie falsch.
Das ist (aber/doch) nicht richtig.
Das stimmt (aber/doch) nicht!
Das ist doch Unsinn!
(Ganz) im Gegenteil: …

vorsichtig widersprechen
Wirklich?
Bist du/sind Sie da (wirklich) sicher?
Vielleicht (hast du/haben Sie Recht), aber …
Kann sein, aber …
Das kann man so und so sehen.
Das kommt (ganz) darauf an.

zustimmen
(Ja,) das finde/glaube ich auch.
(Ja,) das sehe ich auch so.
Da hast du/haben Sie Recht.
Das stimmt.
Genau!

WITZ
Er: „Schau mal, wir sind jetzt schon fast zwölf Jahre verlobt. Was meinst du, sollten wir nicht mal heiraten?"
Sie: „Keine schlechte Idee. Aber wer nimmt uns jetzt noch?"

Zwischen den Zeilen

C

C 1

Ergänzen Sie.

geschieden sein ◆ getrennt sein (+ von + DAT) ◆ heiraten (+ AKK) ◆ sich scheiden lassen (+ von + DAT) ◆
sich trennen (+ von + DAT) ◆ ~~sich verlieben (+ in + AKK)~~ ◆ sich verloben (+ mit + DAT) ◆
verheiratet sein (+ mit + DAT) ◆ ~~verliebt sein (+ in + AKK)~~ ◆ verlobt sein (+ mit + DAT)

die Handlung	**das Ereignis**	**der Zustand**
sich verlieben		*verliebt sein*
_____	*die Verlobung*	_____
_____	*die Heirat,* *die Hochzeit, die Ehe*	_____
_____	*die Trennung*	_____
_____	*die Scheidung*	_____

Heirat *die; –, -en;* die offizielle Verbindung von Mann und Frau

Hochzeit *die; –, -en;* die Zeremonie, bei der ein Mann und eine Frau auf dem Standesamt oder in der Kirche erklären, dass sie ihr Leben zusammen verbringen wollen; die Feier an diesem Tag

Ehe *die; –, -n;* die Lebensgemeinschaft von einem Mann und einer Frau, nachdem sie geheiratet haben

C 2

Lesen Sie die Dialoge und ergänzen Sie.

1 ● Weißt du schon das Neuste? Roman will sich von Birke _____trennen_____ .

■ Was? Aber die beiden haben doch erst vor zwei Jahren _____ . Ich erinnere mich noch gut an die _____ – das war ein tolles Fest.

● Vor zwei Jahren? Ich dachte, sie sind schon länger _____ . Jedenfalls hat Roman mir neulich erzählt, dass er sich bis über beide Ohren _____ hat.

■ Und in wen?

● Das hat er mir nicht gesagt. Aber es muss etwas Ernstes sein: Er sagt, er will sich nach der _____ auch so schnell wie möglich von Birke _____ . Und nach der _____ will er dann seine neue Freundin _____ .

■ Na so was! Und ich habe immer gedacht, dass er glücklich _____ ist.

2 ◆ Na, du siehst ja so richtig glücklich und zufrieden aus.

▲ Ja, stimmt. Du weißt doch, dass ich seit ein paar Monaten einen neuen Freund habe. Wir sind beide wirklich total _____ , und am letzten Wochenende haben wir uns _____ .

◆ Was? Herzlichen Glückwunsch! War das so eine richtige _____ , mit einem Fest, mit Ringen und so?

▲ Nein, nicht so offiziell. Aber Ringe haben wir, und nächstes Frühjahr soll die _____ sein.

◆ Na, ich hoffe nur, du hast trotzdem noch Zeit für mich – auch wenn du jetzt _____ bist.

▲ Na klar. Und wie geht's dir? Lebst du weiter _____ von deinem Mann?

◆ Ja, inzwischen sind wir auch _____ . Ich habe jedenfalls erst einmal die Nase voll von der _____ .

**2/
5-6** **Hören und vergleichen Sie.**

C1-C2

D 1   **Was bedeutet für Sie „Freundschaft"? Diskutieren Sie.**

ehrlich   *gemeinsam ausgehen*

Freundschaft

Hilfe

D 2   **Lesen Sie das Gedicht.**

An eine ferne Freundin

Du hörst mir zu, wenn ich mit dir spreche.
Du antwortest mir, wenn ich Fragen habe.
Du sagst mir die Meinung, wenn es nötig ist.
Du hilfst mir, wenn ich dich brauche.
Du glaubst mir, ich vertraue dir.
Warum bist du so weit weg?
Du fehlst mir.

Schreiben Sie ein ähnliches Gedicht über „Freundschaft".

An …	*An …*	*An …*
Ich …, weil du …	*Mit dir würde ich …*	*…, …*

D1

D 3   **Ist das „Freundschaft"? Markieren Sie.**   ja   nein

1 Sie geben für einen Freund, <u>dem</u> Sie bei der Partnersuche helfen wollen, eine Kontaktanzeige auf.

2 Sie erzählen einer Freundin, die sich gerade von ihrem Mann getrennt hat und sehr traurig ist, nichts von Ihren eigenen Problemen.

3 Sie sagen einem guten Freund, den Sie schon sehr lange kennen, dass Sie seine Verlobte nicht mögen.

4 Sie sagen einem guten Freund, dass Sie die Frau, mit der er sich verloben will, Hand in Hand mit einem anderen Mann gesehen haben.

5 Sie bedanken sich herzlich für ein Geschenk, das Ihnen überhaupt nicht gefällt.

6 Sie zeigen Freunden, die Sie gut kennen, auch mal, dass Sie schlechte Laune haben.

7 Sie schenken einem Freund, der immer nach Schweiß riecht, einen Deoroller zum Geburtstag.

8 Sie wollen Freunden, denen Sie schon oft Geld geliehen haben, jetzt nichts mehr leihen, weil Sie Ihr Geld nie zurückbekommen haben.

9 Sie sagen einer Freundin, dass Sie das Kleid, das sie sich gerade gekauft hat, hässlich finden.

10 Sie schreiben einer Freundin, über die Sie sich geärgert haben, keine Postkarte aus dem Urlaub.

11 Sie sagen den Menschen, die Ihnen wirklich wichtig sind, immer, was Sie über sie denken.

12 Sie zeigen einem Freund ein Foto von früher, auf dem seine Frau einen anderen küsst.

Vergleichen und diskutieren Sie.

„das" und „dass"
Sie sagen einer Freundin,
dass Sie
das Kleid,   *(Konjunktion)*
das sie sich gerade gekauft hat,   *(bestimmter Artikel)*
hässlich finden.   *(Relativpronomen)*

D 4   **Lesen Sie die Beispiele und ergänzen Sie die Relativpronomen.**

Relativsätze

Mit Relativsätzen kann man Personen oder Sachen genauer beschreiben.

Hauptsatz (Anfang)   + Relativsatz   Hauptsatz (Ende)

Sie geben für einen Freund, _____ Sie bei der Partnersuche helfen wollen, eine Kontaktanzeige auf.

                  Bezugswort   Relativpronomen   helfen + DAT
                  m Sg.   *m Sg. DAT*

Hauptsatz (Anfang)   + Relativsatz   Hauptsatz (Ende)

Sie schreiben Freunden, über _____ Sie sich geärgert haben, keine Postkarte aus dem Urlaub.

              Bezugswort   Präp. +   Relativpronomen
              Pl.   *über + AKK*   *Pl. AKK*

Lesen Sie noch einmal die Sätze von D3, markieren Sie die Relativpronomen und ergänzen Sie die Tabelle und die Regeln.

Relativpronomen

		NOM	AKK	DAT
Sg.	feminin			
	maskulin			dem
	neutrum			
Pl.			die	**!**

Relativsätze und Relativpronomen

bestimmten ◆ Bezugswort (2x) ◆ am Ende ◆ Präposition (2x) ◆ Relativpronomen ◆ Verb ◆ denen

1 Relativsätze sind Nebensätze, die Verben stehen _____ .

2 Relativsätze stehen rechts vom _____ , das sie genauer beschreiben.

3 Relativsätze beginnen mit einem _____ oder mit einer _____ _____ + Relativpronomen.

4 Das Relativpronomen bekommt Genus *(f, m, n)* und Numerus (Singular, Plural) vom _____ _____ im Hauptsatz und den Kasus (Nominativ, Akkusativ, Dativ) vom _____ oder von der _____ im Relativsatz.

5 Relativpronomen haben dieselben Formen wie die _____ Artikel.

Ausnahme: Relativpronomen Dativ Plural = _____

Relativsätze mit „was" und „wo"

Gibt es im Hauptsatz kein Bezugswort oder ein allgemeines Bezugswort wie *alles, nichts, etwas* oder *das*, beginnt der Relativsatz oft mit „was":
*Sie sagen den Menschen, die Ihnen wirklich wichtig sind, immer, **was** Sie über sie denken.*
*Nicht **alles**, **was** wie ein Geschäft beginnt, muss auch wie ein Geschäft enden.*

Relativsätze zu Ortsbezeichnungen oder Länder- und Städtenamen beginnen oft mit „wo":
*„Ich komme nach Leipzig, an einen Ort, **wo** man die ganze Welt im Kleinen sehen kann."* (Lessing)

D2–D5

Was passt? Sortieren Sie.

a) eine Bekannte ◆ b) ~~ein Freund~~ ◆ c) gute Freunde ◆ d) eine Kollegin ◆ e) Nachbarn ◆
f) Verwandte ◆ g) ein Brautkleid ◆ h) der Ehepartner ◆ i) ein Heiratsinstitut ◆
j) die Hochzeitsfeier ◆ k) ein Schulfreund ◆ l) Zufallsbekanntschaften

1 Man kennt ihn sehr gut und lange. *b*
2 Sie gehören zur Familie.
3 Man kennt sie nicht sehr gut.
4 Man arbeitet mit ihr zusammen.
5 Man kann ihnen vertrauen.
6 Man wohnt oder sitzt neben ihnen.

7 Man kennt ihn aus der Schulzeit.
8 Mit ihm ist man verheiratet.
9 Es hilft bei der Partnersuche.
10 Die Braut trägt es am Hochzeitstag.
11 Man macht sie zufällig.
12 Sie findet am Tag der Hochzeit statt.

Schreiben Sie Worterklärungen mit Hilfe von Relativsätzen.

Eine Bekannte …	*ist eine Frau,*	*die …*
Ein Freund …	*ist ein Mann/jemand,*	*der …*
Verwandte …	*sind Menschen/Leute,*	*die …*
Der Ehepartner …	*ist der Partner,*	*mit dem …*
…	*…,*	*…*

Eine Bekannte ist eine Frau, die man nicht sehr gut kennt.

Fragen und antworten Sie zu zweit.

Was bedeutet das Wort „Kollegin"? ↗
Eine Kollegin ist …

Wie nennt man Menschen, → *die zur Familie gehören?* ↘
Das sind …

ARBEITSBUCH D6

E

Frohe Feste

Sprechen Sie über die Fotos: Wo sind die Personen? Was feiern sie?

ARBEITSBUCH E1

E 2 **Lesen Sie die Einladungen. Welche Einladung passt zu welchen Personen? Markieren Sie.**

Einladung   A   B   C   D   E   F
Foto   5

(A) Liebe/r …

Am Samstag, den 4. Juli möchte ich zusammen mit meinen Freunden meinen

Geburtstag

feiern.

Dazu bist du herzlich eingeladen. Die Geburtstags-party beginnt um 15 Uhr und findet bei uns im Garten statt. Ich würde mich sehr freuen, wenn du kommst.

Bitte sag mir rechtzeitig Bescheid. Deine Eltern können dich so gegen 19 Uhr abholen.

Dein

(B) Liebe Freunde und Verwandte,

hiermit möchten wir euch recht herzlich zu unserer

50

Goldenen Hochzeit

am 12. Juni um 15 Uhr im Gasthof

„Zur alten Mühle"

einladen, um diesen Freudentag gemeinsam zu feiern.
Bitte informiert uns rechtzeitig, ob ihr kommen könnt.
Wir können uns dann auch um eine Unterkunft kümmern.

(C)

Mega-Party

Das wird ein rauschendes Fest!!!

Kommt alle am Samstag, den 18. Juli, um 20 Uhr zu meiner Geburtstags-Mega-Party in die Mozartstraße. Leute über 30 haben keinen Zutritt! Es wäre schön, wenn ihr was zu essen oder zu trinken mitbringen könntet – und natürlich gute Laune. Bitte meldet euch mal und sagt Bescheid, ob

(D) Zwei tiefe Blicke …
… damit fing alles an.

Heute freuen wir uns, euch alle zu unserer

Hochzeit

einzuladen. Dieses besondere Fest wollen wir am 17. April gemeinsam mit euch feiern.

Ort: Standesamt im Rathaus Tutzing, 13 Uhr
Anschließend laden wir zum Mittagessen ins
„Seehaus" am Starnberger See.

(E) „Uni endlich fertig, aber was dann???"
„Drei von 86 000: Gebt uns einen Job!"
„Wer wirklich will, hat gute Chancen."

… so liest man in der Zeitung.

Uns jedenfalls hat der Optimismus noch nicht verlassen!
Lasst uns das Examen feiern!

    Wann?   Freitag, den 29. Mai
    Wo?   Tango Azul (Am neuen Pferdemarkt)

Bitte bis Ende April zu- oder absagen.

               Anke, Eva, Anja

(F) **Einladung**

25 Jahre Bauerntheater Ismaning

Aus Anlass unseres 25-jährigen
Bestehens würden wir uns freuen,
Sie am Donnerstag,
den 3. September, in der Zeit
von 11 bis 14 Uhr zu
einem Empfang im Bürgersaal
in Ismaning begrüßen zu dürfen.

Die Mitglieder
des Bauerntheaters Ismaning

Man muss die Feste feiern, wie sie fallen.

*Wenn man auf einer Familienfeier im Mittelpunkt
stehen will, darf man nicht hingehen!*

E 3 **Hören Sie jetzt verschiedene Telefongespräche. Was passt wo? Markieren Sie.**

Dialog   1   2   3   4   5
Einladung

E 4 2/11

Hören Sie noch einmal Dialog 5 und ergänzen Sie die Sätze.

		Reflexiv-pronomen		Akkusativ-Ergänzung	
1	Schön, dass du	_____			.
2	_____ du	_____	eigentlich schon	das Buch von ...	?
3	Eigentlich _____	ich _____		nichts Besonderes.	
4	Mein Bruder	_____	letzte Woche	genau diese Scheibe	.
5	Der _____	_____	nämlich auch		total für Hip-Hop.
6	Egal, ich _____	_____		was Schönes	.
7	Ich _____				schon.

Ergänzen Sie die Tabelle und die Regeln.

Personal-pronomen (AKK)	Reflexiv-pronomen (AKK)	Personal-pronomen (DAT)	Reflexiv-pronomen (DAT)
mich		mir	
dich		dir	
sie/ihn/es		ihr/ihm/ihm	
uns	uns	uns	uns
euch	euch	euch	euch
sie/Sie	sich	ihnen/Ihnen	sich

		Satz	Reflexives Verb
1	Meistens steht das Reflexivpronomen im Akkusativ.	*1*	*melden + dich (AKK)*
		_____	_____
		_____	_____
2	Wenn das reflexive Verb noch eine Akkusativ-Ergänzung hat, steht das Reflexivpronomen im Dativ.	*2*	*kaufen + dir (DAT) + AKK*
		_____	_____
		_____	_____

3 Die Reflexivpronomen im Akkusativ und Dativ haben dieselben Formen wie die Personalpronomen.
   Ausnahme: _____

Verben mit und ohne Reflexivpronomen
Einige Verben benutzt man **immer** mit Reflexivpronomen, z.B.
sich (etwas) ausdenken, sich bedanken (für), sich beeilen, sich erholen (von), sich spezialisieren (auf), sich verloben.
Viele Verben kann man **ohne oder mit** Reflexivpronomen benutzen. Notieren und lernen Sie bei diesen Verben immer alle Formen und schreiben Sie für jede Form einen Beispielsatz auf die Wortkarten:

kaufen	*Ich kaufe eine CD.*	(= kaufen + AKK)
	oder: *Ich kaufe mir eine CD.*	(= kaufen + sich + AKK)
	oder: *Ich kaufe meiner Freundin eine CD.*	(= kaufen + DAT + AKK)
treffen	*Ich treffe ihn morgen.*	(= treffen + AKK)
	oder: *Ich treffe mich morgen mit ihm.*	(= treffen + sich + mit DAT)
	oder: *Wir treffen uns morgen.*	(= treffen + sich)

ARBEITSBUCH
E2-E5

E 5

Schreiben Sie eine Einladung für drei andere Kursteilnehmer
(Geburtstag, Party, Hochzeit ...).

F

2/12

Der Ton macht die Musik

Der Party-Rap

Hallo, liebe Leute:
Wir wollen feiern heute!
Ich liebe tolle Feste,
Seid ihr meine Gäste?

Refrain: Heute ist Partytime,
wir laden alle ein.
Niemand bleibt heut' allein,
wir woll'n zusammen sein.

So viele Leute,
auf die ich mich schon freute,
Verwandte, Bekannte,
'ne alte Tante, die niemand kannte

Refrain: Heute ist ...

Wir tanzen, bis es nicht mehr geht
und niemand in der Ecke steht,
da hinten den Kuchen,
den musst du unbedingt versuchen!

Refrain: Heute ist ...

Oh Mann, was ist mein Kopf schwer,
ich glaube fast, ich kann nicht mehr.
Nur noch in die Kissen sinken ...
vielleicht noch mal zum Abschied winken.

Refrain: Heute ist ...

Na klar, was denkst denn du, Mann?
Das hört sich ja echt gut an!
Ich komm auch nicht alleine ...
Du weißt schon, was ich meine.

Meinst du etwa die da?
Die ist ja ganz schön bieder.
Ich glaub, die war noch nie da,
und kommt wohl auch nie wieder.

Nur Schoko, wo ist Erdbeer?
Jetzt gib doch mal die Pizza her!
Lecker, wie der Sekt schmeckt –
wo hab'n sich nur die Chips versteckt?

pull yourself together

Hey, Mann, reiß dich zusammen,
hier läuft doch dein Programm,
hier geht doch voll die Post ab –
ein Fest, wie's lange keins mehr gab.

sich beherrschen
– control yourself

ARBEITSBUCH
F1-F4

G

TOUCHÉ by ©TOM

ISCH BIN DER ACHIM UND 25 UND EINZELSHANDELSKAUFMANN.

MEINE HOBBIES SIND ,ÄH, FITNESSTRAINING , JOGGEN, MOUNTAINBIKING , PARA - GLIDING , SQUASH UND WINDSURFEN.

UND ISCH SUCHE EINE PARTNERIN, DIE AUCH KEINE ZEIT HAT.

ARBEITSBUCH
G1-G5

Kurz & bündig

Reflexive Verben (Reflexivpronomen im Akkusativ)

Möchtest du dich auch endlich mal wieder
so richtig **verlieben?**
Du interessierst dich auch für Kultur und
suchst eine dauerhafte Beziehung.
Sportstudent (23, 181, gut aussehend) will
sich endlich vom Single-Leben **verabschieden.**
Meldet euch ganz schnell unter Chiffre 7712.
Welche **Frauen interessieren sich** für Kino,
Wandern und Tanzen?

Ich freue mich auf deine Post.
Ärgere dich nicht über deine Figur
und schreib jetzt sofort an Chiffre 1146.
Welches sportliche, unkomplizierte
Mädchen möchte sich auch **verlieben?**
Wir melden uns ganz bestimmt!
Dann **freuen Sie sich** schon jetzt auf
das erste Treffen!

Reflexivpronomen im Dativ

Hast du dir eigentlich schon das Buch
von Ute Ehrhardt **gekauft?**
Na ja, egal, **ich denk' mir** was Schönes **aus.**

Ja, das hab' ich schon. Ach, eigentlich
wünsche ich mir nichts Besonderes.
Genau. Du weißt ja sowieso meistens
besser als ich, was mir gefällt.

Relativsätze

Sie schenken **einem Freund,** *der immer* nach *Schweiß* **riecht,** einen Deoroller zum Geburtstag.
Sie sagen **einem Freund,** *den Sie schon sehr lange* **kennen,** dass Sie seine Verlobte nicht mögen.
Sie geben für **einen Freund,** *dem Sie bei der Partnersuche* **helfen** *wollen,* eine Kontaktanzeige auf.
Sie schreiben **einer Freundin,** *über die Sie sich geärgert haben,* keine Postkarte aus dem Urlaub.
Sie bedanken sich herzlich für **ein Geschenk,** *das Ihnen überhaupt nicht* **gefällt.**
Sie zeigen einem Freund **ein Foto** von früher, *auf dem seine Frau einen anderen küsst.*
Sie zeigen **Freunden,** *die Sie gut* **kennen,** auch mal, dass Sie schlechte Laune haben.

Was bedeutet „eine Bekannte"?
Was heißt „Ehepartner"?
Und wie nennt man **Menschen,** *die zur Familie*
gehören?
Was sind „gute Freunde"?

Eine Bekannte ist **eine Frau,** *die man nicht sehr gut* **kennt.**
Der Ehepartner ist der **Partner,** *mit dem man verheiratet ist.*
Das sind „Verwandte".

Das sind **Menschen,** *denen man vertrauen* kann.

„wegen" und „trotz" + Genitiv

Ich mag nicht, dass wir uns nur **wegen des** Geburtstags treffen.
Ich habe schon immer gewusst, dass du **trotz des** Chemiestudiums in deinem tiefsten Inneren ein Künstler bist.

Nützliche Ausdrücke

Warum leben heute immer mehr Menschen allein?
Die Menschen heute überschätzen sich oft.
Meiner Meinung nach sind sie zu anspruchsvoll.

Das ist schwer zu sagen.
Das kann man so und so sehen.
Ich glaube, **das sehen Sie falsch.**

Ich liebe dich **ohne Wenn und Aber.**
Typisch für den Krebs **ist** seine Liebe zur Kunst.

Das hört sich ja echt **gut an!**
Ich **halte nichts von** Astrologie.

So ein Tag **ist wirklich ein Grund zum Feiern.**
Hier geht ja voll die Post ab!
Ich glaube, **ich kann nicht mehr.**

Das sehe ich auch so.
Na klar, **was denkst denn du?**
Hey, **reiß dich zusammen!**

Meine deutschen Bekannten **können sich ein Leben ohne** Geburtstag **nicht vorstellen.**
Es wäre schön, wenn ihr was zu essen oder zu trinken mitbringen **könntet.**
Aus Anlass unseres 25-jährigen **Bestehens würden wir uns freuen, Sie am** Donnerstag, den 3. September,
in der Zeit von 11 bis 14 Uhr **zu** einem Empfang **im** Bürgersaal in Ismaning **begrüßen zu dürfen.**

Fantastisches Unheimliches

weird / uncanny

A

A1

Das ist ja unheimlich!

Sprechen Sie über die Fotos.

Beschreiben Sie ein Bild ganz genau. (Wo? Wer? Was? Wann?)

Welche Situation finden Sie unheimlich, gefährlich, schrecklich? Warum?

Was würden Sie in diesen Situationen machen?

Wovor haben Sie im Alltag Angst? Was ist Ihnen unheimlich?

ARBEITSBUCH
A1-A2

**Lesen Sie die Texte und machen Sie zu jedem 5–8 Stichwörter.
Dann berichten Sie über den interessantesten Text.**

„Sie waren gekommen, um mich zu holen."

Es war ein regnerischer, kalter Herbsttag, und ich fühlte mich erschöpft, als ich an diesem Freitagabend das Büro verließ, um aufs Land hinauszufahren, wo ich Freunde besuchen wollte. Es dauerte ewig, bis ich mich mit dem Auto durch die verstopften Straßen der Vorstädte gequält hatte und die einsame Landstraße erreichte. Um ein paar Kilometer abzukürzen, fuhr ich über einen Feldweg. Plötzlich waren sie da. „Es wird Zeit", sagten sie, „wir nehmen dich jetzt mit." Sie waren zu viert, Vater, Mutter und zwei Kinder. Ich sah sie nicht, aber ich wusste, wer sie waren: eine Familie von Moorleichen, Boten aus der Landschaft meiner Kindheit. Sie waren gekommen, um mich zu holen. Ich fror und schwitzte gleichzeitig und dachte: Euch gibt es nicht, nicht hier! Sie lachten mich aus. „Ihr könnt mir nichts tun", rief ich und gab einfach Gas. Ich raste über den Feldweg, bis ich endlich wieder auf der Landstraße war und mich sicherer fühlte. Ich habe sie nie wieder gesehen. Aber wer immer sie waren, sie haben mir auch geholfen, weil ich von da an begann, mein Leben bewusster zu leben. © Martin, 42

„Diese Wohnung oder keine!"

Monatelang war ich in Hamburg vergeblich auf Wohnungssuche. Alle Objekte, die mir angeboten wurden, waren entweder zu teuer, zu weit draußen oder irgendwie scheußlich. Und jeden Morgen, wenn ich mit dem Bus ins Büro fuhr, sah ich ein wunderschönes Jugendstilhaus. Von der Dachwohnung musste man einen traumhaften Blick über die Alster haben. So eine Wohnung müsste man haben! Monatelang fuhr ich an dem Haus vorbei und träumte jedes Mal von einer Wohnung wie dieser. Als ich die Hoffnung auf eine schöne Wohnung schon fast aufgegeben hatte, rief mich ein Makler an, um mit mir einen Besichtigungstermin zu vereinbaren. Er hätte da „ein ungewöhnliches Objekt", das mir bestimmt gefallen würde. Am nächsten Abend traf ich mich mit dem Makler, um mir die Wohnung anzuschauen. Ich wollte es nicht glauben: Es war die Wohnung, die ich Morgen für Morgen gesehen hatte! Mit Alsterblick. Und bezahlbar. Seitdem glaube ich, dass man alles bekommen kann. Man muss es sich nur stark genug wünschen. Zugegeben: Es klappt nicht immer. Aber manchmal.
© Corinna, 31

„Er verschwand vor meinen Augen"

Es war an einem Winternachmittag, ich wollte zu einer Freundin. Weil es draußen ziemlich kalt war, nahm ich meine Handschuhe mit und wollte sie im Flur anziehen. Plötzlich fiel mir einer herunter. Ich guckte ihm hinterher, und so seltsam es sich anhört – der Handschuh verschwand vor meinen Augen. Er war einfach weg. Natürlich glaubten wir es nicht, und die halbe Familie kroch auf dem Flur und in allen Zimmern herum, um den Handschuh zu finden. Wir fanden ihn nicht, und wir fanden ihn nie mehr – auch nicht beim Umzug, wo ja sonst alles wieder auftaucht. Der Flur war mir von da an unheimlich, auch wenn ich bis heute noch denke, es muss doch eine natürliche Erklärung geben. Denn was, bitte schön, soll ein grüner Wollhandschuh in der vierten Dimension? © Melanie, 29

„Ich hatte das Gefühl, ihn in meinen Armen zu halten."

Es war eine vollkommen stille Nacht. Plötzlich wurde meine Balkontür von einem Luftzug aufgestoßen. Der Vorhang wehte. Ich sah auf die Uhr, es war halb vier. Und ich wusste, dass jetzt Nico, mein Sohn, gestorben war. Er befand sich weit von mir entfernt an der amerikanischen Westküste in einer Klinik, um sich noch einmal einer Chemotherapie zu unterziehen. Er hatte Leukämie. Am Telefon hatte er mich gebeten, nicht zu kommen. „Mama", sagte er, „wenn es soweit ist, komme ich zu dir." Ich wusste nicht ganz sicher, ob er meinte, dass er kommt, wenn die Behandlung einen Erfolg gebracht hat. Oder ob er den Tod meinte. Aber jetzt, in diesen Minuten, während der Himmel langsam hellgrau wurde, war er da. Er war bei mir. Ungefähr eine Viertelstunde hatte ich das Gefühl, ihn in meinen Armen zu halten. Dann rief ich in der Klinik in San Diego an, um zu erfahren, was mit ihm los ist. „Er ist vor ein paar Minuten ganz friedlich gestorben", sagte man mir. © Carmen, 52

A 3

Diskutieren Sie zu viert: Gibt es eine natürliche Erklärung für diese Erlebnisse? Was ist „wirklich" passiert?

Ich glaube, dass Martin einfach müde und kaputt war.

Ja, genau. Vielleicht ist er für einen Moment eingeschlafen und hat das alles nur geträumt.

Vielleicht hat er einfach Angst gehabt, weil es so dunkel war. Das hat ihn an seine Kindheit erinnert.

Aber er ist doch kein Kind! Ich glaube ihm. Wieso soll es nicht Tote geben, die zu uns kommen?

Was würden Sie in diesen Situationen machen? Kennen Sie jemand, der ein ähnliches Erlebnis hatte? Berichten Sie.

A 4

Ergänzen Sie die Sätze.

1 Martin verließ Freitagabend das Büro, *um aufs Land hinauszufahren,* wo er Freunde besuchen wollte.

2 *Um ein paar Kilometer abzukürzen* , fuhr Martin über einen Feldweg.

3 Sie waren gekommen, *um Martin zu holen*

4 Der Makler rief Corinna an, _____.

5 Am nächsten Abend traf Corinna sich mit dem Makler, *um sich die Wohnung anzuschauen*

6 Die halbe Familie von Melanie kroch auf dem Flur und in allen Zimmern herum, *um den Handschuh zu finden* .

7 Nico, der Sohn von Carmen, befand sich an der amerikanischen Westküste in einer Klinik, *um sich noch einmal einer Chemotherapie zu unterziehen* .
[befinden - to be]

8 Dann rief Carmen in der Klinik an, *um zu erfahren* , was mit ihm los ist.

A 5

Vergleichen Sie und ergänzen Sie die Regeln.

Hauptsatz, Aussage 1	Nebensatz (Finalsatz) + Aussage 2 um → Ziel/Absicht	zu + Infinitiv
Sie waren gekommen	, um	mich **zu holen** Goal

Subjekt ◆ Vorsilbe ◆ Ziel

1 Sätze mit „um … zu + Infinitiv" heißen Finalsätze. Mit einem Finalsatz drückt man ein *Ziel* , eine Absicht aus. [Intention]

2 Im „um … zu + Infinitiv"-Satz steht kein *Subjekt* . Das Subjekt im Hauptsatz gilt auch für den „um … zu + Infinitiv"-Satz.

3 Bei trennbaren Verben steht „zu" nach der *Vorsilbe* (abzugeben).

Arbeiten Sie zu zweit. Machen Sie aus den Stichwörtern Fragen und Antworten.

Fragen

~~Tanzkurs besuchen~~ ◆ nach Paris fahren ◆
Zeitung lesen ◆ einen Kurs besuchen ◆
eine Katze kaufen ◆ Lotto spielen ◆
Knoblauch ins Zimmer hängen ◆
zum Friseur gehen ◆ nach Florida fahren

Antworten

eine Delfin-Show sehen ◆ den Eiffelturm sehen ◆
Vampire vertreiben ◆ eine neue Frisur ausprobieren ◆
Deutsch lernen ◆ Millionär werden ◆
informiert sein ◆ nicht allein sein ◆
~~neue Leute kennen lernen~~

Wozu besuchst du einen Tanzkurs?
    Um neue Leute kennen zu lernen.
    Wozu … ?

Spielen Sie.

Jede(r) schreibt eine „Wozu"-Frage auf einen Zettel. Dann werden die Zettel eingesammelt und neu verteilt. Ziehen Sie eine Frage und fragen Sie einen TN.

Wozu kaufst du dir ein

Wozu

ARBEITSBU
A7

Von Hellsehern, Wahrsagern und anderen Zukunftsdeutern

Kennen Sie Methoden, in die Zukunft zu schauen? Berichten Sie.

Wettervorhersage ◆ Wahlrede ◆ Horoskop ◆ Wahrsagen ◆
Weltbevölkerungsprognose ◆ Wahlprognose ◆ Eröffnungsrede

Ergänzen Sie die passenden Begriffe.

> „Wer nichts weiß, der muss alles glauben."
> MARIE VON EBNER-ESCHENBACH

B 2 **Sortieren Sie die Prognosen oder Zukunftsvorhersagen aus B1 und begründen Sie.**

Seriöse Prognosen   Unseriöse Prognosen

Vergleichen und diskutieren Sie Ihre Ergebnisse.

B 3 **Was passt zusammen? Hören und markieren Sie.**

2/
13-19

☐ Wettervorhersage ☐ Wahlrede ☐ Horoskop ☐ Wahrsagen

☐ Weltbevölkerungsprognose ☐ Wahlprognose ☐ Eröffnungsrede

B 4 **Lesen Sie die Aussagen. Suchen Sie alle Sätze mit „werden"
und markieren Sie die Verben.**

*Ein Sturmtief bei Schottland bestimmt morgen das Wetter in Deutschland.
Die Temperaturen liegen am Tage in der Oberlausitz bei 7 Grad, am Rhein bei 13 Grad. …
… Auch die nächsten Tage <u>werden</u> wenig Änderung <u>bringen</u>.*

*Sie werden ein Haus bauen. Aber es wird viele Probleme geben. Sie werden jede
Unterstützung brauchen können. Gehen Sie am besten gleich zu einer Rechtsanwältin.
Und hier sehe ich …*

*Aber ich bin sicher, dass die Werke von Carla Veltroni eines Tages ihren Platz in der
Kunstgeschichte finden werden. Und ich hoffe, dass diese Ausstellung die Künstlerin
einem größeren Publikum näher bringen wird. Viel Spaß beim Betrachten der Bilder!*

*Wir werden Wege und Lösungen finden, für alle Arbeit zu schaffen. Und ich
verspreche Ihnen: Wenn Sie uns wählen, dann wird es bald keine Arbeitslosen
mehr in Deutschland geben. Deshalb: Wählen Sie …*

*Das wird eine anstrengende Woche für Sie. Sie werden viel Geduld brauchen. Saturn sorgt
dafür, dass alles viel schwieriger ist als sonst.
Auch von Ihren Kollegen werden Sie kaum Unterstützung bekommen. Sie werden alles
allein machen müssen. Und Ihr Schatz wird diese Woche leider wenig Zeit für Sie haben.
Vielleicht sollten Sie eine Woche in Urlaub fahren.*

*Die SPD wird dagegen 6% mehr Stimmen erhalten. Die Grünen kommen
auf 6,1%. Die FDP wird den Einzug in den Bundestag vermutlich nicht
schaffen. Sie liegt bei 4,9%.*

*Wie Sie sehen, gibt es nach der Statistik heute 5,93 Milliarden Menschen auf der Erde.
Für das nächste Jahr prognostizieren die Experten einen Anstieg auf 6 Milliarden, und
im Jahr 2025 werden mehr als 8 Milliarden Menschen auf der Erde leben.*

Ergänzen Sie passende Sätze und die Regeln.

…	Verb 1 (werden)	…	Verb 2 Infinitiv	Verb 1 (werden)
1 Auch …	werden	wenig Änderung	bringen .	
2				
3				
4				
5				

Zukunft ◆ Infinitiv ◆ Hauptsatz ◆ Nebensatz

Das Futur I

1 In der Regel benutzt man im Deutschen, wenn man über die _____ spricht, das Präsens – mit entsprechenden Zeitangaben (morgen, in einer Woche, nächstes Jahr …). Nur manchmal (z. B. in schriftlichen Texten oder bei offiziellen Anlässen, für Pläne, Prognosen und Versprechen) benutzt man dafür das Futur I.

2 Das Futur I bildet man mit „werden" und dem _____ .

3 Im _____ steht „werden" auf Position 2, der Infinitiv oder der Infinitiv + Modalverb im Infinitiv am Satzende.

4 Im _____ steht „werden" nach dem Infinitiv am Satzende.

B1-B4

B 5
2/20

Was sagt die Wahrsagerin der Frau und dem Mann für das nächste Jahr voraus? Hören und sortieren Sie.

Ihren Beruf nicht aufgeben ◆ nie wieder sehen ◆ gemeinsam ein Geschäft führen ◆ blonder Mann ◆ ~~neue Arbeit in London annehmen~~ ◆ viel Geld verdienen ◆ ~~nicht mit nach London gehen~~ ◆ heiraten ◆ eine rothaarige Frau kennen lernen ◆ allein leben ◆ drei Kinder bekommen ◆ nicht heiraten

Die Wahrsagerin sagt …
der Frau : nicht mit nach London gehen   dem Mann : neue Arbeit in London annehmen

Berichten Sie mit Ihren Notizen, was die Wahrsagerin gesagt hat.

Die Wahrsagerin hat gesagt, dass der Mann eine neue Arbeit in London annehmen wird.

Die Frau wird nicht mit ihm nach London gehen.

B 6   **Üben Sie zu zweit. Ziehen Sie drei Karten und spielen Sie Wahrsagerin.**

Das war.   Das ist jetzt.   Das wird kommen.

Heinz Erhardt, geb. 20. 2. 1909 in Riga – gest. am 5. 6. 1979 in Hamburg. Pianist und Kabarettist in Wrocław (Breslau) und Berlin. Nach dem 2. Weltkrieg erfolgreicher Bühnen- und Filmkomiker.

Tante Hedwig
(von Heinz Erhardt*)

Kennen Sie eigentlich schon Tante Hedwig? Sie ist eine ziemlich behaarte – ähm – ziemlich bejahrte Dame. Und sie ist … legt Karten, nicht. Sie lebt davon. Sie legt Karten. So: großes Glück übern kleinen Weg etcetera etcetera. Und ähm …

Wenn du denkst es geht nicht geht nicht geht nicht,
geh zu Tante Hedwig Hedwig Hedwig.
Sie schaut in die Karten Karten Karten
und sagt dir ganz klipp und klar,
was noch kommt und was schon war.

Hedwig sieht mit scharfem Blick:
Herz Dame ist dein ganzes Glück.
Nur ein Bube, so ein Hecht,
der stört und das ist schlecht.

Und bist du mal liebeskrank,
ah, so braut sie dir 'nen Liebestrank.
Diesem Zauber, du wirst sehen,
kann niemand widerstehen.

Wenn du denkst es geht nicht geht nicht geht nicht,
geh zu Tante Hedwig Hedwig Hedwig.
Sie schaut in die Karten Karten Karten
und sagt dir ganz klipp und klar,
was noch kommt und was schon war.

Fehlt im Toto dir ein Gewinn,
geh nur zu Tante Hedwig hin.
Sie sagt dir ganz sicher, wann
man damit rechnen kann.

Liegt Pik acht neben der zehn,
haha – dann kann dir nichts danebengehen.
Dann geht alles gut soweit.
So, nun weißt du Bescheid.

Wenn du denkst es geht nicht geht nicht geht nicht,
na, da geh zu Tante Hedwig Hedwig Hedwig.
Sie schaut in die Karten Karten Karten.
Ja, und gibt dir ganz klar und klipp
sicherlich den richtigen Tipp.

Also geh!
Also geh zur …
Also geh zur Tante …
Also geh zur Tante Hedwig!

Sprechen Sie über die Fotos.

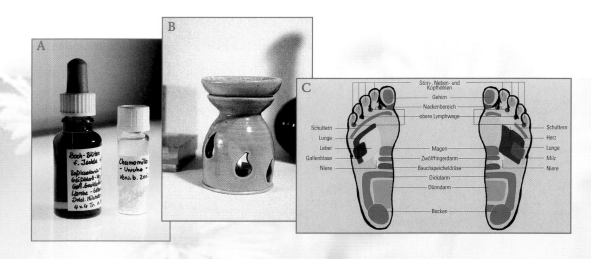

Homöopathie

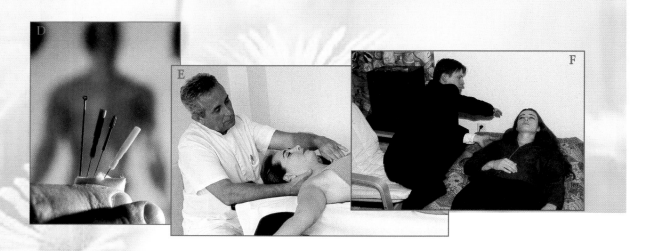

Ergänzen Sie die Begriffe.

Fußreflexzonenmassage ◆ ~~Homöopathie~~ ◆ Akupunktur ◆ Aromatherapie ◆ Chirotherapie ◆ Hypnose

Welche alternativen Heilmethoden kennen Sie noch?

D 2

Lesen Sie die Beschreibungen und ergänzen Sie.

Heilmethode	hilft bei folgenden Krankheiten	Krankenkasse bezahlt: ja	nein
Aromatherapie	Kopfschmerzen, …		

Aromatherapie: Einatmen und sich wohl fühlen

Schon lange weiß man, dass bestimmte Düfte positiv auf Körper und Seele wirken. Bei der Aromatherapie werden fast 300 ätherische Öle aus Blüten, Blättern, Schalen und Hölzern verwendet, von Rosmarin bis Melisse, von Lavendel und Wacholder bis zur Zitrone. Ätherische Öle enthalten Wirkstoffe in konzentrierter Form; sie dürfen deshalb nie unverdünnt angewendet werden, sondern müssen in einem neutralen Öl (z. B. Jojoba, Mandel) gelöst werden. Wir können Duftöle ins Badewasser geben; wir können uns damit massieren lassen oder eine Kompresse mit ein paar Tropfen Öl auf schmerzende Körperteile legen. Auch über spezielle Aromalampen lässt sich ihr Duft im ganzen Raum verteilen. Die Menschen fühlen sich beruhigt, entspannt oder auch angeregt. Was ist die Erklärung dafür? Der Geruchssinn ist eng mit den Bereichen des Gehirns verbunden, die unsere Gefühle steuern. Wenn Aromaöle inhaliert oder eingerieben werden, können sie auch körperliche Beschwerden wie zum Beispiel Kopfschmerzen (Lavendel, Pfefferminze u. a.), Husten (Thymian u. a.) oder Schlafstörungen (Rose, Mandarine u. a.) lindern. Der Beruf des Aromatherapeuten ist in Deutschland bisher nicht anerkannt; es gibt also auch keine festgelegte Ausbildung. Seriöse Therapeuten sowie Kosmetikerinnen, die Aromatherapie anwenden, nennt das Forum Essenzia e.V. in München. Aromatherapie wird von den Kassen in der Regel nicht bezahlt.

Chirotherapie: Knacks gegen den Hexenschuss

Handgriffe, die verspannte Muskeln und schmerzende Gelenke wieder beweglich machen, gab es schon vor viertausend Jahren in Ägypten und Thailand. Bei uns kam die Chirotherapie (griechisch für „Behandlung mit den Händen") nach dem Zweiten Weltkrieg in Mode. „Manuelle Therapie", wie die Methode heute heißt, wird seit 1973 an den medizinischen Hochschulen als ein Bereich der Orthopädie gelehrt: „Arzt für Chirotherapie" ist eine anerkannte Zusatzbezeichnung. Die „Manuelle Therapie" wird, wie der Name schon sagt, ausschließlich mit den Händen praktiziert. Dabei gibt es zwei Techniken. Bei der „Mobilisation" wird durch sanfte Bewegungen versucht, das Gelenk wieder zu „mobilisieren". „Gezielte Manipulation" versucht durch eine schnelle Bewegung, aber nur mit geringer Kraft, ein Gelenk wieder beweglich zu machen. Dabei ist oft ein Knacken zu hören, und schwere Schmerzen werden sofort gelindert. Angewendet wird die „Manuelle Therapie" vor allem bei Rücken- und Kopfschmerzen, die von Muskelverspannungen im Bereich der Halswirbelsäule verursacht werden können. Die gesetzlichen Krankenkassen bezahlen die „Manuelle Therapie", wenn sie von entsprechend ausgebildeten Ärztinnen und Ärzten (Orthopäden) ausgeführt wird.

Akupunktur: Stiche gegen den Schmerz

Die Akupunktur kommt aus China und wird dort seit mehr als dreitausend Jahren angewendet. Die westliche Medizin arbeitet zwar erst seit wenigen Jahrzehnten mit dem Verfahren, doch es hat sich auch bei uns schon weitgehend durchgesetzt: Bei jeder zweiten Behandlung von Schmerzen des Bewegungsapparats und bei 20 bis 30 Prozent der Kopfschmerz- und Migränebehandlungen wird Akupunktur eingesetzt. Auch bei Asthma, Allergien, psychosomatischen Herzbeschwerden, Bluthochdruck, Schlafproblemen und Depressionen kommen die heilenden Nadeln zum Einsatz. Ihre Wirksamkeit ist durch Studien belegt: Bei Schmerzerkrankungen zum Beispiel helfen sie 55 bis 85 Prozent aller Patienten. Wie wirkt die Akupunktur? Die fernöstliche Medizin hat die Vorstellung, dass der Körper von bestimmten Energieflüssen (Meridianen) durchströmt wird. Fließt zu viel oder zu wenig Energie, wird der Mensch krank. Akupunktur soll helfen, den Energiefluss zu harmonisieren. Dazu werden Nadeln in bestimmte Punkte entlang der Meridiane gestochen, manche mehrere Zentimeter tief – und es tut fast überhaupt nicht weh. Wenn Akupunktur zur Schmerzbehandlung eingesetzt wird, bezahlen die gesetzlichen Kassen. Einige Krankenkassen erstatten die Kosten auf Antrag auch für die Behandlung anderer Krankheiten – wenn zuvor andere, traditionelle Methoden versagt haben.

Erklären Sie eine Heilmethode mit eigenen Worten. Woher kommt sie? Wie wirkt sie? Machen Sie Notizen.

D 3

Geben Sie Ratschläge.

1 Ihr Bruder leidet an Hexenschuss. Die Ärzte geben ihm Spritzen, dann geht es eine Zeit lang besser. Und dann passiert es wieder: Er kann sich nicht mehr bewegen.

2 Ihre Nachbarin hat regelmäßig Migräne. Sie war schon bei vielen Ärzten, aber niemand konnte ihr helfen. Sie nimmt immer starke Schmerztabletten, legt sich ins Bett und ist für drei Tage nicht mehr zu sprechen.

3 Ihr Kollege ist regelmäßig im Frühjahr krank. Er hat Heuschnupfen. Seine Augen sind rot, sein Hals tut weh, seine Nase läuft. Alle Tabletten haben nichts geholfen. Er trägt eine Sonnenbrille, bleibt so oft es geht zu Hause und hält die Fenster geschlossen. Er hasst den Frühling.

4 Ihre beste Freundin leidet seit einem halben Jahr an Nervosität und kann nachts nicht schlafen. Die Ärzte haben ihr immer wieder Beruhigungsmittel und Schlaftabletten verschrieben, aber sie will keine Tabletten mehr nehmen.

5 Ihre Frau hat Husten, will aber keine Medikamente einnehmen.

D 4   **Markieren Sie die Verben und ergänzen Sie die Regeln.**

1 Bei der Aromatherapie <u>werden</u> fast 300 ätherische Öle aus Blüten, Blättern, Schalen und Hölzern <u>verwendet</u>.

2 Ätherische Öle enthalten Wirkstoffe in konzentrierter Form; sie dürfen deshalb nie unverdünnt angewendet werden, sondern müssen in einem neutralen Öl gelöst werden.

3 Wenn Aromaöle inhaliert oder eingerieben werden, können sie auch körperliche Beschwerden wie zum Beispiel Kopfschmerzen, Husten oder Schlafstörungen lindern.

4 Angewendet wird die „Manuelle Therapie" vor allem bei Rücken- und Kopfschmerzen, die von Muskelverspannungen im Bereich der Halswirbelsäule verursacht werden können.

---

werden ◆ Nebensatz ◆ Partizip Perfekt ◆ Personen ◆ Handlungen und Prozessen ◆
Modalverb ◆ Position 2 ◆ am Satzende

Das Passiv

1 Das Passiv kann überall dort vorkommen, wo es um Beschreibungen von _Handlungen + Prozessen_ _____ geht. Die handelnden ___Personen___ sind nicht wichtig, nicht bekannt oder nicht vorhanden.

2 Das Passiv bildet man mit _____ + _____ ; „werden" steht auf _____ und das Partizip Perfekt _____ .

3 Im Passiv-Hauptsatz mit Modalverb steht das ___Modal Verb___ auf Position 2 und das Partizip Perfekt + „werden" im Infinitiv am Satzende.

4 Im Passiv-_____ stehen die Verben am Ende. Die Reihenfolge ist:
Partizip Perfekt + „werden" *oder* **Partizip Perfekt + „werden" (Infinitiv) + Modalverb**

Suchen Sie in einem Text aus D2 alle Passiv-Sätze, markieren Sie die Verben und schreiben Sie die Sätze.

Die Akupunktur kommt aus China und wird dort seit mehr als dreitausend Jahren angewendet.

D 5   **Was wird hier gemacht? Ergänzen Sie.**

Fußreflexzonenmassage: Kreisen, klopfen, drücken

(zuordnen)   Jedem Körperteil, jedem Organ _wird_ bei der Fußreflexzonenmassage eine Reflexzone _zugeordnet_ . Wenn sie beim Massieren wehtun, deutet das auf eine Erkrankung des entsprechenden Organs hin. Durch sanfte, kreisende Bewegungen, leichtes Klopfen oder auch kräftigen Druck _soll_ eine positive Reaktion im ent-

(auslösen)   sprechenden Organ, Muskel oder Gelenk _____ _____ .

(anregen)   Die Durchblutung _____ _____ . Verkrampfte Muskeln entspannen sich, Schmerzen lassen nach. Allerdings sollte niemand erwarten, dass es ihm sofort besser geht. Bei einer Massage pro Woche dauert es ungefähr sechs Monate, bis sich ein Erfolg einstellt. Wie viele andere Therapien, die der neuen „alternativen"

(zurechnen)   Medizin _____ _____ , ist die Fußreflexzonenmassage in Wahrheit uralt. In China und

(praktizieren) Indien _____ sie seit gut fünftausend Jahren _____ ; indianische Medizinmänner kannten sie, die ältesten bekannten Berichte europäischer Wissenschaftler stammen aus dem 16. Jahrhundert. Die Fußreflexzonenmassage _____ vor allem bei Migräne, Verdauungsstörungen, Menstruationsbeschwerden,

(anwenden)   Muskelverspannungen und Nervosität _____ . Die Behandlung _____ von den gesetzlichen

(bezahlen)   Krankenkassen in der Regel nicht _____ .

ARBEITSBUCH
D3-D6

D 6   **Diskutieren Sie in Gruppen pro und contra.**
Sollten Krankenkassen die Kosten für alternative Heilmethoden übernehmen?

64   *vierundsechzig*

E

Zwischen den Zeilen

E 1

Was passt zusammen? Markieren Sie.

1	zum Einsatz kommen	**4** a)	etwas ist erfolgreich
2	in Mode kommen	b)	nicht helfen
3	zur Ruhe kommen	c)	etwas benutzen, verwenden
4	Erfolg bringen	d)	aktuell werden, immer öfter auftauchen
5	keine Besserung bringen	e)	sich hinsetzen
6	zu Ende bringen	f)	eine Therapie machen
7	Platz nehmen	g)	etwas lösen
8	Abschied nehmen	h)	fragen
9	die Hoffnung aufgeben	i)	nicht mehr hoffen
10	sich einer Therapie unterziehen	j)	sich verabschieden
11	eine Lösung finden	k)	etwas beenden
12	eine Frage stellen	l)	sich beruhigen, entspannen

Lerntipp:

Es gibt feste Verbindungen von Nomen mit Verben. Dann bestimmt das Nomen die Bedeutung und hat deshalb den Wortgruppen-Akzent. Man benutzt sie vor allem in der Schriftsprache. Lernen Sie solche Verbindungen immer zusammen und schreiben Sie Beispielsätze auf die Wortkarten (Vorder- und Rückseite):

in Mode kommen	Aromatherapie ist in den letzten Jahren in Mode gekommen.

E 2

Lesen und ergänzen Sie.

In den letzten Jahren sind verschiedene alternative Therapieformen in Mode *gekommen* . Die Gründe dafür sind unterschiedlich. Manche Menschen probieren einfach alles Neue aus. Andere haben sich zuvor „normalen" Therapien _____ und dabei festgestellt, dass diese Therapien bei ihnen keinen Erfolg _____ . Sie haben vielleicht die Hoffnung schon _____ , wieder gesund zu werden, und hören erst dann von alternativen Methoden. Und wieder andere haben dauernd Beschwerden, ohne dass die Ärzte überhaupt eine Ursache dafür finden können.

Wenn alternative Heilmittel zum Einsatz _____ , bedeutet das oft genug, dass der Patient schon einen langen Leidensweg hinter sich hat, auf dem er seiner Meinung nach von den Ärzten nicht ernst genommen wurde. Irgendwann _____ er dann eben Abschied von der so genannten Schulmedizin.

Ein solcher Fall ist Christoph P., 46, aus Hamburg. „Ich habe meinem Hausarzt immer vertraut", erzählt er. „Ich habe ihm nie viele Fragen _____ . Aber dann hatte ich eines Tages wirklich schreckliche Schmerzen, die nicht mehr aufhörten. Mein Arzt gab mir verschiedene Medikamente, aber die _____ keine Besserung. Nachts bin ich oft überhaupt nicht mehr zur Ruhe _____ , die Schmerzen wurden immer heftiger. Dann hat mir eine Freundin die Adresse eines Chirotherapeuten gegeben. Ich bin hingegangen und habe ihm mein Problem erklärt. Und dann ging es ganz schnell. Er sagte nur: „ _____ Sie Platz", und kaum saß ich auf dem Hocker, hob er mich hoch, es hat furchtbar geknackt, und die Schmerzen waren mit einem Schlag weg. Es war unglaublich, ich war ganz durcheinander."

Aber nicht jeder _____ wie Christoph P. die Lösung seines Problems bei einem alternativen Arzt, und die „normalen" Ärzte warnen: „Auf jeden Fall sollte man eine herkömmliche Behandlung auch wirklich zu Ende _____ , bevor man sie als erfolglos bezeichnet und zu alternativen Mitteln greift."

E1-E3

F

Cartoon

F1-F5

Peter Gayman

Finalsatz

Martin verließ Freitagabend das Büro,	**um** aufs Land **hinauszufahren**, wo er Freunde besuchen wollte.
Um ein paar Kilometer **abzukürzen**,	fuhr Martin über einen Feldweg.
Der Makler rief Corinna an,	**um** mit ihr einen Besichtigungstermin **zu vereinbaren**.
Am nächsten Abend traf sie sich mit dem Makler,	**um** sich die Wohnung **anzuschauen**.
Wozu besuchst du einen Tanzkurs?	**Um** neue Leute **kennen zu lernen**.
Wozu hängt man Knoblauch ins Zimmer?	**Um** Vampire **zu vertreiben**.

Futur I

Im Jahr 2025 **werden** mehr als 8 Milliarden Menschen auf der Erde **leben**.
Ein Sturmtief bei Schottland bestimmt morgen das Wetter in Deutschland.
Auch die nächsten Tage **werden** wenig Änderung **bringen**.
So **wird** die Wahl nach unserer Prognose **ausgehen**: Die CDU verliert Stimmen und
liegt bei 35%. Die SPD **wird** dagegen 6% mehr Stimmen **erhalten**.
Ich hoffe, dass diese Ausstellung die Künstlerin einem größeren Publikum **näher bringen wird**.
Sie **werden** jede Unterstützung **brauchen können**.
Sie **werden** alles allein **machen müssen**.

Passiv Präsens

Fast 300 ätherische Öle aus Blüten, Blättern, Schalen und Hölzern **werden** bei der Aromatherapie **verwendet**.
Ätherische Öle enthalten Wirkstoffe in konzentrierter Form; sie **dürfen** deshalb nie unverdünnt **angewendet werden**, sondern **müssen** in einem neutralen Öl **gelöst werden**.
Wenn Aromaöle **inhaliert** oder **eingerieben werden**, können sie auch körperliche Beschwerden wie zum Beispiel Kopfschmerzen, Husten oder Schlafstörungen lindern. Aromatherapie **wird** von den Kassen in der Regel nicht **bezahlt**.

Nützliche Ausdrücke

Es dauerte ewig, bis ich die Landstraße erreichte.	Die **halbe** Familie kroch auf dem Flur herum.
Ich dachte: **So eine** Wohnung **müsste man haben**!	**Zugegeben**: Es klappt nicht immer. Aber manchmal.
Wenn du denkst es geht nicht, geh zu Tante Hedwig.	Sie **sagt** dir ganz **klipp und klar**, was noch kommt und was schon war.
Was bedeutet „Manuelle Therapie"?	Die „Manuelle Therapie" wird, **wie der Name schon sagt**, ausschließlich mit den Händen praktiziert.
Was machen Sie, wenn Sie Muskelkater haben?	**Dann** nehme ich ein heißes Bad. Das tut gut.
Jedes Jahr im Winter habe ich **eine Erkältung nach der anderen**. Ich **komme überhaupt nicht zur Ruhe**.	Sie sollten **auf jeden Fall** auf eine vitaminreiche Ernährung achten.
Drei Hautärzte haben **alles in allem** 14 Jahre lang **an mir herumgedoktert** – ohne Erfolg.	Ich **halte** sehr **viel von** der Eigenbluttherapie.
Wie fühlst du dich, seit du Reiki machst?	**Ehrlich gesagt**: Gesünder fühle ich mich heute nicht, aber ich kann jetzt wenigstens mitreden.

RAUF + RUNTER

Sie brauchen vier Spielfiguren und einen Würfel. (P')

A

Leiterspiel

Spielregeln:

Aufgabenfelder

Lesen Sie die Aufgaben A und B laut.

Welche Aufgabe möchten Sie lösen? A oder B?

<u>Richtige Lösung für A:</u>
Gehen Sie ein Feld vor.

<u>Richtige Lösung für B:</u>
Gehen Sie zwei Felder vor.

<u>Keine oder falsche Lösung:</u>
Bleiben Sie auf dem Feld stehen.

Pechleitern

Steigen Sie die Leiter nach unten.
Sie müssen keine Aufgabe lösen.

zssignment

Glücksleitern

Steigen Sie die Leiter nach oben.
Sie müssen keine Aufgabe lösen.

ZIEL

46

A Nennen Sie <u>zwei</u> alternative Heilmethoden.

B Beschreiben Sie <u>eine</u> alternative Heilmethode.

45

A Nennen Sie <u>drei</u> weitere Verben mit der Präposition „mit"? reden + mit DAT ...

B Ergänzen Sie die Sätze. Mein Chef leidet ... Er achtet nie ... Er verlässt sich ... Im Büro riecht es oft ...

44

A **Schreiben Sie eine Kontaktanzeige für diese Frau.**

B Welcher Mann passt (besser) zu der Frau. Warum?

32

A Ergänzen Sie die Sätze. Ich freue mich auf ... Ich freue mich über ...

B Welche deutschen Feste kennen Sie? Nennen Sie <u>fünf</u>.

33

34

Was ist das?

A

35

Erklären Sie folgende Wörter.

A Hochzeit, Ehe, heiraten, verheiratet sein

B Wie heißen die Wörter richtig? HochzeitsRETTO – SilvesterRYPTA – GeburtstagsKECHNESG

31

Definieren Sie mit Relativsätzen.

A Freunde sind Menschen, ... Ein Kollege ist jemand, ... Eine Nachbarin ist eine Frau, ...

B Ein Regisseur ist jemand, ... Eine Hotelmanagerin ist eine Frau, ... Gäste sind Menschen, ...

30

Ergänzen Sie die Sätze.

A Schon als kleines Kind ... Auf Wunsch meiner Eltern ...

B Immer wenn ich in Berlin war, ... Als ich das erste Mal in den Deutschkurs kam, ...

29

A Erinnern Sie sich noch an Ihre Schulzeit? Berichten Sie.

B Berichten Sie von einem Menschen, der für Sie als Kind wichtig war. Warum war sie oder er wichtig?

28

18

Was würden Sie tun? Nennen Sie <u>drei</u> Aktivitäten.

A Sie sind einen Tag in Leipzig.

B Sie sind einen Tag in Graz.

17

A Nennen Sie <u>drei</u> reflexive Verben und erklären Sie ihre Bedeutung.

B Erklären Sie diese Wörter: Miete Mieter Vermieter

16

19

Ergänzen Sie die Fragen (...).
A Können Sie mir bitte sagen, ...?
Natürlich. Gehen Sie geradeaus, dann die zweite Straße links. Da ist das Theater.
B Wissen Sie , ... Herr Pechmann heute noch mal in sein Büro kommt?
Nein, tut mir Leid, das kann ich Ihnen nicht sagen.

15

Nennen Sie ...

A ... drei weitere Nomen mit Ge-: der Gedanke, ...

B ... drei weitere Nomen auf -ion: die Station, ...

14

13

A Beschreiben Sie den Weg von Ihrer Schule zum Bahnhof.

B Beschreiben Sie das Wetter von gestern ganz genau.

12

START

1

Nennen Sie ...

A ... <u>drei</u> typische Wohnhäuser in Deutschland.

B ... <u>fünf</u> typische Wohnhäuser in Deutschland.

2

A Erklären Sie <u>zwei</u> Abkürzungen.

B Erklären Sie <u>alle</u> Abkürzungen.

NK m² Uml. Abst. EBK sof.

43
A Was machen Sie, wenn Sie sich in den Finger geschnitten haben?

B Beschreiben Sie, wie Wadenwickel gemacht werden.

42
A Antworten Sie.
Sind die Kisten schon ausgepackt?
Nein, die müssen noch …

B Was ist unheimlich? Ergänzen Sie.

41

40
A Sie sind Wahrsagerin: Sagen Sie die Zukunft voraus.

B Wie wird das Leben in 100 Jahren aussehen?

36

37
A Jeder Mensch hat fünf Sinne. Ergänzen Sie: hören …

B Welches Wort passt nicht? Protest – Demonstration – Rücktritt – Kundgebung

38
Ergänzen Sie die Sätze.

A Ich bedanke mich für …
Ich bedanke mich bei …

B Was ist ein Heiratsinstitut?

39
A Was wissen Sie über Franz?

B Was wissen Sie über Christine Nöstlinger? Nennen Sie mindestens <u>drei</u> Lebensdaten.

27
A Bilden Sie zwei Komposita aus jeweils zwei Nomen.

B Bilden Sie vier Komposita aus jeweils zwei Nomen.

Ecke Decke
Kerzen Obst
Schale Sitz
Ständer Tisch

26

25
A Wo oder wie würden Sie gern wohnen?

B Ergänzen Sie die Sätze (…).
Petra hat wenig Zeit. … geht sie selten ins Kino. Andreas möchte gern unabhängig sein. … wohnt er noch bei seinen Eltern.

24
A Was ist ein Ufo?

B Was macht eine Wahrsagerin?

13
Sie möchten ein Hotelzimmer vom 4.–9. Oktober reservieren. Rufen Sie in einem Hotel an, fragen Sie.

A Zimmer frei? Preis? Fernseher? Telefon? Schwimmbad?

B Fragen Sie noch höflicher. Benützen Sie nur indirekte Fragen.

31
Antworten Sie (…).

A Wozu machen Sie diesen Kurs? …

B Wozu brauchst du denn morgen früh das Auto? …

30
Nennen Sie <u>drei</u> Adjektive …

A … mit -los und erklären Sie ihre Bedeutung.

B … mit -voll und erklären Sie ihre Bedeutung.

23

11
Was bedeutet das?

A
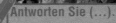

B

10
Nennen Sie mindestens <u>drei</u> Lebensdaten.

A Was wissen Sie über Clara Schumann?

B Was wissen Sie über Paula Modersohn-Becker?

9
A Ergänzen Sie <u>einen</u> Satz.
Ich habe keine Zeit, …
Ich vergesse nie, …
Es ist toll, …

B Ergänzen Sie <u>alle</u> Sätze.

8
A Sie lesen diese Anzeige und rufen den Vermieter an. Was sagen und fragen Sie?

3 ZKB 980,– + NK + Uml.
Tel: 06172/32881

B Was macht ein Makler?

4
A Nennen Sie <u>drei</u> Zimmer.

B Nennen Sie <u>alle</u> Zimmer.

5
Wie heißen die Stammformen von folgenden Verben?

A beginnen, schlafen
B essen, kommen, trinken, nehmen

6

7
Nennen Sie <u>fünf</u> Sehenswürdigkeiten …

A … in Ihrer Heimatstadt oder Ihrem Heimatland.

B … in Deutschland, in der Schweiz oder in Österreich.

Wie lernen Sie?

Füllen Sie den Test aus. Markieren Sie in jedem Block nur eine Antwort.

1 Ich lerne am besten, wenn …

    ich etwas höre.

    ich etwas als Bild vor mir sehe.

    ich etwas aufschreibe.

    ich etwas nachspreche.

    _____

*Können Sie sich an eine Stelle in Tangram
erinnern, wo Sie so gelernt haben?*

2 Ich lerne am besten, wenn …

    ich etwas selbst herausfinde.

    ich etwas genau erklärt bekomme.

    ich etwas immer wieder höre oder lese.

    ich praktische Übungen mache.

    _____

*Können Sie sich an eine Stelle in Tangram
erinnern, wo Sie so gelernt haben?*

3 Ich lerne am besten, wenn …

    mich jemand für meine Leistung lobt.

    mein Lehrer oder meine Lehrerin viel
kontrolliert.

    ich mich auf einen Test vorbereite.

    ich etwas mit anderen zusammen mache.

    _____

Konnten Sie im Kurs so lernen?

4 Ich lerne am besten, wenn …

    ich mit anderen zusammenarbeite.

    ich allein und ungestört arbeite.

    ich Musik dabei höre.

    ich genau weiß, warum ich etwas lerne.

    _____

Konnten Sie im Kurs so lernen?

5 Ich lerne neue Wörter am besten, wenn …

    ich mit Wortkarten arbeite.

    ich sie mit ähnlichen Wörtern zusammen
lerne.

    ich sie laut spreche.

    ich sie mit einer Situation oder einem Gefühl
in Verbindung bringe.

    _____

Gibt es Beispiele dafür in Tangram?

6 Ich lerne Grammatik am besten, wenn …

    mir jemand meine Fehler zeigt und mich
verbessert.

    mir jemand die Regel erklärt.

    ich die Regel selbst herausfinde.

    ich viele Übungen mache.

    _____

Wie ist das beim Lernen mit Tangram?

Wer lernt wie am besten? Diskutieren Sie mit den anderen.

Ich lerne mit den Ohren. Wenn ich etwas ein paar Mal gehört habe und ich den Klang gut kenne, behalte ich es.

Das ist bei mir ganz anders. Ich muss ein Wort geschrieben sehen, wenn ich es behalten will.

Ich finde es schwer, mich für eine Aussage zu entscheiden. Hören, Lesen und Sprechen, das gehört doch zusammen.

Ja, aber hier geht es darum, wie du am besten lernst, was bei dir an erster Stelle steht.

Wie lernen die Leute in Ihrem Kurs?
Machen Sie eine Umfrage und präsentieren Sie die Ergebnisse.

B 2

Wie gut können Sie jetzt schon Deutsch? Markieren Sie.

Ich ...

	sehr gut	gut	nicht so gut	schlecht
verstehe schnell das allgemeine Thema.	▪	▪	▪	▪
verstehe Einzelheiten.	▪	▪	▪	▪
lese Texte.	▪	▪	▪	▪
höre Texte.	▪	▪	▪	▪
spreche ohne Vorbereitung verständlich.	▪	▪	▪	▪
spreche mit Vorbereitung und Überlegung.	▪	▪	▪	▪
mache mir Notizen.	▪	▪	▪	▪
schreibe Briefe und andere Texte mit Vorbereitung.	▪	▪	▪	▪
verstehe die Regeln der Sprache.	▪	▪	▪	▪
lerne Vokabeln.	▪	▪	▪	▪
kann jetzt insgesamt Deutsch.	▪	▪	▪	▪

Beschreiben Sie, wie gut Sie schon Deutsch können. Machen Sie dabei Pläne:
Was würden Sie gern besser können? Was möchten Sie mehr üben?

Texte lesen, das macht mir Spaß. Da habe ich Zeit genug für jeden Satz. Aber wenn ich einen Text nur hören kann, geht es mir immer zu schnell. Das muss ich noch üben.

Aber das Lesen dauert dann so lange. Ich höre lieber einfache Texte. Wenn ich nicht jedes Wort verstehe, ist das nicht schlimm. Hauptsache, ich weiß, was gemeint ist. Ich will in Zukunft mehr auf die Einzelheiten hören.

ARBEITSBUCH
B1-B6

C 1 **Lesen Sie das Gedicht, markieren Sie die Wortenden und ergänzen Sie die Satzzeichen.**

Bremen wodu
von Helmut Heißenbüttel

wodu
was
wodu
was
woduwarst
wo
duwarst
inBremennatürlich
under
undwas
warder
warderwas
wardermit
inBremen
wardermitinBremen
jaderwarmitinBremen
undsie
undwas
wardiemit
diewarauchmit
diewarauchmitinBremen
jadiewarauchmitinBremen

undda
unddawas
unddawartihrallezusammen
inBremen
unddawartihrallezusammeninBremen
janatürlich
inBremen
janatürlichwarenwirallezusammeninBremen
unddahabtihrdas
habenwirwas
obihrdasdagetanhabtmeinich
obwirdasdagetanhabenmeinstdu
obihrdasallezusammendagetanhabtmeinich
obwirdasallezusammendagetanhabenmeinstdu
obihrdasallezusammeninBremendagetanhabt

weißtdudasdennnicht
wasweißichnicht
dasswirdasda
dassihrdasdagetanhabt
jadasswirdasallezusammendagetanhaben
allezusammen
jadahabenwirdasallezusammengetan
inBremen
jadahabenwirdasallezusammeninBremengetan

unddassokurzvorWeihnachten

Helmut Heißenbüttel geboren am 21.6.1921 in Rüstringen, Studium der Architektur, Germanistik und Kunstgeschichte, freier Mitarbeiter und später Leiter der Redaktion „Radio-Essay" beim Süddeutschen Rundfunk in Stuttgart. U.a. Mitglied des PEN-Club der Bundesrepublik Deutschland, gestorben am 19.9.1996 in Glückstadt.

C 2 **Lesen Sie das Gedicht als Dialog und achten Sie dabei auf Betonung und Satzmelodie.**
Dann hören und vergleichen Sie.

Grammatik
Seite G1–G26

Übersicht

Die Nomengruppe

§ 11 Artikel und Nomen: *die Ehe, der Rundgang, das Horoskop, …*
eine Ehe, ein Rundgang, ein Horoskop, …

§ 12 Pluralformen von Nomen: *Wohnung,-en ; Wunsch, ̈e ; Test,-s ; Kind, -er ; Bruder, ̈*

§ 13 Die Deklination von Artikel und
Nomen: *der Auftrag, den Auftrag, dem Auftrag, des Auftrags; (k)ein Auftrag, (k)einen*
Auftrag, (k)einem Auftrag, (k)eines Auftrags; Hunderte von Aufträgen

§ 14 Die Possessiv-Artikel: *mein, dein, sein, ihr, unser …*

§ 15 Die Artikelwörter: *diese, jeder, alle, manchen, einige, mehrere …*

§ 16 Die Pronomen: *ich, mir, sie, ihr, keins, eins, welche, jeder, jemand, niemand, sich …*

§ 17 Die Adjektive: *ehrlich, intensiver, am interessantesten …*
der größte Musiker und einer der bekanntesten Komponisten …
alles Gute, das Besondere, etwas Warmes …

§ 18 Die Zahlwörter: *eins, zwei, der erste, der dritte …*

Die Partikeln

§ 19 Die Präpositionen: *außerhalb, entlang, bis zu, gegenüber, während, wegen, trotz …*

§ 20 Die Adverbien: *dort, daneben, einst, damals, neulich, einmal, irgendwann …*
seitdem, inzwischen, gleichzeitig …
hin und wieder, immer öfter, zweimal, alle zwei Tage …
übrigens, überhaupt, außerdem, unbedingt, wahrscheinlich …

§ 21 Die Modalpartikeln: *wenigstens, schließlich, eigentlich, jedenfalls, besonders …*

§ 22 Die Konjunktionen: *entweder oder, mal mal, deshalb, trotzdem …*
wenn, immer wenn, als, bevor, bis, nachdem, seit, damit …

Die Wortbildung

§ 23 Komposita *der Gesprächspartner, die Tiefgarage, das Stellenangebot …*
umweltfreundlich, naturverbunden …

§ 24 Vorsilben und Nachsilben
a) Nachsilben *energisch, beruflich, geduldig, sprachlos, wertvoll …*
die Vermieterin, die Offenheit, die Beziehung, die Ehrlichkeit, die Aktivität,
die Kaution, die Biografie, die Wäscherei …

b) Vorsilben *der Gedanke, die Besichtigung, das Versprechen, der Erzähler …*

Textgrammatische Strukturen

§ 25 Die Negation: *nicht, kein, nein, doch, nie, nichts, niemand …*

§ 26 Referenzwörter :
a) Personalpronomen *Ihre Nachbarin hat Migräne. Sie war schon bei vielen Ärzten.*
b) 1) Demonstrativpronomen *… ne alte Tante. – Meinst du etwa die da?*
2) Reflexivpronomen *Ich freue mich auf deine Post.*
3) Relativpronomen *… ein Freund, den Sie schon lange kennen.*
Alles, was man hört, ist gleich wichtig.
Gleich neben dem Aufzug, wo das Schild steht.
c) D-Wörter *Unser Vater hat uns dabei sehr geholfen.*

§ 27 Kurze Sätze: *Ab wann ist die Wohnung frei?* **Ab sofort.**
Echofragen: *Wann machst du Urlaub?* **Wann ich Urlaub mache? Im Juli.**

Der Grammatikanhang gibt eine Übersicht über die grammatischen Strukturen, die in Tangram 2A neu eingeführt
werden. Die Zählung der Paragraphen (§) ist in Tangram 1 und Tangram 2 gleich. Das Zeichen TANGRAM 1 bedeutet,
dass diese Teile in Tangram 1 ausführlich behandelt sind.

Der Satz

§1   Die Aussage

NGRAM1 In einer Aussage steht das [Verb] immer auf **Position 2**. Das [Subjekt] steht rechts oder links vom Verb.

1.   2.   ... Position

Inzwischen [*wohnen*] [*wir*] *nur zehn Kilometer von meinen Eltern entfernt.*

[*Ich*]   [*sehe*]   *meine Eltern ungefähr zweimal die Woche.*

§2   Die Fragen   → § 27

NGRAM1 Es gibt W-Fragen (Fragewort auf Position 1) und Ja/Nein-Fragen (Verb auf Position 1).

a) **W-Fragen** mit den Fragewörtern *wofür, woran, wozu, weshalb*

Wofür	*ist der Abstand?*	**Für** *den Teppichboden und einige Möbel.*
Woran	*können Sie sich besonders gut erinnern?*	**An** *meinen ersten Schultag.*
Wozu	*hängt man Knoblauch ins Zimmer?*	**Um** *Vampire* **zu** *vertreiben.*

Wieso? Weshalb? Warum? – *Wer nicht fragt, bleibt dumm.*

b) **Ja/Nein-Fragen**

Ist	*die Wohnung noch frei?*	**Nein**, *tut mir Leid. Die ist schon weg.*
Wolltest	*du mir nicht noch was erzählen?*	*Ich weiß nicht mehr – das war sicher nichts Wichtiges.*
Kannst	*du dich gut an Gesichter erinnern?*	**Ja**, *aber Namen kann ich mir nicht gut merken.*

§3   Der Imperativ-Satz   → § 8

NGRAM1 Imperativ-Sätze benutzt man für Bitten oder Ratschläge. Das Verb steht auf Position 1.

Reiß	*dich zusammen!*
Meldet	*euch ganz schnell unter Chiffre 7712.*
Entdecken	*Sie Leipzig!*

§4   Die Verbklammer

NGRAM1 Besteht das Verb aus mehreren Teilen, steht es im (Haupt)Satz getrennt.

a) Modalverben

Sportstudent (23, 181, gut aussehend)	**will**	*sich endlich vom Single-Leben*	**verabschieden.**
Auf Wunsch ihrer Familie	**musste**	*Paula Modersohn-Becker einen „richtigen Brotberuf"*	**erlernen.**
	Möchtest	*du dich auch endlich mal wieder so richtig*	**verlieben?**

b) Trennbare Verben

*Meine Eltern **denken** über jede Investition haargenau **nach**.*
*Rolf **macht** einmal im Monat das Fenster **auf** und **wirft** fast 2000 Mark **hinaus**.*
*Unbeschreibliche Szenen **spielten** sich nach der Grenzöffnung am Kontrollpunkt Invalidenstraße **ab**.*

c) Perfekt und Plusquamperfekt

*Sonntags **haben** wir nach dem Mittagessen immer einen Spaziergang **gemacht**. Wenn wir dann nach Hause kamen, duftete es meistens schon im ganzen Haus. Meine Oma **hatte** frischen Kaffee **gekocht** und ihren köstlichen Apfelstrudel **gebacken**.*
*Als man die ersten Bilder von der Grenzöffnung im Fernsehen sehen konnte, **waren** schon Tausende von Berlinern aus beiden Teilen der Stadt zu den Grenzübergängen **losgezogen**.*

d) Futur I und Passiv

*Ein Tief bestimmt das Wetter in Deutschland. Die nächsten Tage **werden** wenig Änderung **bringen**.*
*Sie **werden** ein Haus **bauen**. Aber es **wird** viele Probleme **geben**.*
*Bei der Aromatherapie **werden** fast 300 ätherische Öle **verwendet**. Aromatherapie **wird** von den Kassen in der Regel nicht **bezahlt**.*
*1996 **wurde** in Leipzig das neue Messegelände und Kongresszentrum **eröffnet**.*

e) Konjunktiv II *(würd-, könnt-, sollt-)*

*Was **würden** Sie gerne in Leipzig **machen**?*
*Ich **würde** gern die Schuhfachmesse **besuchen**.*
*Wir **könnten** doch auch zur Modemesse **gehen**.*
*Abends **sollten** wir unbedingt in Auerbachs Keller **essen gehen**.*

§5   Das Satzgefüge

a) Hauptsätze

TANGRAM 1   Hauptsätze kann man mit *und* (= Addition), *aber* (= Gegensatz) und *oder* (= Alternative) verbinden.

Hauptsätze mit *deshalb* und *trotzdem*

*Rolf hat wenig Zeit. **Deshalb** trifft er seine Eltern höchstens einmal im Monat.*
*Die Wohnung hat einfach keinen Stil. **Trotzdem** fühlt Rolf sich dort wohl.*
*Ätherische Öle enthalten Wirkstoffe in konzentrierter Form; sie dürfen **deshalb** nie unverdünnt angewendet werden.*
*Wir haben gute Leute, aber **trotzdem** muss ich sie ständig kontrollieren.*

Zwischen diesen Sätzen kann ein Punkt („.“), ein Semikolon („;“) oder ein Komma („,“) stehen.
Die Konjunktionen *deshalb* und *trotzdem* können vor oder hinter dem Verb stehen.

b) Nebensätze

TANGRAM 1   Nebensätze beginnen meistens mit einer Konjunktion; das Verb steht am Ende.

1   Nebensätze mit *weil, obwohl, wenn* und *dass*

*Heute finden viele Menschen keinen Partner, **weil** ihre Erwartungen sehr hoch **sind**.*
*Es war einfacher, nach Mallorca zu reisen als an den Müggelsee, **obwohl** der nur ein paar Kilometer entfernt **war**.*
***Wenn** Akupunktur zur Schmerzbehandlung **eingesetzt wird**, bezahlen die gesetzlichen Kassen.*
*Schon lange weiß man, **dass** bestimmte Düfte positiv auf Körper und Seele **wirken**.*

2   Temporalsätze mit *während, wenn, als, bevor, nachdem, seit* und *bis*

• Zwei Handlungen geschehen **gleichzeitig**: *während, wenn* und *als*

***Während** ich ins Taxi **stieg**, gab es an der Rezeption einen peinlichen Auftritt.*

▶ *Während* kann auch Präposition sein: *Haben Sie **während der Messe** noch ein Zimmer frei?*

Wenn oder *als*?	
***Wenn** man klein **ist**, ist die Welt riesig groß.* *Na ja, wer weiß, wie's ist, **wenn** ich irgendwann mal so alt **bin**.*	*wenn* bei Gegenwart und Zukunft
*Der Duft von Apfelstrudel erinnert mich an die Zeit, **als** ich noch ganz klein **war**.* *Schon **als** ich das erste Mal in die Klasse **kam**, habe ich mich in sie verliebt.*	*als* bei Vergangenheit: Zustand oder einmaliges Ereignis
***Wenn** wir nach Hause **kamen**, duftete es meistens schon im ganzen Haus.* *Immer **wenn** sie mich **ansprach**, wurde ich rot und konnte kein Wort mehr sagen.*	*wenn* bei Vergangenheit: wiederholtes Ereignis

- Zwei Handlungen geschehen **nicht gleichzeitig**: *bevor, nachdem* und *als*

*Sie **machte** eine Ausbildung als Lehrerin,*   **bevor**   *sie an der Berliner Kunstschule **studierte**.*
Hauptsatz = vorher   ← *bevor* →   Nebensatz = nachher

*Unbeschreibliche Szenen **spielten** sich an der Grenze **ab**,*   **nachdem**   *man sie **geöffnet hatte**.*
Hauptsatz = nachher   ← *nachdem* →   Nebensatz = vorher

Als *ich die Hoffnung auf eine schöne Wohnung schon fast **aufgegeben hatte**,*   *rief mich ein Makler **an**.*
als → Nebensatz = vorher,   Hauptsatz = nachher

- **Anfang und Ende einer Handlung**: *seit* und *bis*

Seit *er arbeitslos **ist**,*   **hängt** *er nur noch lustlos zu Hause **herum**.*
seit → Nebensatz = Anfang der Handlung,   Hauptsatz = Handlung

*Ich **bin** am Kontrollpunkt **geblieben**,*   **bis**   *es Morgen **wurde**,*
Hauptsatz = Handlung   ← *bis* →   Nebensatz = Ende der Handlung

▶ *Seit* und *bis (zu)* können auch Präpositionen sein: *Ich habe **seit meiner Jugend** sehr starken Heuschnupfen.*
Bis zu ihrer Heirat *konzentrierte sich Clara Schumann völlig auf ihre künstlerische Arbeit.*

3 Indirekte Fragesätze

Indirekte Fragen klingen höflicher als direkte Fragen. Sie beginnen mit einem Fragewort oder mit *ob*.

Hauptsatz	Nebensatz	Zum Vergleich: direkte Frage
Können Sie mir sagen	*, **wann** Sie **ankommen**?*	***Wann** **kommen** Sie **an**?*
Wissen Sie schon	*, **wie lange** Sie bleiben **möchten**?*	***Wie lange** **möchten** Sie **bleiben**?*
Meine Frau fragte gerade	*, **ob** es auch Hotels mit Swimming-Pool **gibt**.*	***Gibt** es auch Hotels mit Swimming-Pool?*

Indirekte Fragesätze ohne Hauptsatz („Echofragen") in der gesprochenen Sprache: → § 27

Was machst du am Wochenende?   ***Was ich am Wochenende mache?** Ich weiß noch nicht, …*

4 Relativsätze

Mit Relativsätzen kann man Personen oder Sachen genauer beschreiben. Sie beziehen sich auf einen Satzteil im Hauptsatz (= Bezugswort) und stehen meistens direkt hinter diesem Satzteil. Relativsätze beginnen mit einem Relativpronomen.

Hauptsatz	Bezugswort	Relativsatz	(Hauptsatz-Ende)
Irgendwo gibt es	**den einen Menschen,**	**der** *wirklich zu mir **passt**.*	
Sie geben für	**einen Freund,**	**dem** *Sie bei der Parntersuche **helfen wollen**,*	*eine Kontaktanzeige auf.*
Sie schreiben	**Freunden,**	**über die** *Sie sich geärgert haben,*	*keine Postkarte aus dem Urlaub.*

Die **Form des Relativpronomens** kommt
→ vom Bezugswort: Genus *(feminin, maskulin, neutrum)* und Numerus *(Singular, Plural)*;
→ vom Verb oder von der Präposition im Relativsatz: Kasus *(Nominativ, Akkusativ, Dativ)*.

der *Mensch (maskulin Singular) – **Er** (NOM) passt zu mir.* → *der Mensch, **der** zu mir passt*
der *Freund (maskulin Singular) – Sie wollen **ihm** (DAT) helfen.* → *der Freund, **dem** Sie helfen wollen*
Freunde *(Plural) – Sie haben sich über **sie** (AKK) geärgert.* → *Freunde, über **die** Sie sich geärgert haben*

Die Relativpronomen sind identisch mit dem bestimmten Artikel. Ausnahme: Dativ Plural.

	Nominativ	Akkusativ	Dativ
feminin	*die*	*die*	*der*
maskulin	*der*	*den*	*dem*
neutrum	*das*	*das*	*dem*
Plural	*die*	*die*	***denen***

Relativpronomen *wo* für die Beschreibung von Orten:

*Ich komme nach Leipzig, an **einen Ort**, **wo** man die ganze Welt im Kleinen sehen kann.*
*Martin verließ das Büro, um **aufs Land** hinauszufahren, **wo** er Freunde besuchen wollte.*

Relativpronomen *was* nach allgemeinen Bezugswörtern wie *alles, nichts, etwas, das*

*Nicht **alles**, **was** wie ein Geschäft beginnt, muss auch wie ein Geschäft enden.*
*In welcher Anzeige finden Sie **das**, **was** Sie suchen?*

5 Finalsätze mit *um ... zu*

Mit Finalsätzen drückt man Ziele und Absichten aus. Der Nebensatz beginnt mit *um* und endet mit *zu* + Infinitiv. Im Nebensatz gibt es kein Subjekt: Es ist das gleiche wie im Hauptsatz.

Hauptsatz	*um* Nebensatz (Ziel/Absicht)	*zu* + Infinitiv
Sie waren gekommen,	**um** mich	**zu holen.**
Ich fuhr einen unbeleuchteten Feldweg,	**um** ein paar Kilometer	**abzukürzen.**

▶ Wenn Hauptsatz und Nebensatz nicht das gleiche Subjekt haben, benutzt man Finalsätze mit *damit*.
*In meinem Reisepass steht **ein Datum**, **damit die Deutschen** nicht meinen, dass ich noch nicht geboren bin.*

c) Infinitiv mit *zu*

Nach vielen Verben und Ausdrücken mit Adjektiven oder Nomen steht der *Infinitiv mit zu*. Er kann weitere Ergänzungen haben. Das Verb oder die Verben stehen immer am Ende.

*Ich **habe** keine **Zeit**,*	*meine Eltern regelmäßig*	**zu besuchen.**
*Ich **habe** keine **Lust**,*	*viel Geld für ein Auto*	**auszugeben.**
***Es ist** mir fast ein bisschen **peinlich**,*	*so lange zu Hause*	**gelebt zu haben.**
*Wir **sind froh**,*	*Ute jetzt wieder in unserer Nähe*	**zu haben.**
*Birke **glaubt**,*	*alles ganz anders als wir*	**machen zu müssen.**
*Es **fällt** uns manchmal **schwer**,*	*Rolf*	**zu verstehen.**

§6 Die Satzteile

TANGRAM 1 Das Verb bestimmt die notwendigen Ergänzungen.

Eine schicke, große Wohnung und ein tolles Auto – *brauche* *ich* *alles nicht.*
Akkusativ-Ergänzung   Subjekt (Nominativ-Ergänzung)

*Ich **war** ein Jahr* *in New York* *, und da ist* *mir* *klar geworden: Ich kann gut ohne Statussymbole leben.*
                    Situativergänzung   Dativ-Ergänzung

Wozu soll ich viel Geld *für Möbel* *ausgeben? Meine **sind*** *billig und praktisch* *, mehr nicht.*
                    Präpositionalergänzung   Qualitativergänzung

*Für meine Eltern **ist*** *die Wohnung* *ein wichtiger Teil des Lebens* *. Alles* *ist* *superclean und ordentlich* *.*
                    Subjekt   Einordnungsergänzung   Subjekt   Qualitativergänzung

*Deshalb **mögen** Sie* *meine Wohnung* *auch nicht. Inzwischen **kommen** sie fast nie mehr* *in meine Wohnung* *.*
                    Akkusativ-Ergänzung   Direktivergänzung

TANGRAM 1 Daneben gibt es zusätzliche Informationen durch „freie" Angaben. Sie geben Informationen zu Ort, Zeit, Grund, Art und Weise etc.

Eine schicke, große Wohnung und ein tolles Auto – brauche ich alles nicht.
*Ich **war** **ein Jahr** in New York, und **da** ist mir klar geworden: Ich kann **gut ohne Statussymbole** leben.*
Wozu soll ich viel Geld für Möbel ausgeben? Meine sind billig und praktisch, mehr nicht.
***Für meine Eltern** ist die Wohnung ein wichtiger Teil des Lebens. Alles ist superclean und ordentlich.*
*Deshalb mögen Sie meine Wohnung **auch** nicht. **Inzwischen** kommen sie **fast nie mehr** in meine Wohnung.*

Completion.

§7 Verben und ihre Ergänzungen → § 6

NGRAM 1 Im Satz stehen Verben immer mit einem Subjekt (= Nominativ-Ergänzung) zusammen. Die meisten Verben haben aber noch andere Ergänzungen (vgl. Wortliste).

a)-f) Die wichtigsten Ergänzungen

werden + EIN(ordnungsergänzung)	*Als ich 16 war, wollte ich **Schauspielerin** werden.*
nehmen + AKK(usativergänzung)	***Welche Wohnung** würden Sie nehmen?*
fehlen + DAT(ivergänzung)	*Warum bist du so weit weg? Du fehlst **mir**.*
fahren + DIR(ektivergänzung)	*Sie fuhr oft **nach Paris**, um dort künstlerisch zu arbeiten.*
leben + SIT(uativergänzung)	*Ich lebe gern **in der Stadt**, weil ich oft ausgehe.*
aussehen + QUAL(itativergänzung)	*Na, du siehst ja so richtig **glücklich und zufrieden** aus.*

g) Verben mit Präpositionalergänzung

denken + an AKK	***An das Alter** denkt sie überhaupt nicht.*
sich erinnern + an AKK	*An schlechten Tagen erinnert man sich vor allem **an negative Dinge***
leiden + an DAT	*Seit drei Jahren leide ich **an Schwindel**.*
achten + auf AKK	*Sie sollten auf jeden Fall **auf eine vitaminreiche Ernährung** achten.*
sich freuen + auf AKK	*Ich freue mich **auf deine Post**.*
sich verlassen + auf AKK	***Auf Herbert** konnten wir uns immer verlassen.*
sich bedanken + bei DAT + für AKK	*Hast du dich schon **bei Tante Klara für die Blumen** bedankt?*
sich entschuldigen + bei DAT + für AKK	*Ich habe keine Lust, mich **bei ihr für jeden kleinen Fehler** zu entschuldigen.*
helfen + DAT + bei DAT	*Das Leipzig Tourist Center hilft **Touristen bei der Suche nach einer Unterkunft**.*
(Geld) ausgeben + für AKK	*Wozu soll ich viel Geld **für Möbel** ausgeben?*
halten + AKK + für AKK	*Hin und wieder halten die Leute **den Franz für ein Mädchen**.*
sich interessieren + für AKK	*Welche Frauen interessieren sich **für Kino, Wandern und Tanzen**?*
sich auskennen + mit DAT	*Geh zu einem Arzt, der sich auch **mit alternativen Heilmethoden** auskennt.*
reden + mit DAT + über AKK	*Eine Freundin, **mit der** ich **über alles** reden kann, habe ich eigentlich nicht.*
sich treffen + mit DAT	*Am nächsten Abend traf ich mich **mit dem Makler**.*
sich verstehen + mit DAT	*Ich verstehe mich gut **mit meinen Eltern**.*
fragen + nach DAT	*Auf dem Rückweg in mein Zimmer fragte ich einen Portier **nach der Uhrzeit**.*
riechen + nach DAT	*Würden Sie einem Freund, der immer **nach Schweiß** riecht, einen Deoroller schenken?*
sich ärgern + über AKK	*Ärgere dich nicht **über deine Figur**, vergiss die Komplexe!*
nachdenken + über AKK	*Meinen Eltern denken **über jede Investition** haargenau nach.*
sich kümmern + um AKK	*Kümmert sich dein Partner gerne **um den Haushalt**?*
abhängen + von DAT	*Soviel ich weiß, habe ich keinen Geburtstag. Aber meine Zukunft in Deutschland hängt **von diesem Datum** ab.*
berichten + DAT + von DAT	*Sie hat die Polizei angerufen, um **ihr von den mysteriösen Vorfällen** zu berichten.*
(nichts, viel, wenig) halten + von DAT	*Ich halte **nichts von Astrologie**.*
träumen + von DAT	*Humorvolle ältere Dame (73, Witwe) träumt **von einem seriösen, niveauvollen Partner**.*
(etwas, nichts, viel, wenig) verstehen + von DAT	*Wer **viel von Phonetik** versteht, versteht **viel vom Alphabet**.*

h) Nomen-Verb-Verbindungen

Es gibt eine ganze Reihe von festen Verbindungen von Nomen und Verb, z. B.
eine Frage stellen, eine Lösung finden, in Rechnung stellen, zur Ruhe kommen, zu Ende bringen, Platz nehmen
Das Nomen trägt die Bedeutung des Ausdrucks und ist deshalb betont. Oft (aber nicht immer) gibt es zu diesen Verbindungen ein einfaches Verb mit ähnlicher Bedeutung:
fragen, lösen, berechnen, sich beruhigen, beenden, aber: nicht ~~platzen~~, sondern *sich setzen*

i) **Reflexive Verben** → §16 e + §26 b) 2

Bei reflexiven Verben zeigt das Reflexivpronomen zurück auf das Subjekt. Meistens steht das Reflexivpronomen im Akkusativ. Wenn das Verb eine andere Akkusativ-Ergänzung hat, steht das Reflexivpronomen im Dativ.

*Möchtest **du dich** auch endlich mal wieder so richtig **verlieben**?*
*Sportstudent (23, 181, gut aussehend) will **sich** endlich vom Single-Leben **verabschieden**.*
*Welche **Frauen interessieren sich** für Kino, Wandern und Tanzen?*
***Ich freue mich** auf deine Post.*

*Hast **du dir** eigentlich schon das Buch von Ute Ehrhardt **gekauft**?*
*Ja, das hab' ich schon. Ach, eigentlich **wünsche ich mir** nichts Besonderes.*
*Na ja, egal, **ich denk' mir** was Schönes **aus**.*

Die Wortarten

Das Verb

§8   Die Konjugation

TANGRAM 1 Im Satz ist das Verb meistens konjugiert. Das Subjekt bestimmt die Verb-Endung.

a) **Präsens**

*Die Welt, in der **ich lebe**, ist meinen Eltern fremd. **Meine Eltern leben** ganz anders.*
*Rolf **verreist** öfter mit dem Flugzeug als **wir** mit der U-Bahn **fahren**.*
*Meine **Frau fragt** gerade, ob **es** auch Hotels mit Swimming-Pool **gibt**.*
***Erinnert ihr** euch noch an die Silvesterparty bei Sven?*
***Du interessierst** dich auch für Kultur und **suchst** eine dauerhafte Beziehung.*
*Wie **nennt man** Menschen, **die** zur Familie **gehören**?*

b) **Imperativ**

*Hey Mann, **reiß** dich zusammen!*
***Meldet** euch ganz schnell unter Chiffre 7712.*
***Freuen** Sie sich schon jetzt auf das erste Treffen!*

c) **Trennbare Verben** (Wortakzent auf der trennbaren Vorsilbe)

*Fußreflexzonenmassage **regt** die Durchblutung **an**, Schmerzen **lassen nach**.*
*Rolf **macht** einmal im Monat das Fenster **auf** und **wirft** fast 2000 Mark **hinaus**.*
*An guten Tagen **sieht** Vergangenes viel positiver **aus**.*
*Heute ist Partytime, wir **laden** alle **ein**.*
*Fehlt im Toto dir ein Gewinn, **geh** nur zu Tante Hedwig **hin**.*
*Es wird Zeit, wir **nehmen** dich jetzt **mit**.*
*Der Mythos vom idealen Partner **lebt** auch heute noch **weiter**.*
*Eine seltsame Kraft **hielt** mich **zurück**.*

d) **Nicht-trennbare Verben** (Wortakzent auf dem Verbstamm)

*Rolfs Wohnung **gefällt** uns nicht. Trotzdem **besuchen** wir ihn manchmal.*
*Wenn ich meine Oma **besuche**, **erzählt** sie mir immer, wie liebevoll Opa sie **behandelt** hat.*
*Faust **verkauft** dem Teufel Mephisto seine Seele und **bekommt** dafür besondere Fähigkeiten.*
*Welches Mädchen möchte sich auch **verlieben** und mit mir das Leben und die Liebe **entdecken**?*
*Ein dicker Herr an der Rezeption hatte gerade einen Wutanfall und **zerriss** Rechnungsformulare.*

e) **Perfekt** (*haben* oder *sein* + Partizip Perfekt)

Mit Präteritum und Perfekt berichtet man über Vergangenes. Das Perfekt wird meistens in der Konversation, in mündlichen Berichten und persönlichen Briefen benutzt.

*Birke **hat** ihren Weg noch nicht **gefunden**, auch wenn sie gerade ihren ersten Laden **aufgemacht hat**.*

*Inzwischen **ist** Ute ruhiger und vernünftiger **geworden**, sie **hat** sich wohl genug **ausgetobt**.*
*Bevor Paula an der Berliner Kunstschule **studiert hat**, **hat** sie eine Ausbildung als Lehrerin **gemacht**.*
*Ich **habe** meinem Hausarzt immer **vertraut** und ihm nie viele Fragen **gestellt**.*
*Viele Menschen **haben** sich jahrelang normalen Therapien **unterzogen** – ohne Erfolg. Oft **haben** sie die Hoffnung*
***aufgegeben**, wieder gesund zu werden.*
*Wir **haben** einige Experten, die sich mit dem Thema Ufos lange **beschäftigt haben**, ins Studio **eingeladen**,*
***Habe** ich die Frage richtig **verstanden**?*

Partizip Perfekt: Formen

	regelmäßige Verben		unregelmäßige Verben	
		-t		**-en**
	machen *stellen*	*gemacht* *gestellt*	*finden* *werden*	*gefunden* *(ist) geworden*
Bei den trennbaren Verben steht **ge-** nach der Vorsilbe.	*aufmachen* *austoben*	*aufgemacht* *ausgetobt*	*einladen* *aufgeben*	*eingeladen* *aufgegeben*
Die nicht-trennbaren Verben haben kein **ge-**.	*vertrauen* *beschäftigen*	**vertraut** **beschäftigt**	*verstehen* *unterziehen*	**verstanden** **unterzogen**
Die Verben auf **-ieren** haben kein **ge-**.	*studieren*	*studiert*		

▶ Meistens Präteritum statt Perfekt: *haben, sein, werden*   Formen   → § 9 a
                    die Modalverben müssen, können, wollen, dürfen, sollen   Formen   → § 10
                    einige häufig gebrauchte Verben: *geben, wissen, brauchen …*

f)   Präteritum

Mit Präteritum und Perfekt berichtet man über Vergangenes. Das Präteritum wirkt etwas unpersönlicher und sachlicher als das Perfekt. Es wird vor allem in Zeitungsberichten, Lebensläufen, Erzähltexten und Märchen benutzt.

*Auf Wunsch ihrer Familie **musste** Paula Modersohn-Becker einen „richtigen Brotberuf" erlernen. Deshalb **machte** die 1876 geborene Dresdnerin zuerst in Bremen eine Ausbildung als Lehrerin, bevor sie an der Berliner Kunstschule **studierte**. 1901 **heiratete** Paula Becker den Maler Otto Modersohn. Paula Modersohn-Becker **verbrachte** viel Zeit im Ausland und **fuhr** oft nach Paris, um dort künstlerisch zu arbeiten.*

Präteritum: Formen

Regelmäßige Verben: Verbstamm + Präteritum-Signal **-t-** + Endung
Unregelmäßige Verben: Präteritum-Stamm + Endung (keine Endung bei *ich* und *sie, er, es*!)
Mischverben   Präteritum-Stamm + Präteritum-Signal **-t-** + Endung (wie regelmäßige Verben)
(z. B. *verbringen – verbrachte, denken – dachte, kennen – kannte, nennen – nannte, wissen – wusste*)

	regelmäßig	**Mischverben**	**unregelmäßig (Beispiele)**			
	machen	**verbringen**	**beginnen**	**geben**	**fahren**	**bleiben**
ich	*mach **te***	*verbrach **te***	*begann*	*gab*	*fuhr*	*blieb*
du	*mach **test***	*verbrach **test***	*begannst*	*gabst*	*fuhrst*	*bliebst*
sie/er/es	*mach **te***	*verbrach **te***	*begann*	*gab*	*fuhr*	*blieb*
wir	*mach **ten***	*verbrach **ten***	*begannen*	*gaben*	*fuhren*	*blieben*
ihr	*mach **tet***	*verbrach **tet***	*begannt*	*gabt*	*fuhrt*	*bliebt*
sie/Sie	*mach **ten***	*verbrach **ten***	*begannen*	*gaben*	*fuhren*	*blieben*

▶ Bei Verben mit Verbstamm auf *d, t, fn, gn* wird vor dem Präteritum-Signal -t- ein **e** eingefügt:
*sie heirat**e** te, er red**e** te, wir öffn**e** ten, sie begegn**e** ten.*

▶ Die *du*- und die *ihr*-Form werden selten im Präteritum verwendet. Hier nimmt man lieber das Perfekt:
***Seid** ihr denn gestern ins Kino **gegangen**?* (unüblich: ~~*Gingt ihr denn gestern ins Kino?*~~)

g) **Plusquamperfekt**

Über Vergangenes berichtet man mit Präteritum und Perfekt (= Erzähl-Zeit). Wenn man etwas berichten will, was schon vorher passiert ist, benutzt man das Plusquamperfekt (= Rückschau).

*Es war damals (= 1989) einfach unvorstellbar, dass die Mauer von heute auf Morgen nicht mehr existieren sollte. Fast 30 Jahre lang **hatte** sie unser Leben in Berlin **geprägt**. Die Mauer **hatte** nicht nur eine Stadt in zwei Hälften **geteilt**: Sie **hatte** Familien **zerrissen**, Ehepaare **getrennt** und Kontakte zu alten Freunden **abgeschnitten** – sie ging mitten durch das Herz der Berliner.*

*Als man die ersten Bilder von der Grenzöffnung im Fernsehen sehen konnte, **waren** schon Tausende von Berlinern zu den Grenzübergängen **losgezogen**. Unbeschreibliche Szenen spielten sich am Kontrollpunkt Invalidenstraße ab: Es war eine Stimmung wie auf einem Volksfest. Hier zeigte sich: Niemand **hatte** sich wirklich mit der Mauer **abgefunden**.*

Plusquamperfekt in Nebensätzen mit *bevor, nachdem* und *als*   → § 5 b) 2

Plusquamperfekt: Formen

Das Plusquamperfekt bildet man mit *hatt-* oder *war-* + Partizip Perfekt   Formen   → § 8 e

haben-Verben, z. B. *teilen*   *sein*-Verben, z. B. *losziehen*

                ich hatte … geteilt   *er war … losgezogen*

h) **Passiv**

Das Passiv kommt überall dort vor, wo Handlungen oder Prozesse beschrieben werden. Die handelnden Personen sind nicht wichtig, nicht bekannt oder nicht vorhanden.

*Die Akupunktur kommt aus China und **wird** dort seit mehr als dreitausend Jahren **angewendet**.*
*Bei jeder zweiten Behandlung von Schmerzen des Bewegungsapparats **wird** Akupunktur **eingesetzt**.*
*Dazu **werden** Nadeln in bestimmte Punkte entlang der Meridiane **gestochen**.*
*Bei der Aromatherapie **werden** ätherische Öle aus Blüten, Blättern, Schalen und Hölzern **verwendet**. Diese Öle **werden** **inhaliert** oder **eingerieben** und können viele körperliche Beschwerden lindern.*

▶ In der Umgangssprache verwendet man oft *man* statt Passiv:

*Die Akupunktur **wendet man** in China seit mehr als dreitausend Jahren **an**.*
*Bei der Aromatherapie **verwendet man** ätherische Öle aus Blüten, Blättern, Schalen und Hölzern.*

Passiv: Formen

Das Passiv bildet man mit *werden* + Partizip Perfekt   Formen   → § 8 e + § 9 a

Das Präteritum bildet man mit dem Präteritum von *werden* + Partizip Perfekt:

*Es war eine stille, mondlose Nacht. Plötzlich **wurde** mein Fenster von einem Luftzug **aufgestoßen**.*
*Alle Objekte, die mir **angeboten wurden**, waren entweder zu teuer oder zu weit draußen.*

Passiv mit Modalverben   → § 4

Modalverb (Position 2)	Partizip Perfekt + werden (Infinitiv)
*Wie Ausweise **können** auch Erinnerungen*	*verändert und gefälscht werden.*
*Ätherische Öle **dürfen** nie unverdünnt*	*angewendet werden,*
*sondern **müssen** in einem neutralen Öl*	*gelöst werden.*

Passiv im Nebensatz   → § 5

	Partizip Perfekt + werden (+ Modalverb)
Ich habe keine Lust mehr,	*immer nur **untersucht** oder **geröntgt zu werden**.*
Die gesetzlichen Kassen bezahlen,	*wenn Akupunktur zur Schmerzbehandlung **eingesetzt wird**.*
Ich habe von einer Freundin gehört,	*dass Heuschnupfen mit einer Eigenbluttherapie **behandelt werden kann**.*

i) Futur I

Über die Zukunft spricht man im Deutschen normalerweise mit Präsens und entsprechender Zeitangabe (*in fünf Minuten, heute Abend, um … Uhr, morgen, in einer Woche, nächstes Jahr, im Jahr 2050 …*).

*Ein Sturmtief bei Schottland **bestimmt morgen** das Wetter in Deutschland.*
*Nächstes Jahr **wollen** wir neben meinen Eltern **bauen**.*

Das Futur I verwendet man vor allem bei offiziellen Anlässen und in schriftlichen Texten für Pläne, Prognosen und Versprechen.

*Im Jahr 2025 **werden** mehr als 8 Milliarden Menschen auf der Erde **leben**.*
*Die FDP **wird** den Einzug in den Bundestag vermutlich nicht **schaffen**.*
*Wenn Sie uns wählen, dann **wird** es in Deutschland bald keine Arbeitslosen mehr **geben**.*
*Sie **werden** beruflich einen Riesenschritt nach vorn **machen**. Wer noch Single ist, der **wird** heute vielleicht seine große Liebe **treffen**.*
*Es ist nicht vorstellbar, dass es in 20 Jahren denkende Roboter **geben wird**, aber wir **werden** mit elektronischen Geräten in einer primitiven Sprache **sprechen können**.*

Futur I: Formen

Das Futur I bildet man mit *werden* + Infinitiv   Formen   → § 9 a

Futur I mit Modalverben → § 4

werden (Position 2)	Verb (Infinitiv) + Modalverb (Infinitiv)
*Die Menschen **werden***	*nicht mehr **arbeiten müssen**.*
*Mit Spezialbrillen **werden** Sie*	*am Strand **sitzen** und an einer Besprechung im Büro **teilnehmen können**.*

Futur I im Nebensatz → § 5

	Verb (Infinitiv) + werden
Ich bin sicher,	*dass die Werke von Carla Veltronio ihren Platz in der Kunstgeschichte **finden werden**.*
Und ich hoffe,	*dass diese Ausstellung die Künstlerin einem größeren Publikum näher **bringen wird**.*

j) Konjunktiv II (Gegenwart)

Für Wünsche, Träume und Fantasien verwendet man oft den Konjunktiv II:

*Was **würden** Sie in Leipzig **tun**?*
        *Ich **würde** in Auerbachs Keller **gehen**.*
                *Ich **würde** ins Neue Gewandhaus **gehen**. Ich höre nämlich gern Musik.*
                    *Ich **würde** etwas ganz anderes **machen** …*
*Welche Wohnung **würdest** du **nehmen**?*
        *Ich **würde** dieWohnung in Uni-Nähe **nehmen**, weil in Studentenvierteln immer was los ist.*
                *Ich **würde** gerne auf einem Bauernhof **wohnen**, weil ich gern Tiere um mich habe.*
*Welche Stadt **würden** Sie gern einmal **besuchen**? Was **würden** Sie dort **ansehen**?*
*Solchen Gästen **würde** ich gern mal **die Meinung sagen**, aber ich muss sie alle freundlich behandeln.*
*Ohne dich, liebe Gaby, **würde** die Geschichte des Waldhofs anders **aussehen**.*

Konjunktiv II: Formen

Die meisten Verben bilden den Konjunktiv II mit *würd-* + Infinitiv. Die Verben *sein* und *haben* und die Modalverben haben besondere Konjunktiv-Formen: → § 9 a + § 10

*Eine Villa **wär'** nicht **schlecht**, doch mir sind auch zwei Zimmer recht.*
*Es **wäre** schön, wenn ihr was zu essen oder zu trinken **mitbringen könntet**.*
*Wir **hätten** gerne noch einige nähere Informationen.*
*So eine Wohnung **müsste** man **haben**!*
*Wie **könnte** die Geschichte **weitergehen**? Erzählen Sie.*

Auch für Vorschläge und Bitten kann man den Konjunktiv II verwenden:

*Wir **könnten** doch zur Modemesse **gehen**.*
        *Ich **würde** lieber die Auto Mobil International **besuchen**.*
                *Und abends **sollten** wir unbedingt in Auerbachs Keller **essen gehen**.*

§9 Unregelmäßige Verben

a) Die Verben *haben, sein* und *werden*: Präsens – Präteritum – Konjunktiv II

	haben			sein			werden		
ich	habe	hatte	hätte	bin	war	wäre	werde	wurde	würde
du	hast	hattest	hättest	bist	warst	wär(e)st	wirst	wurdest	würdest
sie/er/es/man	hat	hatte	hätte	ist	war	wäre	wird	wurde	würde
wir	haben	hatten	hätten	sind	waren	wären	werden	wurden	würden
ihr	habt	hattet	hättet	seid	wart	wär(e)t	werdet	wurdet	würdet
sie/Sie	haben	hatten	hätten	sind	waren	wären	werden	wurden	würden

Die Perfektformen dieser Verben – *er **hat** gehabt, sie **ist** gewesen, es **ist** geworden* – benutzt man nur selten.

b) Verben mit Vokalwechsel in der 2. und 3. Person Singular

sprechen → *du sprichst – sie/er/es spricht*   *verlassen* → *du verlässt – sie/er/es verlässt*

c) Bei Verben auf *-eln* fällt in der 1. Person Singular das *e* weg.

bügeln → *ich bügle*   *klingeln* → *ich klingle*   *lächeln* → *ich lächle*

▶ In der Umgangssprache sagt man oft auch *ich bügel, ich klingel, ich lächel.*

Perfekt und Präteritum von unregelmäßigen Verben   → **§ 8 e + f**

§10 Die Modalverben   → **§ 4 a**

TANGRAM 1   In Sätzen mit Modalverben gibt es meistens das Modalverb und ein Verb im Infinitiv. Das Modalverb verändert die Bedeutung des Satzes:

Ich komme morgen.   neutrale Aussage

*Ich **will** morgen kommen.*	Wunsch	***Darf** ich morgen kommen?*	Erlaubnis
*Ich **möchte** morgen kommen.*	„höflicher" Wunsch	*Morgen **darf** ich **nicht** kommen.*	Verbot
*Ich **muss** morgen kommen.*	Notwendigkeit	***Soll** ich morgen kommen?*	Angebot, Vorschlag
*Ich **kann** morgen kommen.*	Erlaubnis, Möglichkeit	*Ich **soll** morgen kommen.*	Auftrag, Notwendigkeit

Formen: Präsens – Präteritum – Konjunktiv II (Gegenwart)

	müssen			können			dürfen		
ich	muss	musste	müsste	kann	konnte	könnte	darf	durfte	dürfte
du	musst	musstest	müsstest	kannst	konntest	könntest	darfst	durftest	dürftest
sie/er/es	kann	musste	müsste	kann	konnte	könnte	darf	durfte	dürfte
wir	müssen	mussten	müssten	können	konnten	könnten	dürfen	durften	dürften
ihr	müsst	musstet	müsstet	könnt	konntet	könntet	dürft	durftet	dürftet
sie	müssen	mussten	müssten	können	konnten	könnten	dürfen	durften	dürften

	wollen		sollen	
ich	will	wollte	soll	sollte
du	willst	wolltest	sollst	solltest
sie/er/es	will	wollte	soll	sollte
wir	wollen	wollten	sollen	sollten
ihr	wollt	wolltet	sollt	solltet
sie	wollen	wollten	sollen	sollten

▶ Bei *müssen, können* und *dürfen* haben die Formen für den Konjunktiv II einen Umlaut.
Bei *wollen* und *sollen* sind die Formen für Präteritum und Konjunktiv II gleich.

§11 Artikel und Nomen

NGRAM1 *Ehe, Rundgang, Horoskop…* sind Nomen. Nicht nur die **N**amen von **P**ersonen und **O**rten, sondern alle **N**omen beginnen mit einem großen **B**uchstaben.
Bei einem Nomen steht fast immer ein Artikel oder ein Artikelwort.
Nomen haben ein **Genus**: *feminin, maskulin* oder *neutrum*.

▶ Von einigen Nomen gibt es keine Singularform (zum Beispiel: *die Leute, die Eltern, die Geschwister*) oder keine Pluralform (zum Beispiel: *der Charme, die Einsamkeit, das Heimweh*).

§12 Pluralformen von Nomen

NGRAM1 Es gibt fünf verschiedene Pluralendungen.

-n/-en	*die Ehe – die Ehen; die Wohnung – die Wohnungen*
-e/-̈e	*das Problem – die Probleme; der Wunsch – die Wünsche*
-s	*der Test – die Tests*
-er/-̈er	*das Kind – die Kinder; das Haus – die Häuser*
-/-̈	*der Partner – die Partner; der Bruder – die Brüder*

▶ Fremdwörter haben manchmal andere Pluralformen: *der Mythos – die Mythen, das Studium – die Studien, das Material – die Materialien, …*

§13 Die Deklination von Artikel und Nomen

NGRAM1 In *Tangram 1* haben Sie den bestimmten, den unbestimmten und den Negativartikel *(die/der/das – eine/ein – keine/kein)*, den bestimmten und den unbestimmten Frageartikel *(welch-, was für ein-)* und die Deklination für Nominativ, Akkusativ und Dativ kennen gelernt.

Die Wohnung hat einfach **keinen Stil**.
*Ich habe **kein Kind, kein Tier, keine Gitarre** und **kein Klavier**.*
*1970 bekam ich **den Auftrag, die Bilder** für **ein Kinderbuch** zu malen.*
*Sie geben für **einen Freund, dem** Sie bei **der Partnersuche** helfen wollen, **eine Kontaktanzeige** auf.*
*Aromatherapie wird von **den Kassen** in **der Regel** nicht bezahlt.*

Genitiv
▶ Der Genitiv macht Aussagen genauer. Er gehört meistens zu einem Nomen und wird häufig in der Schriftsprache verwendet (z. B. in Wörterbuch-Erklärungen). Präpositionen mit Genitiv: *wegen* und *trotz*. → § 19

feminin	der	*Auf Wunsch **der Familie** musste Paula einen richtigen „Brotberuf" erlernen.*
	einer	*Ein Auftrag ist die Bestellung **einer** Ware oder **einer** Arbeit.*
maskulin	des	*Ich mag nicht, dass wir uns nur wegen **des Geburtstags** treffen.*
	eines	*Dabei spielt die Persönlichkeit **eines Menschen** eine große Rolle.*
neutrum	des	*Du bist trotz **des Chemiestudiums** in deinem tiefsten Inneren ein Künstler.*
	eines	*Eine Grenze ist der Eingang und Ausgang **eines Landes**.*
Plural	der	*Über ein Drittel **der Menschen** in Deutschland lebt heute allein.*
	von	*Eine Ausstellung ist eine Sammlung **von Gemälden** oder **Fotos**.*

Genitiv bei Namen drückt oft Zugehörigkeit aus: *Rolfs Wohnung = die Wohnung von Rolf*

Die Possessiv-Artikel

TANGRAM 1 Possessiv-Artikel (*mein-, dein-, ihr-, sein-, unser-, euer/eur-, ihr-, Ihr-*) stehen vor einem Nomen und ersetzen andere Artikel. Man dekliniert die Possessiv-Artikel genauso wie die negativen Artikel (*kein-*).

> Ich habe keine Zeit, **meine** Eltern regelmäßig zu besuchen.
> Kümmert sich **dein** Partner gerne um den Haushalt?
> Typisch für den Krebs ist **seine** Liebe zur Kunst.
> **Unsere** Stimmung hat Einfluss auf **unsere** Erinnerung.
> JUNGS!!! Das ist **eure** (letzte?) Chance!
> Wie bekommen Straßen in **Ihrem** Land **ihre** Namen?

§15 Die Artikelwörter

TANGRAM 1 Artikelwörter ersetzen andere Artikel. Es gibt bestimmte Artikelwörter (*diese-, jene-*) und unbestimmte Artikelwörter (*manch-, jede-, alle-, einige-, mehrere-*). Man dekliniert die Artikelwörter genauso wie die **bestimmten Artikel**.

> **Diese** Nacht war nicht zum Schlafen da.
> „Schon weg!" – Es fällt mir immer schwerer, **diesen** Spruch zu glauben.
> An irgendeinem **dieser** Tage entscheiden sich die „Übriggebliebenen" dann für **jenes** letzte Mittel.
> **Jeder** Gast will etwas von mir. Und ich tue, was ich kann.
> **Jedem** Körperteil, **jedem** Organ wird eine Reflexzone zugeordnet.
> **Alle** Tabletten haben nichts geholfen.
> Die halbe Familie kroch auf dem Flur und in **allen** Zimmern herum.
> So erfüllte ich mir in den nächsten Tagen **manchen** Wunsch.
> **Manche** Leute schüttelten den Kopf über so viel Fantasie.
> Wir hätten gerne noch **einige** nähere Informationen.
> Seit **einiger** Zeit nehme ich Geburtstagseinladungen überhaupt nicht mehr an.
> Was können Sie mir vermitteln? – Da habe ich **mehrere** Angebote.

§16 Die Pronomen

TANGRAM 1 Pronomen ersetzen bekannte Namen oder Nomen und helfen, Wiederholungen zu vermeiden.

a) Die **Personalpronomen** ersetzen Namen und Personen.

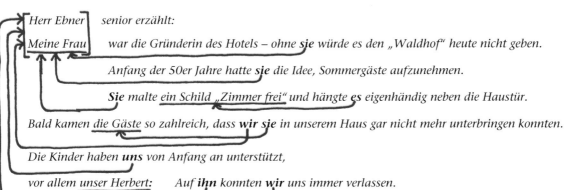

> *Herr Ebner* senior erzählt:
> *Meine Frau* war die Gründerin des Hotels – ohne **sie** würde es den „Waldhof" heute nicht geben.
> Anfang der 50er Jahre hatte **sie** die Idee, Sommergäste aufzunehmen.
> **Sie** malte ein Schild „Zimmer frei" und hängte **es** eigenhändig neben die Haustür.
> Bald kamen die Gäste so zahlreich, dass **wir sie** in unserem Haus gar nicht mehr unterbringen konnten.
> Die Kinder haben **uns** von Anfang an unterstützt,
> vor allem unser Herbert: Auf **ihn** konnten **wir** uns immer verlassen.
> **Er** hat von früh bis spät gearbeitet, ohne Pause, ohne Wochenende.

	Singular					Plural			Höflichkeitsform
Nominativ	ich	du	sie	er	es	wir	ihr	sie	Sie
Akkusativ	mich	dich	sie	ihn	es	uns	euch	sie	Sie
Dativ	mir	dir	ihr	ihm	ihm	uns	euch	ihnen	Ihnen

b) Die **bestimmten, unbestimmten und negativen Pronomen** ersetzen Artikel und Nomen. Man dekliniert sie genauso wie die Artikel.   → § 13

*Ist **die Wohnung** noch frei? – Nein, tut mir Leid. **Die** ist schon weg.*
*Hast du dir eigentlich schon **das Buch** von Ute Ehrhardt gekauft? – Ja, **das** hab' ich schon.*

*Ich war bei **vielen Ärzten**, aber **keiner** konnte mir helfen.*
*Wir machen **ein Fest**, wie's lange **keins** mehr gab.*

▶ Neutrum (NOM + AKK): ein Fest → Pronomen: *eins* oder *keins*
Maskulinum (NOM): kein Arzt → Pronomen: *keiner*

c) Frage- und Artikelwörter als Pronomen

*Wer sich nicht an **Fehler** erinnert, weiß nicht, dass es **welche** waren.*
*Wer auf **Kontaktanzeigen** antwortet oder selber **welche** schreibt, muss zugeben: Liebe ist ein Geschäft.*
*Kaufst du dir **ein neues Kleid** für Evas Hochzeit? – Ja, aber ich weiß nicht **welches**.*

*Bei der Akupunktur werden **Nadeln** in bestimmte Punkte gestochen, **manche** mehrere Zentimeter tief.*
***Manche** meinen, rechts und links kann man nicht verwechseln.*
*Eine Ausstellung ist eine Sammlung von Gemälden oder Fotos, die sich **jeder** ansehen kann.*
*Letztlich entscheidet aber **jeder** selbst, was er aus seiner Erinnerung macht.*
*Heute ist Partytime, wir laden **alle** ein.*
*Wir werden Wege und Lösungen finden, für **alle** Arbeit zu schaffen.*

▶ Das Pronomen *welche* ist der Plural für das unbestimmte Pronomen *ein-*. Vergleichen Sie.
*Wer auf **eine Kontaktanzeige** antwortet oder selber **eine** schreibt, …*
*Wer auf **Kontaktanzeigen** antwortet oder selber **welche** schreibt, …*

d) **Indefinitpronomen** wie *etwas (was, irgendwas), alles, nichts, jemand, niemand* stehen für unbekannte oder nicht genau bekannte Personen oder Sachen.

*Wir haben versucht, **etwas** fürs Alter zurückzulegen.*
*Es ist ein schönes Gefühl, so nah beisammen zu sein, falls mal **irgendwas** ist.*
*Ich würde die 6-Zimmer-Wohnung in Uni-Nähe nehmen, weil in Studentenvierteln immer **was** los ist.*
*Mir ist vielleicht **was Verrücktes** passiert!*

*Dann ist **alles** ganz anders gekommen.*
*Wer **nichts** weiß, der muss **alles** glauben.*
*Ich halte **nichts** von Astrologie.*

*Die Treppe knarrte leise, wenn **jemand** nach oben ging.*
*Wenn ich **jemanden** traf, sagte ich: „157. Sehr angenehm."*
***Niemand** hatte sich wirklich mit der Mauer abgefunden.*
*Wir laden alle ein, **niemand** bleibt heut' allein.*

e) **Reflexivpronomen** zeigen zurück auf das Subjekt des Satzes. Sie haben im Akkusativ und Dativ die gleichen Formen wie die Personalpronomen. Ausnahme: Das Reflexivpronomen für die 3. Person Singular und Plural heißt *sich*   → § 7 i + 16 a

*Ich verstehe **mich** gut mit meinen Eltern.*
*Ich denke **mir** ein schönes Geschenk für dich aus.*
*Schön, dass du **dich** meldest! Hast du meine Einladung bekommen?*
*Willst du **dir** ein Flugticket in die Türkei kaufen?*
*Weißt du schon das Neuste? Roman will **sich** von Birke trennen.*
*An schlechten Tagen erinnert man **sich** vor allem an negative Dinge.*
*Wir haben immer gespart. Deshalb konnten wir **uns** auch damals eine Eigentumswohnung kaufen.*
*Habt ihr Lust, **euch** mal mit uns zu treffen?*
*Welche Frauen interessieren **sich** für Kino, Wandern und Tanzen?*
*Woran können Sie **sich** besonders gut erinnern?*

Relativpronomen   → § 5 b) 4

§17 Die Adjektive → § 13

TANGRAM 1 **a)-c)** Nach Adjektiven fragt man mit den Fragewörtern „Wie ...?" oder „Was für ein ...?" Adjektive sind Qualitativ-ergänzungen (dann dekliniert man sie nicht) oder zusätzliche Informationen vor Nomen (dann werden sie dekliniert).

*Wenn du **ehrlich, häuslich, naturverbunden, tolerant**, aber nicht **langweilig** bist und genug hast vom Alleinsein, dann schick ein Foto.*
***Humorvolle ältere** Dame träumt von einem **seriösen, niveauvollen** Partner.*

Adjektive kann man steigern:

*Je **tiefer** die Gefühle sind, um so **intensiver** und **dauerhafter** ist die Erinnerung.*
*Je **weißer** die Schäfchen am Himmel geh'n, desto **länger** bleibt das Wetter schön.*
*Die Wohnung in Bornheim ist **größer** und **teurer** als die in Fechenheim.*
*Du weißt ja sowieso meistens **besser** als ich, was mir gefällt.*
*Die Nikolaikirche ist die **älteste** Kirche der Stadt. Ihre Orgel ist eine der **größten** in Deutschland.*
*Der **größte** Musiker der Stadt und einer der **bekanntesten** deutschen Komponisten überhaupt lebte im 18. Jahrhundert: Johann Sebastian Bach.*
*Welche Anzeige finden Sie am **interessantesten**, am **witzigsten**, am **langweiligsten**?*

d) Adjektive als Nomen
Viele Adjektive kann man auch als Nomen benutzen. Sie stehen dann oft nach *alles* oder *das* (Endung -e) oder nach *etwas* oder *nichts* (Endung -es). Diese Adjektiv-Nomen schreibt man groß, sie können dekliniert werden.

***Alles Gute** kommt von oben.*
*Was ist **das Besondere** an der Uhr des Uhrturms?*
***Etwas Warmes** braucht der Mensch.*
*Es gibt **nichts Gutes** außer: Man tut es.*

§18 Die Zahlwörter

TANGRAM 1 **a)-b)** Zahlen und Zahl-Adjektive stehen vor Nomen. Zahlen dekliniert man nicht, Zahl-Adjektive werden dekliniert.

*Mit **neun** Jahren gab sie ihr **erstes** Konzert im Leipziger Gewandhaus. Von **1832** an ging sie mit ihrem Vater auf Konzertreisen. Gegen den Willen ihres Vaters heiratete sie **1840** den Komponisten Robert Schumann. Als Ehefrau und Mutter von **sieben** Kindern blieb ihr nur noch wenig Zeit für ihre künstlerische Arbeit. **14** Jahre ihres Lebens verbrachte sie in Frankfurt am Main. Dort arbeitete sie als **erste** Klavierlehrerin bis wenige Jahre vor ihrem Tod (**1896**) am neugegründeten Hochschen Konservatorium. Clara Schumann war die **erste** Frau, die an dieser Hochschule Klavierunterricht gab. Sie gilt als die bedeutendste Pianistin des **19.** Jahrhunderts.*
*Bei uns kam die Chirotherapie nach dem **Zweiten** Weltkrieg in Mode.*
*Wie komme ich zum Schauspielhaus? – Bis zur Kreuzung, dann rechts und die **zweite** wieder rechts.*
*Jeder **dritte** Deutsche ist nach Schätzungen von Medizinmeteorologen wetterfühlig.*

c) Zahladverbien zum Ausdruck der Häufigkeit

*Geputzt wird **einmal** im Monat.*
*Ich sehe meine Eltern ungefähr **zweimal** die Woche.*
***Dreimal** umziehen ist wie **einmal** abbrennen.*

§19 Die Präpositionen

GRAM 1 Präpositionen verbinden Wörter oder Wortgruppen und beschreiben die Relation zwischen ihnen. Sie stehen fast immer links vom Nomen oder Pronomen und bestimmen den Kasus.

a) Präpositionen für Ort oder Richtung

*Birkes Eltern wohnen **im** 100-Quadratmeter-Eigenheim direkt **am** Deich.*
*Rolfs Eltern haben eine Eigentumswohnung **außerhalb** der Stadt. Die Möbel sind **aus** dem Möbelhaus.*
*Ich kaufe meine Möbel ganz spontan: **auf** einem Flohmarkt **in** Paris oder **in** einem Shop **auf** Bali.*
*Von der Dachwohnung musste man einen traumhaften Blick **über** die Alster haben.*
*Zwischen 1975 und 1984 reiste ich **nach** Mexiko, Guatemala und **durch** ganz Europa.*
*Gehen Sie hier die Herrengasse **entlang**, **bis zur** großen Kreuzung dort hinten. Dann gehen Sie rechts **in** die Sporgasse, und dann die zweite wieder rechts. Dann **über** die Straße und immer geradeaus. Das Schauspielhaus ist **auf** der linken Seite, **gegenüber vom** Dom und **neben** dem Burgtor.*
*Sie gehen **um das** Rathaus **herum**, **am** Congresshaus **vorbei** und bis zum Andreas-Hofer-Platz.*

- *in, an* + Dativ
- *außerhalb* + Genitiv, *aus* + Dativ
- *auf, in* + Dativ
- *von* + Dativ, *über* + Akkusativ
- *nach* + Dativ, *durch* + Akkusativ
- Akkusativ + *entlang*, *bis zu* + Dativ, *in* + Akkusativ, *über* + Akkusativ, *auf* + Dativ, *gegenüber von* + Dativ, *neben* + Dativ
- *um … herum* + Akkusativ, *am … vorbei* + Dativ

Einige wenige Präpositionen stehen hinter dem Nomen:
*die Herrengasse **entlang**, **um** das Rathaus **herum**, **am** Kongresshaus **vorbei***

b) Präpositionen zur Zeitangabe

*Haben Sie **während** der Messe noch ein Zimmer frei?*
*Ich habe **seit** meiner Jugend sehr starken Heuschnupfen.*
***Bis zu** ihrer Heirat konzentrierte sich Clara völlig auf ihre künstlerische Arbeit.*
***Vor** seinem Umzug nach Föhr hatte er schon als Lehrer dort gearbeitet.*
*Christine Nöstlinger arbeitete **nach** ihrer Ausbildung zur Grafikerin zunächst als Illustratorin.*

- *während* + Genitiv
- *seit* + Dativ
- *bis (zu)* + Dativ
- *vor* + Dativ
- *nach* + Dativ

▶ *Während, seit* und *bis (zu)* können auch Konjunktionen sein.   → § 5 b

c) Präpositionen: andere Informationen

*Die Eltern **von** Birke wohnen **mit** ihrem Hund im 100-Quadratmeter-Eigenheim **mit** großem Garten.*
*Sind Sie **mit** einer Nachfrage **bei** Ihrem jetzigen Vermieter einverstanden?*
***Ohne** dich, liebe Gaby, würde die Geschichte des Waldhofs anders aussehen.*
*Was **für** den einen Partner gilt, das sollte auch **für** den anderen gelten.*

- *von, mit* + Dativ
- *mit, bei* + Dativ
- *ohne* + Akkusativ
- *für* + Akkusativ

d) Präpositionen für „Grund" und „Gegengrund"

*Ich mag nicht, dass wir uns nur **wegen des** Geburtstags treffen.*
*Ich habe schon immer gewusst, dass du **trotz des** Chemiestudiums in deinem tiefsten Inneren ein Künstler bist.*

- *wegen* + Genitiv
- *trotz* + Genitiv

In der Umgangssprache formuliert man lieber im Dativ.

*Ich mag nicht, dass wir uns nur **wegen meinem** Geburtstag treffen.*
*Ich habe schon immer gewusst, dass du **trotz deinem** Chemiestudium in deinem tiefsten Inneren ein Künstler bist.*

▶ Auch die Präpositionen *aus* und *vor* können einen Grund angeben. Sie stehen dann meistens ohne Artikel.

*Viele Ost-Berliner weinten hemmungslos **vor** Freude und fuhren **aus** Neugier mitten in der Nacht mal eben schnell zum Ku'damm.*

TANGRAM 1   Adverbien geben zusätzliche Informationen, z.B. zu Ort oder Zeit. Sie ergänzen den Satz oder einzelne Satzteile. Adverbien dekliniert man nicht. → § 6

a)   **Ortsangaben**

Paula Modersohn-Becker verbrachte viel Zeit im Ausland und fuhr oft nach Paris, um **dort** *künstlerisch zu arbeiten.*

Ich finde, die Frau **oben links** *mit dem blonden langen Haar sieht sympathisch aus.*

Na ja, es geht so. Die Frau **daneben** *gefällt mir besser.*

Wissen Sie, wo die Stadtpfarrkirche ist?

Die ist **ganz in der Nähe**. *Sehen Sie die Kirche* **dort hinten links**? *Das ist die Stadtpfarrkirche.*

b)   **Zeitangaben**

Man kann sterben. Doch die Welt hat man **einst** *mitgebaut.*
Deshalb konnten wir uns auch **damals** *eine Eigentumswohnung kaufen.*
Ich habe einen Freund, den ich mal **vor Jahren** *im Urlaub auf einer Bergtour kennen gelernt habe.*
Einmal *sind wir sogar zusammen nach Deutschland geflogen.*
Roman hat mir **neulich** *erzählt, dass er sich bis über beide Ohren verliebt hat.*
Ich will **in Zukunft** *mehr auf die Einzelheiten hören.*
Wie will er denn **später** *mit einer Rente seinen jetzigen Lebensstandard finanzieren?*

Ich kann mir nicht mehr vorstellen, da **mal** *gewohnt zu haben.*
Irgendwo gibt es den einen Menschen, der wirklich zu mir passt, **irgendwann** *treffen sich unsere Blicke und es macht „klick".*

Seitdem *hat sie aufgehört, mir Sachen für die Wohnung zu schenken.*
Bis heute *haben die beiden Frankfurter von dem Hausbesitzer und „Partner" keine Antwort bekommen.*
Früher *war ich so verrückt sauber zu machen, bevor sie zu Besuch gekommen sind, aber* **inzwischen** *kommen sie fast nie mehr in meine Wohnung.*
Sich erinnern bedeutet immer, die Vergangenheit anzuschauen und sie **gleichzeitig** *zu bewerten.*

Zeitangaben sind nicht immer Adverbien:

Vier Tage *zusammen da oben in den Bergen – das verbindet zwei Menschen.*
Wir haben dort **ein paar Wochen** *Urlaub gemacht.*
Deutsch und ich, wir kennen uns **seit zehn Jahren**.

früher	damals		gestern	heute	jetzt	gleich	morgen	
einst	**vor Jahren**	**einmal**	**neulich**				**in Zukunft**	**später**

←————————————————— *mal* ——— *irgendwann* ——————————————→

zuerst	*dann*	*seitdem*	**bis heute**	**inzwischen**	**gleichzeitig**

Wie lange?   **vier Tage**   **ein paar Wochen**   **lang**

Wie lange schon?   **seit zehn Jahren**

c) Häufigkeitsangaben

Ungenaue Angaben:

*Die Nachsilbe hat **fast nie** den Wortakzent.*
***Hin und wieder** passiert es dem Franz auch, dass ihn jemand für ein Mädchen hält.*
*Die Ärzte haben ihr **immer wieder** Beruhigungsmittel und Schlaftabletten verschrieben, aber sie will keine Tabletten mehr nehmen.*
*in Mode kommen – **immer öfter** auftauchen*
*Bei Wörtern mit Vorsilben ist der Wortakzent **fast immer** auf der Vorsilbe.*

nie	selten		manchmal		oft	meistens	immer
fast nie	**hin und wieder**		**immer wieder**	**immer öfter**		**fast immer**	

Genaue Angaben:

***Zweimal** fuhr ich mit einer Luxuslimousine aus, **dreimal** bestellte ich mir Bauchtänzerinnen.*

*Putzfrau **einmal** in der Woche.*   *Keine Putzfrau, putzt **einmal** die Woche.*
                                      *Ich sehe meine Eltern ungefähr **zweimal** die Woche.*
*Geputzt wird **einmal** im Monat.*
*Frauen sind **drei- bis viermal** so oft betroffen **wie** Männer.*
*Bei **einer** Massage **pro** Woche dauert es ungefähr sechs Monate, bis sich ein Erfolg einstellt.*
*Eine Haushaltshilfe kommt **alle** zwei Tage.*

d) Andere Angaben

*Die Speisen und Getränke schmecken **übrigens** auch heute noch teuflisch gut!*
*Einer der bekanntesten deutschen Komponisten **überhaupt** lebte im 18. Jahrhundert: Johann Sebastian Bach.*
*„Die beiden Frauen sehen sich sehr ähnlich." – „Das finde ich **überhaupt nicht**. Armin und Rolf sehen sich viel ähnlicher."*

***Außerdem** war mein Vater viel auf See.*
***Natürlich** kann man hier auch eine Reise beginnen und den Luxus eines modernen Bahnhofs genießen.*
***Allerdings** sollte niemand erwarten, dass es ihm sofort besser geht.*

*Aber die jungen Leute wollen ja **unbedingt** in der Stadt wohnen, koste es, was es wolle.*
*„Wann machst du Urlaub?" – „Wann ich Urlaub mache? … **Wahrscheinlich** erst nächstes Jahr."*
*Die FDP wird den Einzug in den Bundestag **vermutlich** nicht schaffen.*
*Wie ist das Wetter in Mitteleuropa **normalerweise**?*

§21 Die Modalpartikeln

NGRAM1 Modalpartikeln setzen subjektive Akzente.

Die Wohnung ist günstig.	„neutrale" Aussage
*Die Wohnung ist **aber** günstig.*	Überraschung, Verwunderung
*Ist die Wohnung **denn** auch günstig?*	interessierte, aber auch vorsichtige Frage
*Die Wohnung ist **doch** günstig!*	Man erwartet eine positive Antwort.

*Rolf trifft seine Eltern **höchstens** einmal im Monat, weil er wenig Zeit hat.*	mehr sicher nicht; vielleicht auch weniger oft
*Außerdem war mein Vater viel auf See – so war **wenigstens** ich bei meiner Mutter.*	„Das war besser als gar nichts."
*Trotzdem besuchen wir sie manchmal. Sie ist ja **schließlich** unsere Tochter.*	„trotz allem, was uns nicht gefällt"
*Wir hatten **eigentlich** gehofft, ihn überreden zu können, dort einzuziehen – aber er wollte nicht.*	Das war die Absicht, aber es kam anders.
*Die Speisen und Getränke schmecken übrigens auch heute **noch** teuflisch gut!*	Das hat sich nicht verändert.
*Den üblichen Fragen zur Person folgen dann unter anderem folgende **ebenfalls** bemerkenswerte Fragen:*	auch
*Unserer Mutter ist es **jedenfalls** gelungen, dass wir Sommergäste nie störend fanden.*	„Ich kann oder will jetzt nicht genau erzählen, wie sie das gemacht hat."
***Besonders** spannend ist es hier ja wirklich nicht.*	mehr als normal

TANGRAM 1 Konjunktionen verbinden Sätze oder Satzteile.

Alle Objekte, die mir angeboten wurden	*, waren **entweder** zu teuer, zu weit draußen **oder** irgendwie scheußlich.*	= eine der Möglichkeiten
Bei Europäern habe ich manchmal das Gefühl, sie sind am Bahnhof geboren.	*Sie wissen **nicht nur** das Datum, **sondern** sogar die genaue Uhrzeit ihrer Geburt.*	= Zusatz (betont)
Rolf hat wenig Zeit.	***Deshalb** trifft er seine Eltern nur einmal im Monat.*	= Grund
Die Wohnung hat einfach keinen Stil.	***Trotzdem** fühlt Rolf sich dort wohl.*	= „Gegengrund", unerwartete Folge
Können Sie mir sagen	*, **wann** Sie ankommen?*	= Indirekte Frage: Zeit
Meine Frau fragte gerade,	*, **ob** es auch Hotels mit Swimming-Pool gibt.*	= Indirekte Frage: ja / nein
***Wenn** du kommst*	*, gehen wir essen.*	= Zeit, Zukunft
***Immer wenn** wir nach Hause kamen*	*, duftete es im ganzen Haus.*	= Zeit, Wiederholung in der Vergangenheit
*Schon **als** ich das erste Mal in die Klasse kam*	*, habe ich mich in sie verliebt.*	= Zeit, einmal in der Vergangenheit
Sie machte eine Ausbildung als Lehrerin	*, **bevor** sie an der Kunstakademie studierte.*	= Zeit, vorher
Ich bin am Kontrollpunkt geblieben,	*, **bis** es Morgen wurde.*	= Zeit, Ende
Unbeschreibliche Szenen spielten sich ab	*, **nachdem** man die Grenze geöffnet hatte.*	= Zeit, nachher
***Seit** er arbeitslos ist*	*, hängt er nur noch zu Hause rum.*	= Zeit, Anfang
Martin verließ Freitagabend sein Büro	*, **um** aufs Land hinauszufahren.*	= Ziel, Absicht
In meinem Reisepass steht ein Datum	*, **damit** die Deutschen nicht meinen, dass ich noch nicht geboren bin.*	= Ziel, Absicht

Die Wortbildung

Nomen + Nomen	Adjektiv + Nomen	Adverb/Partikel + Nomen	Verb + Nomen
das Hotel + der Manager → *der Hotel**manager***	*tief + die Garage* → *die Tief**garage***	*selbst + die Auskunft* → *die Selbst**auskunft***	*wohnen + das Zimmer* → *das Wohn**zimmer***
die Stellen (Pl) + das Angebot → *das Stellen**angebot***		*nicht + der Raucher* → *der Nicht**raucher***	*parken + die Möglichkeit* → *die Park**möglichkeit***

Nomen + Adjektiv	Adjektiv + Adjektiv	Nomen + Verb
die Umwelt + freundlich → *umwelt**freundlich***	*sozial + demokratisch* → *sozial**demokratisch***	*das Maß + schneidern* → *maß**geschneidert***
		die Natur + verbinden → *natur**verbunden***

Komposita mit Fugen-s: Nomen + s + Nomen

die Geburt + s + der Tag → *der Geburt**s**tag*	*die Wohnung + s + die Einrichtung* → *die Wohnung**s**einrichtung*	*das Gespräch + s + der Partner* → *der Gespräch**s**partner*

Komposita aus drei oder mehr Einzelwörtern

mehr + der Wert + die Steuer	➡	**die** Mehrwertsteuer	(Adverb + Nomen + Nomen)
die Welt + die Bevölkerung + die Prognose	➡	die Weltbevölkerungsprognose	(Nomen + Nomen + s + Nomen)
die Nuss + der Baum + der Schrank + die Wand	➡	die Nussbaumschrankwand	(4 Nomen)

GRAM 1   Das Grundwort steht am Ende und bestimmt den Artikel. Das Bestimmungswort am Anfang hat den Wortakzent.

▶   Keine Komposita: – wenn „falsche" Doppelvokale oder Diphthonge entstehen:

       ~~der Kameraassistent~~   →   der Kamera-Assistent

       ~~das Goetheinstitut~~   →   das Goethe-Institut

       – mit Abkürzungen:

       ~~der ISDNanschluss~~   →   der ISDN-Anschluss

§24   Vorsilben und Nachsilben

GRAM 1   Mit Vor- und Nachsilben kann man neue Wörter bilden.

a)   **Die Wortbildung mit Nachsilben**

-isch, -lich, -ig, für Adjektive

energisch, telefonisch, italienisch ...

beruflich, herzlich, stündlich, persönlich ...

geduldig, ruhig, traurig, vernünftig ...

-los, -voll für Adjektive

Der Zusatz *-voll* bedeutet *mit,* der Zusatz *-los* bedeutet *ohne.* Manchmal gibt es dabei kleine Veränderungen beim Nomen: Ein **e** am Ende fällt weg: *Sprache – sprachlos,* man nimmt die Pluralform: *Grenze – grenzenlos,* man ergänzt ein s: *Rücksicht – rücksichtslos.*

arbeitslos, herzlos, sprachlos ...

wertvoll, liebevoll, sinnvoll ...

-in für weibliche Berufe und Nationalitäten

der Makler –– die Maklerin, der Vermieter – die Vermieterin, der Optiker – die Optikerin

-heit, -ung, -keit, -tät, -ion, -ie, -ei für Nomen

die Offenheit, die Zufriedenheit, die Persönlichkeit, die Ehrlichkeit, die Aktivität, die Sensibilität, die Kaution, die Infektion, die Biografie, die Fotografie, die Bäckerei, die Wäscherei, die Konditorei ...

b)   **Die Wortbildung mit Vorsilben**

un- als Negation

| ordentlich – **un**ordentlich | (= nicht ordentlich) |
| anständig – **un**anständig | (= nicht anständig) |

Ge-, Be-, Ver-, Er- für Nomen (mit Verbstamm)

der Gedanke, das Gespräch, das Gesicht, die Besichtigung, die Besprechung, der Besuch, das Versprechen, das Verhalten, die Versuchung, der Erzähler

Textgrammatische Strukturen

§25   Die Negation

TANGRAM 1   Man kann Sätze oder Satzteile negieren. Wichtige Negationswörter sind *nicht, kein* und *nein*. Eine positive Frage beantwortet man mit *ja* oder *nein*, eine negative Frage mit *doch* oder *nein*.

Ich finde Rolfs Wohnung sehr schön. Sie ist hell und groß.   **Nein**, *das ist mir alles zu kühl und zu nüchtern.*

In seiner Wohnung gibt es überhaupt nichts Gemütliches.   *Mir gefällt das auch* **nicht**. *Ich finde die Wohnung von Ute am schönsten, weil …*

Es muss ja gar **kein** *Schloss sein, es muss auch* **nicht** *sehr groß sein eine Villa wär'* **nicht** *schlecht, doch mir sind auch zwei Zimmer recht.*

Lebst du weiter getrennt von deinem Mann? ⟶ **Ja**, *inzwischen sind wir auch geschieden.*
        ⟶   **Nein**, *wir sind wieder zusammen.*

Bist du nicht geschieden? ⟶ **Doch**, *seit zwei Jahren.*
        ⟶   **Nein**, *wir haben es noch einmal versucht.*

Weitere Negationswörter: *nichts, nie, niemand,*

„Wer **nichts** *weiß, der muss alles glauben." (Marie von Ebner-Eschenbach)*
Wolltest du mir nicht noch was erzählen?   *Ich weiß nicht mehr – das war sicher* **nichts** *Wichtiges.*

Wir fanden die Sommergäste **nie** *störend, im Gegenteil: Wir haben uns immer auf sie gefreut.*

Es war eine Stimmung wie auf einem Volksfest, eine Stadt lag sich in den Armen. Hier zeigte sich:
Niemand *hatte sich wirklich mit der Mauer abgefunden.*

§26   Referenzwörter

TANGRAM 1   Mit Referenzwörtern kann man Namen und Nomen kurz und bequem ersetzen.

a)   **Personalpronomen** stehen für Namen und Personen .

Rolf *hatten wir hier ganz in der Nähe auch eine Wohnung gekauft: 40 Quadratmeter mit separater Küche. Wir hatten eigentlich gehofft,* **ihn** *überreden zu können, dort einzuziehen – aber* **er** *wollte nicht.*

Mit 15 oder 16 hatte Ute *eine ganz wilde Phase.* **Sie** *war wie ein Rennpferd. Es war unmöglich,* **sie** *zu stoppen.*

Ihr Bruder *leidet an Hexenschuss. Die Ärzte geben* **ihm** *Spritzen, dann geht es eine Zeit lang besser. Und dann passiert es wieder:* **Er** *kann sich nicht mehr bewegen.*

Ihre Nachbarin *hat regelmäßig Migräne.* **Sie** *war schon bei vielen Ärzten, aber niemand konnte* **ihr** *helfen.*

b)   **Bestimmte Pronomen** und **unbestimmte Pronomen** stehen für Nomen .

    1   **Demonstrativpronomen** stehen für ein Nomen .

So viele Leute,	*Meinst du etwa* **die** *da?*
auf die ich mich schon freute	**Die** *ist ja ganz schön bieder.*
Verwandte, Bekannte,	*Ich glaub,* **die** *war noch nie da*
'ne alte Tante *, die niemand kannte …*	*und kommt wohl auch nie wieder.*

2 Reflexivpronomen zeigen zurück auf das Subjekt des Satzes.

*Ich freue **mich** auf deine Post.*

*Möchtest du **dich** auch endlich mal wieder so richtig verlieben?*

*An schlechten Tagen erinnert man **sich** vor allem an negative Dinge.*

*Wenn wir **uns** treffen, brauchen wir doch keinen Grund.*

*Meldet **euch** ganz schnell unter Chiffre 7712.*

*Wie haben **sich** Ihre Eltern kennen gelernt?*

*Sehen Sie **sich** die Prospekte an und sortieren Sie die Informationen.*

*Hast du **dir** eigentlich schon das Buch von Ute Ehrhardt gekauft?*

*Ja, das hab' ich schon. Ach, eigentlich wünsche ich **mir** nichts Besonderes.*

3 Relativpronomen beziehen sich auf einen Satzteil im Hauptsatz.

*Sie sagen einem Freund, **den** Sie schon sehr lange kennen, dass Sie seine Verlobte nicht mögen.*

*Sie bedanken sich herzlich für ein Geschenk, **das** Ihnen überhaupt nicht gefällt.*

*Sie zeigen einem Freund ein Foto von früher, auf **dem** seine Frau einen anderen küsst.*

▶ Wenn es im Hauptsatz nur ein allgemeines Bezugswort gibt, wie *alles, nichts, etwas* oder *das*, dann beginnt der Relativsatz oft mit *was:*

*Beim Zuhören ist alles, **was** man hört, gleich wichtig.*

*Wenn man etwas beschreiben will, **was** schon vorher passiert ist, dann benutzt man das Plusquamperfekt.*

*Du bekommst meistens das, **was** du selber bist.*

▶ Relativsätze zu Ortsbezeichnungen oder Länder- und Städtenamen beginnen oft mit *wo:*

*„Ich komme nach Leipzig, an einen Ort, **wo** man die ganze Welt im Kleinen sehen kann." (Lessing)*

*Können Sie sich an eine Stelle in Tangram erinnern, **wo** Sie so gelernt haben?*

*Da hinten rechts, gleich neben dem Aufzug, **wo** das Schild „Frühstücksraum" steht.*

c) D-Wörter stehen für Satzteile und Sätze.

*Trotzdem fühle ich mich in der Wohnung meiner Eltern wohl. Weil sie **da** wohnen.*

*Und im hohen Alter noch mal umziehen zu müssen – **das** ist doch bitter.*

*Wir mussten nach dem Tod der Mutter wieder Fuß fassen, und unser Vater hat uns **dabei** sehr geholfen.*

*Faust verkauft dem Teufel Mephisto seine Seele und bekommt **dafür** besondere Fähigkeiten.*

*„Eigentlich war ein glücklicher Zufall der Grund **dafür**, dass ich mit dem Schreiben von Kinder- und Jugendliteratur begann.*

*Fehlt im Toto dir ein Gewinn, geh nur zu Tante Hedwig hin. Sie sagt dir ganz sicher, wann man **damit** rechnen kann.*

*Wir Kinder erinnern uns noch genau **daran**: Im Juli / August wurden die Schlafzimmer für die „Gäste" geräumt.*

*… ein Zimmer braucht es nur zu haben, **dazu** ein Bad und ein WC.*

*„1970 bekam ich den Auftrag, die Bilder für ein Kinderbuch zu malen." Was Christine Nöstlinger damals nicht wusste: Sie musste auch den Text **dazu** selber schreiben.*

In Dialogen gibt es oft kurze Sätze, auch allein stehende Nebensätze.

Wo würden Sie gern wohnen?	***Am liebsten auf dem Land. Und Sie?***
Wie hoch sind die Nebenkosten?	***350 Mark pro Monat.***
Wie hoch ist die Kaution?	***Zwei Monatsmieten.***
Ab wann ist die Wohnung denn frei?	***Ab sofort.***
Wann bist du in die Schule gekommen?	***Mit sechs, das war 1965.***
Woran können Sie sich besonders gut erinnern?	***An meinen ersten Schultag.***
Warum möchtest du lieber auf dem Land leben?	***Weil ich die Natur liebe.***
Wozu besuchst du einen Tanzkurs?	***Um neue Leute kennen zu lernen.***

Mit einer **Echofrage** kann man feststellen, ob man eine Frage richtig verstanden hat, oder Zeit gewinnen, um über die Antwort nachzudenken.

Kannst du mir beim Umzug helfen?	***Ob ich dir beim Umzug helfen kann?*** *Das kommt darauf an.*
Was möchten Sie trinken?	***Was ich trinken möchte?*** *Ein Bier … nein, lieber einen Rotwein, bitte.*
Wann machst du Urlaub?	***Wann ich Urlaub mache?*** *… Wahrscheinlich erst nächstes Jahr."*

Starke und unregelmäßige Verben

backen	du bäckst, sie/er/es bäckt	buk, hat gebacken
beginnen	begann, hat begonnen	
beweisen	bewies, hat bewiesen	
biegen	bog, hat/ist gebogen	
bieten	bot, hat geboten	
binden	band, hat gebunden	
bitten	bat, hat gebeten	
bleiben	blieb, ist geblieben	
braten	du brätst, sie/er/es brät	briet, hat gebraten
brennen	brannte, hat gebrannt	
bringen	brachte, hat gebracht	
denken	dachte, hat gedacht	
dürfen	ich darf, du darfst, sie/er/es darf	durfte, hat gedurft
empfangen	du empfängst, sie/er/es empfängt	empfing, hat empfangen
empfehlen	du empfiehlst, sie/er/es empfiehlt	empfahl, hat empfohlen
erschrecken	du erschrickst, sie/er/es erschrickt	erschrak, ist erschrocken
essen	du isst, sie/er/es isst	aß, hat gegessen
fahren	du fährst, sie/er/es fährt	fuhr, ist gefahren
fallen	du fällst, sie/er/es fällt	fiel, ist gefallen
fangen	du fängst, sie/er/es fängt	fing, hat gefangen
finden	fand, hat gefunden	
fliegen	flog, hat/ist geflogen	
fliehen	floh, ist geflohen	
fließen	floss, ist geflossen	
geben	du gibst, sie/er/es gibt	gab, hat gegeben
gehen	ging, ist gegangen	
gelingen	gelang, ist gelungen	
gelten	du giltst, sie/er/es gilt	galt, hat gegolten
genießen	genoss, hat genossen	
geschehen	es geschieht	geschah, ist geschehen
gewinnen	gewann, hat gewonnen	
gleichen	glich, hat geglichen	
greifen	griff, hat gegriffen	
haben	du hast, sie/er/es hat, ihr habt	hatte, hat gehabt
halten	du hältst, sie/er/es hält	hielt, hat gehalten
hängen	hing, hat gehangen	
heben	hob, hat gehoben	
heißen	hieß, hat geheißen	
helfen	du hilfst, sie/er/es hilft	half, hat geholfen
kennen	kannte, hat gekannt	
klingen	klang, hat geklungen	
kommen	kam, ist gekommen	
kriechen	kroch, ist gekrochen	
laden	du lädst, sie/er/es lädt	lud, hat geladen
lassen	ließ, hat gelassen	
laufen	du läufst, sie/er/es läuft	lief, ist gelaufen
leiden	litt, hat gelitten	
leihen	lieh, hat geliehen	
lesen	du liest, sie/er/es liest	las, hat gelesen
liegen	lag, hat gelegen	
mögen	ich mag, du magst, sie/er/es mag	mochte, hat gemocht
nehmen	du nimmst, sie/er/es nimmt	nahm, hat genommen
nennen	nannte, hat genannt	

raten	du rätst, sie/er/es rät	riet, hat geraten
reiben	rieb, hat gerieben	
reißen	riss, hat/ist gerissen	
reiten	ritt, ist geritten	
riechen	roch, hat gerochen	
rufen	rief, hat gerufen	
saufen	du säufst, sie/er/es säuft	soff, hat gesoffen
scheiden	schied, hat geschieden	
scheinen	erschien, ist erschienen	
schieben	schob, hat geschoben	
schlafen	du schläfst, sie/er/es schläft	schlief, hat geschlafen
schlagen	du schlägst, sie/er/es schlägt	schlug, hat geschlagen
schließen	schloss, hat geschlossen	
schmelzen	du schmilzt, sie/er/es schmilzt	schmolz, ist geschmolzen
schreiben	schrieb, hat geschrieben	
schreien	schrie, hat geschrien	
schreiten	schritt, ist geschritten	
schwellen	du schwillst, sie/er/es schwillt	schwoll, ist geschwollen
schwimmen	schwamm, hat/ist geschwommen	
sehen	du siehst, sie/er/es sieht	sah, hat gesehen
sein	ich bin, du bist, sie/er/es ist, wir sind, ihr seid, sie sind	war, ist gewesen
singen	sang, hat gesungen	
sinken	sank, ist gesunken	
sitzen	saß, hat gesessen	
sprechen	du sprichst, sie/er/es spricht	sprach, hat gesprochen
springen	sprang, ist gesprungen	
stechen	du stichst, sie/er/es sticht	stach, hat gestochen
stehen	stand, hat gestanden	
steigen	stieg, ist gestiegen	
sterben	du stirbst, sie/er/es stirbt	starb, ist gestorben
stinken	stank, hat gestunken	
stoßen	du stößt, sie/er/es stößt	stieß, hat gestoßen
streichen	strich, hat gestrichen	
streiten	stritt, hat gestritten	
tragen	du trägst, sie/er/es trägt	trug, hat getragen
treffen	du triffst, sie/er/es trifft	traf, hat getroffen
treiben	trieb, hat/ist getrieben	
treten	du trittst, sie/er/es tritt	trat, ist getreten
trinken	trank, hat getrunken	
tun	tat, hat getan	
überwinden	überwand, hat überwunden	
verbergen	du verbirgst, sie/er/es verbirgt	verbarg, hat verborgen
verbieten	verbot, hat verboten	
verderben	du verdirbst, sie/er/es verdirbt	verdarb, hat verdorben
vergessen	du vergisst, sie/er/es vergisst	vergaß, hat vergessen
verlieren	verlor, hat verloren	
vermeiden	vermied, hat vermieden	
wachsen	du wächst, sie/er/es wächst	wuchs, ist gewachsen
waschen	du wäschst, sie/er/es wäscht	wusch, hat gewaschen
weisen	wies, hat gewiesen	
wenden	wandte, hat gewandt	
werden	du wirst, sie/er/es wird	wurde, ist geworden
werfen	du wirfst, sie/er/es wirft	warf, hat geworfen
wiegen	wog, hat gewogen	
wissen	ich weiß, du weißt, sie/er/es weiß	wusste, hat gewusst
ziehen	zog, hat/ist gezogen	

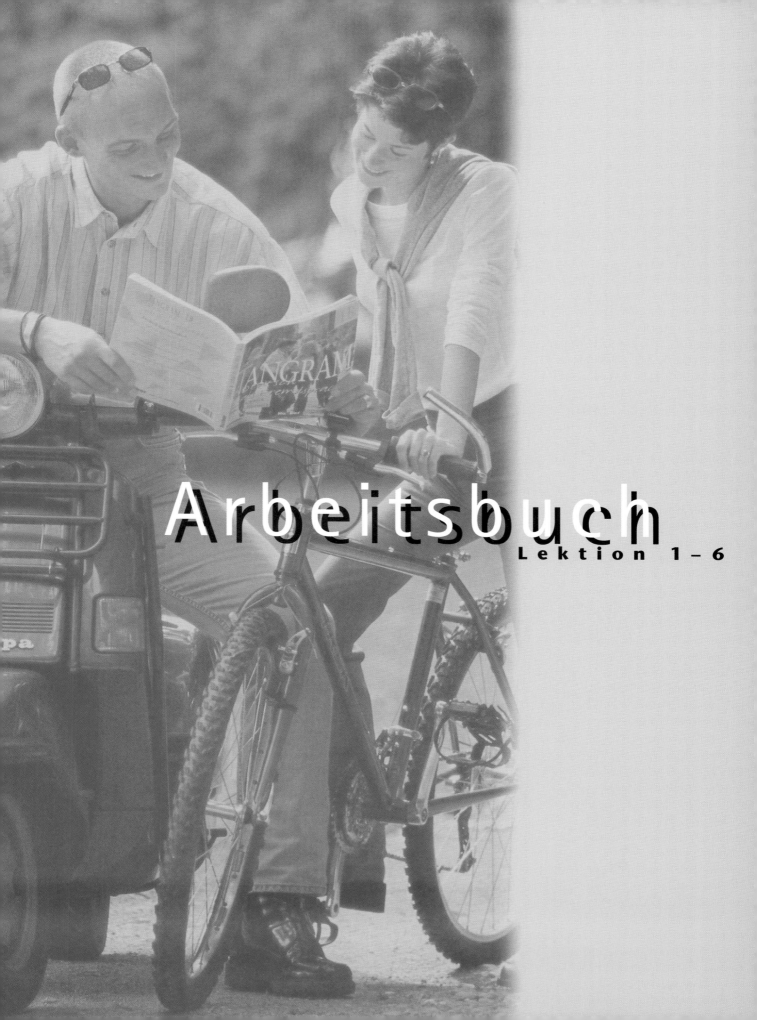

Arbeitsbuch
Lektion 1–6

Gewohnte Verhältnisse?

A

Häuser und Wohnungen

Wie heißen diese Häuser auf Deutsch? Ergänzen Sie.

8 Hochhaus   *4* Reihenhaus   *6* Fachwerkhaus   *2* Wohnheim   *5* Villa *(f)*

10 Bauernhof *(m)*   *3* Ökohaus   *1* Einfamilienhaus   *11* Gartenhaus   *9* Altbau *(m)*

7 Schloss *(n)*

Welche Beschreibung passt zu welchem Haustyp? Ergänzen Sie.

Hochhaus das, ̈-er ;
ein sehr hohes Haus mit vielen (mehr als sechs) Etagen und vielen Wohnungen

Fachwerkhaus ;
ein Haus mit Wänden aus Holz, Lehm und Ziegeln, bei dem die Holzbalken von außen sichtbar sind

Wohnheim ;
großes Haus mit vielen Einzelzimmern oder kleinen Appartements für allein stehende Personen, z.B. Studenten, Lehrlinge, alte Leute

der Altbau ;
ein Haus, das vor 1949 gebaut wurde

Schloss ;
großes und sehr wertvolles Haus, in dem Könige oder Fürsten leben oder lebten; meistens mit großem Garten oder Park

bauernhof ;
Grundstück mit Wohnhaus eines Bauern, Ställen und Scheune

die Villa , -en ;
ein großes, sehr teures Haus mit einem großen Garten

3 ;
besonders umweltfreundliches Haus (mit Solarheizung, Wasser-spartechnik usw.)

Reihenhaus ;
ein Haus (meistens Einfamilien-haus) in einer Reihe von gleichen, aneinander gebauten Häusern

Einfamilienhaus ;
Haus für eine Familie

11 ;
kleines Haus im Garten

Wer wohnt wo? Warum? Diskutieren oder schreiben Sie.

Erich Bieler, Rentner,
75 Jahre alt, Monatsrente
DM 1980,–,
ist nicht gern allein

Silke Hofmann, Studentin,
22 Jahre alt, kommt aus
Norddeutschland, studiert
in München, Stipendium
DM 980,– monatlich,
liebt alte Sachen

Familie Stadelmayer,
er Busfahrer, sie Hausfrau,
Monatseinkommen
DM 4200,– netto,
lieben Tiere

Claus Miehlke, 28,
Immobilienmakler,
Jahreseinkommen
DM 180 000,–,
geht gern aus

Ich glaube, Silke wohnt in einem Studentenwohnheim, weil sie nicht viel Geld hat.

Oder in einem schönen Altbau in einer Wohngemeinschaft, weil sie gern mit anderen Leuten zusammen ist.

Ein Kompositum wie z.B. „Hochhaus" kann man im Wörterbuch an drei Stellen finden:

als eigenen Eintrag (= Hochhaus)

als Kompositum beim Grundwort (= Haus)
(allgemeine Bedeutung; Artikel)

als Kompositum beim Spezialwort (= hoch)
(besondere Bedeutung)

Hochhaus *das; ein sehr hohes Haus mit vielen Etagen u. Wohnungen*

Haus *das; -es, Häuser; ein Gebäude, in dem Menschen wohnen …* ||K-: **Bauern-, Hoch-**

hoch, *höher, höchst-, Adj; …* ||K-: **Hoch-, - gebirge, -haus; …**

Wenn Sie ein Kompositum im Wörterbuch suchen, überprüfen Sie alle diese Möglichkeiten.

Kombinieren Sie diese Wörter mit „Haus-" oder „-haus" und vergleichen Sie mit dem Wörterbuch.

~~Arzt~~ ◆ Eigentümer ◆ ~~Eltern~~ *(Pl)* ◆ Ferien *(Pl)* ◆ krank ◆ Meister ◆ Möbel ◆
Ordnung ◆ Schuhe *(Pl)* ◆ Traum ◆ Tier ◆ Treppen *(Pl)* ◆ Tür ◆ wohnen

Haus-	*-haus*
2 der Hausarzt	*1 das Elternhaus*

Was passt wo? Ergänzen Sie.

1 Haus der Kindheit
2 man geht hin, wenn man krank ist
3 Haus für den Urlaub
4 passt auf und macht kleine Reparaturen
5 Haus mit Wohnungen
6 Regeln für die Hausbewohner
7 hier kann man seine Wohnung einrichten

8 sollte man nachts abschließen
9 hier sind die meisten Leute Patienten
10 trägt man nicht auf der Straße
11 hier wohnt man in der Fantasie
12 z.B. Hund oder Katze
13 ihm gehören Häuser
14 zwischen Wohnungstür und Haustür

Wählen Sie sieben Wörter mit „Haus-" oder „-haus" und schreiben Sie eine Geschichte.

Welche Häuser gibt es in Ihrer Nähe?

In meiner Straße gibt es …
In meinem Wohnviertel sind …
In meinem Dorf findet man …

A 5 **Lesen Sie die Fragen und das Formular. Welche Frage passt wo? Markieren Sie.**

An welchem Objekt sind Sie interessiert?	15	Wann und wo sind Sie geboren?	3
Wie heißen Sie?	1	Wie lange arbeiten Sie schon da?	8
Wie ist Ihr Vorname?	1	Haben Sie Haustiere?	14
Was sind Sie von Beruf?	7	Wie hoch ist Ihre jetzige Miete?	11
Wie viel verdienen Sie?	10	Wie viele Personen werden in die Wohnung	
Sind Sie verheiratet?	5	einziehen?	12
Wo wohnen Sie im Moment?	4	Ab wann möchten Sie die Wohnung mieten?	16
Haben Sie Kinder?	6	Bei welcher Firma arbeiten Sie?	9
Spielen Sie ein Musikinstrument?	13	Wie lange soll der Mietvertrag laufen?	17

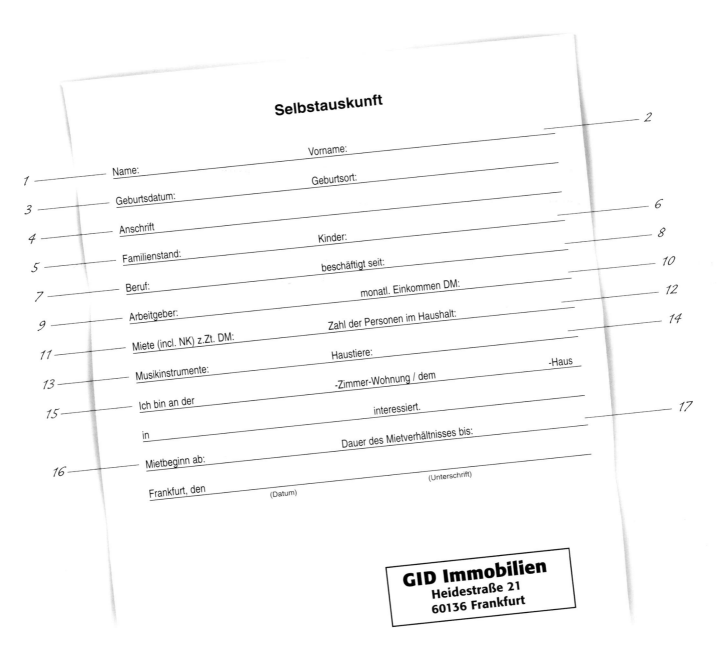

Füllen Sie das Formular (für sich) aus.

Wohnung dringend gesucht!

Was bedeuten die Abkürzungen? Ergänzen Sie.

6020   1½-und 2-Zimmer-Wohnungen (Frankfurt)

(A) **Bockenheim:** sehr helle und ruh. 2 ZKB, DG, gr. Wohnkü. in opt. Lage zur Uni u. Messe, DM 1250,– + NK+ Kt.WG geeig. ✉ ZF519122

(B) **Bornheim:** 2-ZW, 65m², Blk., hell 850,– + U/Kt., Abst. 1000,– 06182/21840

(C) **Nachmieter:** ges. zum 1.10., ruh. geleg. 2-ZW in Höchst, ca. 75m², Nähe S-Bahn, 890,– + 250,– NK, 2MM Kt. v. priv. ☎ 069/301202 ab 18 Uhr

(D) **Rödelheim,** gemütl. 1½ Zi., 40m², EBK,Warmmiete DM 900,– + KT, ab sof. Träger Immobilien, 069/624414 od. 705001

(E) **Wohnraum auf Zeit** City-Mitwohnzentrale 069/19430

6051   Großwohnungen und Häuser im Umland

(F) **Häuschen im Grünen:** 4-ZKB, Dusche/WC getr., G-WC, Terrasse m. gr. Gart., traumhafte Lage, Gar., 1400,– 06035/9201510

(G) **Oberursel-RH/DHH,** 150m², EBK, Terr., kl. Gart., TG, DM 2490,– zzgl. NK + Uml.,

---

Einbauküche ◆ Kaution ◆ Umlagen ◆ Wohnküche ◆ Quadratmeter ◆ zwei Monatsmieten ◆
Zweizimmerwohnung ◆ Nebenkosten ◆ von privat ◆ Abstand ◆ geeignet ◆ Balkon ◆ Garten ◆
zuzüglich (plus) ◆ Reihenhaus ◆ Terrasse ◆ Doppelhaushälfte ◆ Zimmer/Küche/Bad ◆
Gäste-WC ◆ sofort ◆ Garage ◆ Tiefgarage ◆ Dachgeschoss ◆ Neubau

Abst.	*Abstand*	geeig.	geeignet (suitable)	G-WC	Gäste WC
2-ZW	Zweizimmerwohnung	ZKB	Zimmer/Küche/Bad	Terr.	Terrasse
EBK	Einbauküche	v. priv.	von privat	Gart.	Garten
Uml./U	Umlagen (shared costs)	zzgl.	zuzüglich (plus)	RH	Reihenhaus
Kt.	Kaution	2 MM	zwei Monatsmieten	DHH	Doppelhaushälfte
m²	Quadratmeter	DG (attic storey)	Dachgeschoss	TG	Tiefgarage
Blk.	Balkon	Wohnkü.	Wohnküche (grosse küche)	Gar.	Garage
NK	Nebenkosten	sof.	sofort	NB	Neubau

Wählen Sie zwei Anzeigen und vergleichen Sie die Wohnungen.

Größe ◆ Lage ◆ Ausstattung ◆ Kosten

Die Dreizimmerwohnung in Bornheim ist größer und teurer als die Dreizimmer- wohnung in Fechenheim. Sie hat einen Balkon und sie ist ab sofort frei.
Die Wohnung in Fechenheim ist günstiger, aber man kann erst am 1. Mai einziehen.

Erinnern Sie sich?

A   65 m, AB, Citylage, 1250,– + 250,– U
B   90 m, NB, 1250,– + 300,– U, 20 km vom Zentrum
C   120 m, NB, Erstbezug, 1850,– + 450,– NK

Wohnung A ist 65m² **groß**. Wohnung B ist **größer** und moder**ner als** Wohnung A. Sie ist **genau so** teuer **wie** Wohnung A, aber die Umlagen sind etwas **höher** und sie liegt **nicht so** zentral **wie** Wohnung A.
Wohnung C ist **die größte** und modern**ste** Wohnung, aber sie ist auch **am** teuer**sten**.

Aufgaben

Wie heißen die Steigerungsformen der Adjektive?
Machen Sie eine Liste für die Adjektive im Text.
Welche unregelmäßigen Steigerungsformen kennen Sie?

---

suitable *Advertisement*

B 2

Suchen Sie für alle diese Leute ein passendes Angebot bei den Anzeigen von B1 und ergänzen Sie.

B 1 Anja T. und ihr Mann Ralf suchen eine Wohnung mit Balkon. Sie brauchen die Wohnung ganz schnell und können bis zu 2000 Mark inklusive Nebenkosten zahlen.

D 2 Michael R. ist Student und sucht eine Wohnung bis zu 1000 Mark, alles inklusive. Er will keinen <u>Abstand</u> zahlen.

F 3 Das Ehepaar M. hat ein kleines Kind. Sie suchen ein Haus mit großem Garten.

AE 4 Carmen O. ist drei Monate in Frankfurt und sucht eine Wohnung in Uni-Nähe.

CA 5 Eine WG (zwei Personen) sucht eine günstige Wohnung. Sie wollen keine <u>Maklergebühren</u> zahlen.

broker commission

	Zimmer	Größe	Miete	Umlagen	Wo?	Ab wann?	Telefon
1	2	65 m²	850,–	?	Bornheim	?	06182/ 21840
2							

KURSBUCH B1-B2

B 3

Lesen Sie die Antworten und ergänzen Sie die passenden Fragen.

take in, accommodate?

Wie ist die Adresse? ◆ Was sind Sie von Beruf? ◆ Wie viele Personen wollen einziehen? ◆
Haben Sie Kinder? ◆ Wie hoch ist die Miete? ◆ Wie hoch sind die Maklergebühren? ◆
Haben Sie Haustiere? ◆ Wie hoch ist der Abstand? ◆ Wie hoch sind die Nebenkosten? ◆
Wofür ist das? ◆ Wie viele Zimmer hat die Wohnung? ◆ Spielen Sie ein Musikinstrument? ◆
Sind Sie verheiratet? ◆ Ab wann ist die Wohnung frei? ◆ Wie viel verdienen Sie monatlich? ◆
Wie hoch ist die Kaution?

Dialog 1

1 *Wie hoch ist die Miete?* 960 Mark im Monat.
2 Wie hoch sind die Nebenkosten 270 Mark pauschal.
3 Wie viele Zimmer hat die Wohnung? Zwei Zimmer, Bad und Kochnische.
4 Wie hoch ist der Abstand? 3500 Mark.
5 Wofür ist das? Für den Teppichboden und einige Möbel.
6 Wie ist die Adresse? Am Fliederbusch 5, in Karben.
7 Wie hoch ist die Kaution? Wie üblich – drei Monatsmieten. *usual*
8 Wie hoch sind die Maklergebühren 1½ Monatsmieten. *provision*
9 Ab wann ist die Wohnung frei? Ab sofort.

Dialog 2

1 Was sind sie von Beruf? Kellnerin.
2 Wie viel verdienen Sie monatlich? 2500 Mark netto im Monat.
3 Haben Sie Kinder? Ja, eine Tochter.
4 Wie viele Personen wollen einziehen? Zwei, meine Tochter und ich.
5 Sind Sie verheiratet? Nein, ich bin <u>geschieden</u>. *divorced*
6 Haben Sie Haustiere Ja, eine Katze.
7 Spielen Sie ein Musikinstrument? Ja, ein bisschen Klavier.

 1/ 1-2

Hören und vergleichen Sie. Spielen Sie zu zweit einen Dialog.

Erinnern Sie sich?

W-Frage
  Fragewort Verb Subjekt …? _____
Ja/Nein-Frage
  Verb Subjekt …? _____

Aufgaben

Warum heißen die Fragesätze so?
Markieren Sie die Satzmelodie.
Sortieren Sie die Fragen von B3 und markieren Sie die Verben.
Welche W-Fragen kennen Sie noch? Machen Sie eine Liste.

Schreiben und spielen Sie einen ähnlichen Dialog zu einer Anzeige von B1.

Heuer.   Guten Tag, mein Name ist …
                Ist die Wohnung noch frei?

        …

Ergänzen Sie die passenden Wörter.

LEONORE UND BERNHARD FRISCH
Kolpingstr. 12 b
97070 Würzburg

Meine Adresse

Empfänger Adresse

Westend v. priv. schöne mod. 4 ZW, EBK geg. Abstand, Blk., Gar., 1950,– + NK + Kt in ruh. Lage ☒ ZF 123342

Ort, Datum 12.4.01

Ihre Anzeige in der Frankfurter Rundschau
ZF 123342

Sehr geehrter Herren

Sehr geehrte Damen und Herren,

wir haben Ihre ___Anzeige___ (1) in der Frankfurter Rundschau vom 11. April gelesen und ___interessieren___ (2) uns sehr für die ___Wohnung___ (3).

Wir wohnen zur Zeit in Würzburg, müssen aber aus beruflichen *[professional]* ___Gründen___ (4) demnächst nach Frankfurt ziehen. *[move]* ___Deshalb___ (5) suchen wir zum 1. April eine Wohnung in Frankfurt. Wir möchten die Wohnung für zwei Jahre ___mieten___ (6), danach gehen wir voraussichtlich nach Würzburg zurück. Wir hätten gern noch einige nähere *[more detailed]* ___Informationen___ (7). Wie hoch ist der ___Abstand___ (8) für die EBK? ___Ist___ (9) es möglich, in der Wohnung Klavier zu spielen (ca. drei Stunden pro Woche)? Wir haben eine kleine Katze: sind ___Haustiere___ (10) bei Ihnen erlaubt? Wir hoffen auf eine baldige ___Antwort___ (11). Mit freundlichen ___Grüßen___ (12)

Leonore Frisch

1	✓ a) Anzeige		b) Brief		c) Werbung
2	a) freuen		b) wollen	✓	c) interessieren
3	a) Garage	✓	b) Wohnung		c) Anzeige
4	a) Fragen	✓	b) Gründen		c) Ursachen *cause*
5	a) Obwohl		b) Weil	✓	c) Deshalb
6	a) kaufen	✓	b) mieten		c) brauchen
7	✓ a) Informationen		b) Mitteilungen *communication*		c) Anzeigen
8	a) Kaution		b) Maklergebühr	✓	c) Abstand
9	✓ a) Ist		b) Kann		c) Hat
10	a) Gäste	✓	b) Haustiere		c) Kinder
11	✓ a) Antwort		b) Auskunft		c) Besuch
12	a) Wiedersehen	✓	b) Grüßen		c) Worten

Sie möchten diese Wohnung mieten. Schreiben Sie einen Brief an den Vermieter.

Nachmieter ges. f. 4 ZW, 112 m², DG, Bornh., 1300,– + NK+ Kt ☒ ZF 1781893

Nachmieter ges. f. 1ZKB 40m², DG, Schwabing., 900,–, + NK + Kt

Der Ton macht die Musik

C

C 1

Hören und vergleichen Sie.

Das „e" spricht man im Deutschen lang [e:], kurz [ɛ], ganz kurz [ə], in Verbindung mit „r" am Wortende auch [ɐ] oder gar nicht (–).

Probl**e**m	h**e**ll	M**ie**te	t**eu**er	d**u**nkel [kl̩]
l**e**ben	**E**nde	gesch**e**nkt	l**ei**der	H**äu**schen [xn̩]
s**e**he	fr**e**md	b**i**tte	M**ie**ter	verm**i**tteln [tl̩n]

C 2

[ə], [ɐ] oder (–)? Hören und markieren Sie.

	[ə]	[ɐ]	(–)		[ə]	[ɐ]	(–)		[ə]	[ɐ]	(–)
dichten			X	Besuch				ich fahre			
ich dichte	X			Besucher				fahren			
Dichter		X		ich besuche				Fahrer			
Gedicht				besuchen				Fahrerin			
Liebe				schenken				Hilfe			
lieber				ich schenke				helfen			
lieben				geschenkt				geholfen			
beliebt				Geschenke				Helfer			
Frage				Treppe				Klingel			
Fragen				Treppen				klingeln			
bügeln				Regel				ich klingle			
ich bügle				Regeln				Schlüssel			

Hören Sie noch einmal, sprechen Sie nach, markieren Sie dabei den Wortakzent.

Ergänzen Sie die Regeln.

1 Das „e" spricht man als [ə], [ɐ], oder gar nicht (–), wenn es keinen _____ hat.

2 Am Wortende spricht man ein unbetontes „-e" meistens [   ]* und ein unbetontes „-er" immer [   ].

3 Das „e" in den unbetonten Endsilben „-en", „-el" und „-eln" spricht man fast immer _____ . Der folgende Konsonant wird dann etwas länger gesprochen: dichten [dixtn̩], Regel [re:gl̩], Regeln [re:gl̩n].**

4 Das „e" in den Vorsilben „ge-" und „be-" spricht man [   ].

* In der Umgangssprache und bei schnellem Sprechen fällt das [ə] beim Verb oft weg: „Ich lern' Deutsch.", „Ich hab' keine Lust.", „Ich wollt' kommen, aber ich konnt' nicht."

** Nach „b" und „p" spricht man -en als [m̩]: „lieben" [li:bm̩], Treppen [trɛpm̩]. Nach „g" und „k" spricht man -en als [ŋ̩]: Fragen [fra:gŋ̩], schenken [ʃɛŋkŋ̩].

> bügeln — ich bügle
> klingeln — ich klingle
> lächeln — ich lächle
>
> In der Umgangssprache sagt man oft auch „ich bügel", „ich klingel" ...

C 3

Wo spricht man [ə]? Markieren Sie.

Probleme_ ◆ Angebote_ ◆ Kinder ◆ Söhne ◆ Wasser ◆ Woche ◆ Wochen ◆ Umlagen ◆ Größe ◆
Garten ◆ Pauschale ◆ Rätsel ◆ Schlüssel ◆ Tiere ◆ Zimmer ◆ Küche ◆ Hausmeister ◆
ich lerne ◆ spiele ◆ singe ◆ lache ◆ weine ◆ hoffe ◆ wollte ◆ musste ◆ hatte ◆ würde ◆ wäre ◆
Beruf ◆ begonnen ◆ beendet ◆ besser ◆ bezahlbar ◆ geben ◆ gegeben ◆ gegen ◆ genug ◆
in zentraler Lage ◆ mehrere Angebote ◆ eine feste Summe ◆ am Jahresende ◆ viele Möbel

Hören Sie, sprechen Sie nach und vergleichen Sie.

Üben Sie zu zweit.

| rechnen – nachdenken ◆ arbeiten – spielen ◆ zeichnen – schreiben ◆ reiten – schwimmen ◆ |
| unterrichten – lernen ◆ dichten – lesen ◆ berichten – nichts sagen ◆ heiraten – ledig bleiben |

Rechnest du?   *Ich rechne.*   *Hast du gerechnet?*

Nein, ich denke nach.   *Wir rechnen auch.*   *Nein, ich habe nachgedacht.*

C 5

1/ 6-7

Hören Sie, sprechen Sie nach und üben Sie.

Der Traummakler

- ● Ich suche eine schöne, große, helle Wohnung.
- ■ In ruhiger, zentraler Lage und nicht zu teuer?
- ● Vier Zimmer, Küche, Bad oder Dusche.
- ■ Ohne Abstand und Kaution? Nur eine Miete Provision?
- ● Genau! Ich sehe, Sie verstehen …
- ■ Da habe ich mehrere Angebote: eine hübsche, gemütliche Dachgeschosswohnung, ein Häuschen mit Garten, eine schnuckelige Villa.
- ● Die Miete?
- ■ Bezahlbar – ich finde, sehr günstig, eigentlich fast geschenkt.
- ● Ich habe Kinder: eine Tochter, zwei Söhne.
- ■ Für große Familien ganz ideal.
- ● Ein Klavier, zwei Hunde, drei kleine Katzen.
- ■ Haustiere sind Bedingung.
- ● Ich komme aus Chile, mein Mann ist Däne.
- ■ Wir alle sind Fremde, fast überall.
- ● Ich möchte bald umziehen.
- ■ Wann immer Sie möchten: Hier ist der Schlüssel!

Nebenkosten

Steuer, Versicherungen, Wasser,
Strom für Klingel und Treppenhaus,
Gartenpflege, Hausmeister usw.
Alle vier Wochen eine feste Summe,
am Jahresende die Abrechnung
nach Größe oder Zahl der Bewohner.
Ein Rätsel: nachzahlen oder Erstattung?
Oder einfacher: Ich zahle
als Umlage eine Pauschale.

D

Tapetenwechsel

D 1

Wie heißt das auf Deutsch? Kombinieren Sie die Wörter und ergänzen Sie.

| Anlage ◆ Boden ◆ Decke ◆ Ecke ◆ Figur ◆ Holz ◆ Kerzen ◆ ~~Krone~~ ◆ Leuchter ◆ Obst ◆ |
| Schale ◆ Schrank ◆ Sitz ◆ Ständer ◆ Stereo ◆ Stoff ◆ Tiere ◆ Tisch ◆ Vase ◆ Wand |

1 *der Kronleuchter, -*   6 _____

2 _____   7 _____

3 _____   8 _____

4 _____   9 _____

5 _____   10 _____

Finden Sie die passenden Wörter und ergänzen Sie weitere Einrichtungsgegenstände.

11 _____   16 _____

12 _____   17 _____

13 _____   18 _____

14 _____

15 _____

D 2

Sortieren Sie die Adjektive.

gemütlich ◆ kühl ◆ leer ◆ kitschig ◆ ordentlich ◆ stilvoll ◆ hell ◆ konservativ ◆
langweilig ◆ chaotisch ◆ modern ◆ nüchtern ◆ großzügig ◆ freundlich ◆ luxuriös ◆
voll ◆ extravagant ◆ protzig ◆ …

😊   🙂   🙁

gemütlich _____   _____   _____

_____   _____   _____

_____   _____   _____

_____   _____   _____

Finden Sie weitere passende Adjektive. Wie finden Sie die Zimmer von D1? Schreiben Sie.

Zimmer 1   Zimmer 2

_____   _____

D 3

Wie finden Sie die Türen? Was meinen Sie: Wie sieht die Wohnung hinter der Tür aus? Wer wohnt da? Raten Sie.

A   B   C   D

Ich finde Tür A sehr schön. In dem Haus wohnen bestimmt viele Leute, weil …

Hinter Tür C ist es bestimmt sehr gemütlich eingerichtet.
Die Leute haben wahrscheinlich viel Geld.
…

Erinnern Sie sich?

Aufgaben   Machen Sie eine Liste mit den Wechselpräpositionen. Wann benutzt man diese Präpositionen mit Dativ?
Wann mit Akkusativ? Beschreiben Sie die Zimmer von C 1.

D 4   **Wie heißen die Zimmer und Orte auf Deutsch? Ergänzen Sie.**

1 Garten, _____

_____

_____

_____

D 5
1/8

Wo sind die Leute? Hören und markieren Sie.

in der Küche	im Kinderzimmer	im Schlafzimmer	*1* im Keller
in der Toilette	im Flur	im Wohnzimmer	in der Garage
im Bad	im Esszimmer	im Hobbyraum	im Garten

KURSBUCH D1-D4

D 6
1/9

Sprechen Sie über die Fotos. Dann hören und markieren Sie.

Kathrin, 21
Als Kind mit ihren
Eltern aus Prag
gekommen. Gerade
von zu Hause
ausgezogen, studiert
Illustration.

Karin, 29, Biologin
Arbeitete zwei Jahre
in Amsterdam und
führte mit ihrem
Mann eine
Wochenendehe.

Bernadette, 31
Schauspielerin aus
Luxemburg,
verheiratet, Mutter
einer 15 Monate
alten Tochter

Inge, 27
Hat sechs Jahre als
Fremdsprachenkorres-
pondentin gearbeitet,
studiert Soziale Arbeit
im 2. Semester. Nach
langjähriger Bezie-
hung Single.

1 Das Thema der Sendung ist:

     Leben in Hamburg.

     Einsamkeit.

     Nachbarschaft.

2 Die Frauen

     haben Probleme mit ihrer WG.

     möchten zurück zu ihren Eltern.

     hatten eine schwere Zeit.

D 7
1/9

Wer hatte welche Probleme? Hören Sie noch einmal und machen Sie Notizen.

Kathrin   *Karin*   *Bernadette*   *Inge*

10   *Arbeitsbuch*

verben mit HABEN oder SEIN

D 8

Ergänzen Sie die Aussagen der vier Frauen.

start *to intend*

Kathrin
<del>anfangen</del> ◆ Angst ◆ froh ◆ lernen ◆ schwer fallen ◆ vorhaben

1 Ich habe vor drei Monaten _angefangen_ , in München zu studieren.
2 Am Anfang war ich __froh__ , von zu Hause weggegangen zu sein.
3 Ich wollte ja _zu lernen_ , selbständig zu leben.
4 Mir _fällt_ es total _schwer_ , auf Leute zuzugehen.   *to present oneself*
5 Immer hatte ich _Angst_ , mich aufzudrängen oder andere zu stören.   *to be pushy/forward*
6 Ich _habe_ jedenfalls fest _vor_ , hier zu bleiben und mein Studium zu beenden.

stressful   *persuade*

Karin
anstrengend ◆ froh ◆ leicht ◆ Lust ◆ superglücklich ◆ überreden

7 Ich war _froh_ , nach Amsterdam gehen zu können.   *superglücklich*
8 Es war sehr _anstrengend_ , neben dem Beruf auch noch eine Sprache lernen zu müssen.
9 Sie haben mich _überreden_ , den Arbeitsvertrag auf zwei Jahre zu verlängern.   *extend*
10 Mein Mann hatte keine _Lust_ mehr, jedes Wochenende zwischen Amsterdam und Hamburg hin- und herzufahren.
11 Es ist nicht so _leicht_ , in einer fremden Stadt Freunde zu finden.
12 Ich bin heute sehr _superglücklich_ , diese Erfahrung gemacht zu haben.   *froh*

ask   *bad*   *feeling*

Bernadette
bitten ◆ (sich) freuen ◆ hoffen ◆ schlimm ◆ Gefühl ◆ wichtig

13 Zuerst habe ich mich darauf _gefreut_ , in eine andere Stadt umzuziehen.   *reflexiv verb*
14 Plötzlich in einer Großstadt leben zu müssen, das war _schlimm_ für mich.
15 Ich habe meinen Mann _gebeten_ , wenigstens am Wochenende nach Hause zu kommen.
16 Als Verkäuferin konnte ich mit Leuten reden und hatte das _Gefühl_ , etwas Sinnvolles zu tun.
17 Ich habe _gehofft_ , durch das Vorlesen interessante Leute zu treffen und meine Depressionen loszuwerden.
18 Es ist wohl einfach _wichtig_ , Geduld zu haben, sich selbst genug Zeit zu geben.

stop doing sth   *try/tempt*

Inge
aufhören ◆ normal ◆ schwierig ◆ toll ◆ versuchen ◆ wichtig

19 Es war für mich ganz _normal_ , immer mit einem Partner zusammen zu sein und alles gemeinsam zu machen.
20 Ich habe nach der Trennung _aufgehört_ , mich zu verabreden oder auszugehen.
21 Es war ganz schön _wichtig_ , eine passende WG zu finden.   *suitable*
22 Es ist einfach _toll_ , nach Hause zu kommen und immer jemand zum Reden zu haben.
23 Dann habe ich _versucht_ , neue Leute kennen zu lernen.
24 Es ist halt _schwierig_ , auf andere zuzugehen, dranzubleiben, selbst zu investieren.

1/9 **Hören Sie noch einmal und vergleichen Sie. Unterstreichen Sie dabei alle „Infinitive mit zu".**

Nach welchen Ausdrücken steht der „Infinitiv mit zu"? Lesen Sie die Sätze noch einmal, machen Sie eine Liste und ergänzen Sie die Regeln.

Der „Infinitiv mit zu" steht nach

Verben	Adjektiv/Nomen + „sein"	Nomen + „haben"
anfangen	ich war froh	Angst haben

das Verb ◆ „sein" oder „haben" ◆ Verbstamm ◆ Verb + „zu" + Modalverb ◆ beide Verben ◆ Adjektiven und Nomen

1 Der „Infinitiv mit zu" steht nach einigen Verben und Ausdrücken mit _____
_____ . Er kann weitere Ergänzungen haben, aber _____ steht immer am Ende.

2 Bei trennbaren Verben steht „zu" zwischen Vorsilbe und _____ .

3 Steht der „Infinitiv mit zu" im Perfekt, dann steht „zu" zwischen Partizip Perfekt und _____
_____ .

4 Gibt es beim „Infinitiv mit zu" ein Modalverb, dann stehen _____ im Infinitiv;
die Reihenfolge ist _____ .

D 9

Haben Sie ähnliche Erfahrungen gemacht? Dann schreiben Sie einen kleinen Text und benutzen Sie auch diese Satzanfänge.

Ich habe angefangen, …   Ich habe vor, …
Es ist mir schwer gefallen, …   Ich hoffe, …
Ich habe mich gefreut, …   Es ist toll, …
Ich hatte immer Angst, …   Es ist schwierig, …
Ich hatte das Gefühl, …   Es ist wichtig, …
Ich habe keine Lust, …   Ich bin froh, …
Ich versuche, …   …

Vor zwei Jahren bin ich nach Deutschland gekommen. Ich habe gleich angefangen, Deutsch zu lernen.

D 10

1/10

Hören und antworten Sie.

Guten Tag, liebe Hörerinnen und Hörer, herzlich willkommen zu unserer Gesprächsrunde „Wo der Schuh drückt". Hier ist schon unser erster Gesprächspartner am Telefon. Hallo, guten Tag.

● *Was ist Ihr Problem? Wo drückt Sie der Schuh?*
   ■ *Ich habe vor → umzuziehen. ↘*
● *Aha. Sie haben vor umzuziehen. Das ist doch ganz normal. Und was ist das Problem?*
   ■ *Ich versuche seit einem Jahr, → eine neue Wohnung zu finden. ↘*
● *Sie versuchen seit einem Jahr, eine neue Wohnung zu finden? Ein Jahr – das ist eine lange Zeit.*
   ■ *Es kann doch nicht normal sein, → so lange suchen zu müssen. ↘*

vorhaben   umziehen
seit einem Jahr versuchen   eine neue Wohnung finden
doch nicht normal sein können   so lange suchen müssen
zuerst angefangen haben   die Wohnungsanzeigen lesen
dann versucht haben   anrufen und Besichtigungstermine vereinbaren
sehr schwierig sein (Prät.)   Termine bekommen
einmal das Gefühl haben (Prät.)   mein Ziel erreicht haben
einen Vermieter überredet haben   mir einen Termin geben
vergessen haben   die Adresse aufschreiben
drei Makler gebeten haben   mir eine passende Wohnung besorgen
mir richtig peinlich sein (Prät.)   die Makler gefragt haben
geglaubt haben   Provision, Kaution und Abstand bezahlen können
einfach aufhören   eine neue Wohnung suchen
keine Lust mehr haben   mit unfreundlichen Vermietern und Maklern telefonieren
einfach lernen müssen   mit meiner Wohnung zufrieden sein

E1-E3

Zwischen den Zeilen

E

E 1

Ergänzen Sie die Adjektiv-Nomen und die Regeln.

gut	das Gute, alles Gute
	etwas Gutes, nichts Gutes
besonder-	das Besondere, alles Besondere
	etwas Besonderes, nichts Besonderes

Es gibt nichts Gutes außer: Man tut es.
(Erich Kästner)

Etwas Warmes braucht der Mensch.
(Suppen-Werbung)

Alles Gute kommt von oben.
(Sprichwort)

ähnlich	das/alles	*Ähnliche*	schön	das/alles	
	etwas/nichts			etwas/nichts	
neu	das/alles		wichtig	das/alles	
	etwas/nichts			etwas/nichts	
passend	das/alles		interessant	das/alles	
	etwas/nichts			etwas/nichts	

alles ◆ -e ◆ -es ◆ etwas ◆ groß ◆ klein ◆ neutrum ◆ nichts

1 Viele Adjektive kann man auch als Nomen benutzen. Sie stehen dann oft nach dem bestimmten
   Artikel „das" oder nach „_____", „_____" und „_____". Diese Adjektiv-Nomen
   sind _____, Nominativ und Akkusativ sind gleich.
2 Nach „etwas" und „nichts" hat das Adjektiv-Nomen die Endung _____, nach „das" und „alles"
   hat das Adjektiv-Nomen die Endung _____ .
3 Adjektive schreibt man _____, Adjektiv-Nomen schreibt man _____ .

E 2

Ergänzen Sie die passenden Adjektiv-Nomen aus E1.

1 ● Rolfs Wohnung gefällt mir nicht – alles ist so kalt und leer.
   ■ Was? Wenig Möbel, viel Platz, kühle Farben – das ist doch gerade das *Interessante* .

2 ● Kaufen Sie Ihre Kleidung spontan oder planen Sie ihre Einkäufe genau?
   ■ Meistens ganz spontan, wenn ich etwas schönes sehe.   neues

3 ● Alles gute für deinen Umzug am Wochenende.   removal
   ■ Danke. Ich bin froh, wenn alles vorbei ist.

4 ● Was ist das denn?   komisches (weird)
   ■ Ich weiß auch nicht so genau, aber ich habe so was* endliches schon mal bei MöbelFun
     gesehen. Ich glaube, das ist ein Bücherregal.   Bookshelf

5 ● Und? Habt ihr in der Stadt was* interessantes. gefunden?   modisches
   ■ Nein, entweder war es die falsche Farbe oder die falsche Größe.

6 ● Wie ist denn die neue Wohnung von Sabine?   usual
   ■ Ach, na ja. Wenn du mich fragst, nichts besonderes . Das Übliche halt.   well

7 ● Hast du schon gehört? Vera hat einen neuen Freund.
   ■ Ja, das ist doch nichts neues . Das weiß ich schon lange.

8 ● Wolltest du mir gestern nicht noch was* erzählen?
   ■ Ich weiß nicht mehr – das war sicher nichts wichtiges .

* In der gesprochenen Sprache sagt man oft „was" für „etwas".

Hören und vergleichen Sie.

1/11

Geschichten vom Franz:
Schöne Männer
von Christine Nöstlinger (Zeichnungen von Erhard Dietl)

F 1 **Lesen Sie den Text und zeichnen Sie ein Bild von Franz.**

Der Franz ist acht Jahre und acht Monate alt. Er wohnt mit seiner Mama, seinem Papa und seinem großen Bruder, dem Josef, in der Hasengasse.

Seine Freundin, die Gabi, wohnt gleich neben-an in der Wohnung. Sie ist so alt wie der Franz. Einen Freund hat der Franz auch. Der heißt Eberhard Most und geht mit ihm in die Klasse. Er beschützt den Franz. Das hat der Franz auch manchmal nötig, weil er der kleinste und schwächste Bub in der Klasse ist.

Die Oma vom Franz wohnt im Altersheim. Der Franz besucht sie jede Woche zweimal.

Hin und wieder passiert es dem Franz auch, dass ihn jemand für ein Mädchen hält. Weil er blonde Ringellocken hat und einen Herz-kirschenmund. Und veilchenblaue Sternen-augen.

Arbeiten Sie zu dritt oder zu viert und vergleichen Sie Ihre Bilder.

F 2 **Hören Sie jetzt die Geschichte. Was passt zu wem? Markieren Sie.**

	Franz	Gabi	Peter	
1	X	X		wohnen in der Hasengasse.
2	X			besucht oft die Oma im Altersheim.
3				bekommt bei Stress eine Pieps-Stimme.
4				ist einfach zu schön für einen Buben.
5				kann nur „wirklich schöne Menschen" lieben.
6				fährt jedes Wochenende aufs Land zu Tante Anneliese.
7				ist ein Patenkind von Tante Anneliese.
8				spricht viel von Peter.
9				ist sportlich, kann gut singen und weiß einfach alles.
10				ist froh, dass sein Konkurrent nicht „wirklich schön" ist.

Was meinen Sie: Wer liebt wen? Markieren und schreiben Sie.

F 3

Franz
1

Welche Erklärung passt? Hören Sie noch einmal und markieren Sie.

1 Eberhard Most *beschützt* den Franz.

    a) Er *hilft* dem Franz.

    b) Er *ärgert* den Franz.

2 Wenn *sich der Franz aufregt,* ...

    a) Wenn er *etwas sagen will,* ...

    b) Wenn er *sehr sauer oder froh* ist, ...

3 ..., bekommt er *eine Pieps-Stimme.*

    a) *spricht* er *hoch und leise.*

    b) *schreit* er *laut.*

4 *Hin und wieder* passiert es dem Franz, ...

    a) *Manchmal* passiert es dem Franz, ...

    b) *Dauernd* passiert es dem Franz, ...

5 ..., dass *ihn* jemand *für ein Mädchen hält.*

    a) dass jemand *denkt: Er ist ein Mädchen.*

    b) dass jemand *ihn doof findet.*

6 Oft *plagt die Eifersucht den Franz.*

    a) Oft ist der Franz *fröhlich. Er findet das Leben schön.*

    b) Oft ist der Franz *traurig. Er glaubt, Gabi liebt einen anderen.*

7 *Angeblich* kann der Peter ...

    a) *Gabi sagt:* Der Peter kann ...

    b) *Ohne Probleme* kann der Peter ...

8 Gabi hat dem Franz noch nie *vorgeschwärmt,* dass ...

    a) Gabi hat dem Franz noch nie *leise ins Ohr geflüstert,* dass ...

    b) Gabi hat dem Franz noch nie *mit Begeisterung erzählt,* dass ...

F 4

Schreiben Sie über Franz, Gabi und Peter.

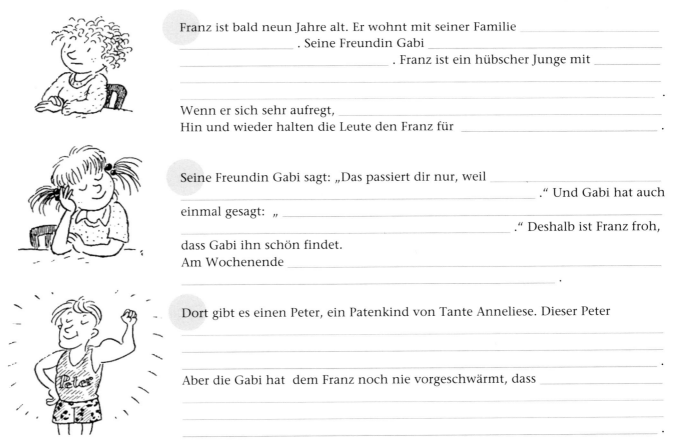

Franz ist bald neun Jahre alt. Er wohnt mit seiner Familie _____
_____ . Seine Freundin Gabi _____
_____ . Franz ist ein hübscher Junge mit _____
_____
_____ .

Wenn er sich sehr aufregt, _____
Hin und wieder halten die Leute den Franz für _____ .

Seine Freundin Gabi sagt: „Das passiert dir nur, weil _____
_____ ." Und Gabi hat auch

einmal gesagt: „ _____
_____ ." Deshalb ist Franz froh,
dass Gabi ihn schön findet.
Am Wochenende _____
_____ .

Dort gibt es einen Peter, ein Patenkind von Tante Anneliese. Dieser Peter _____
_____
_____ .

Aber die Gabi hat dem Franz noch nie vorgeschwärmt, dass _____
_____
_____ .

Vergleichen und korrigieren Sie Ihre Geschichten.
Waren Sie schon einmal eifersüchtig? Erzählen oder schreiben Sie.

Kurz & bündig

Wortschatzarbeit

Was passt zu „Wohnzimmer",
zu „Esszimmer", zu „Häuser"?
Finden Sie ein Wort zu jedem
Buchstaben.

_____	W	_____	_____	E	_____	H
_____	o	_____	_____	s	_____	Altb a u
_____	h	_____	_____	s	_____	e
_____	n	_____	Sit z ecke	i	_____	u
_____	z	_____	_____	m	_____	s
_____	i	_____	_____	m	_____	e
_____	m	_____	_____	e	_____	r
_____	m	_____	_____	r		
_____	e	_____				
Aqua	r	ium				

Wohnungssuche

4-ZW Bornheim, ca. 100m², gr.Blk.,
G-WC, 1490,– + NK, Abst. f. EBK,
069/541722

Sie haben Interesse an der Wohnung. Rufen Sie an. Was fragen Sie?

_____

_____ .

_____ .

Sie sind der Vermieter. Jemand ruft an und möchte die Wohnung mieten. Was fragen Sie?

_____

_____

_____

Beschreiben Sie die Wohnungen?
Meine Wohnung ist _____
Die Wohnung von … ist _____
Unser Unterrichtsraum ist _____
Wie und wo würden Sie gern wohnen? _____

„Infinitiv mit zu"

_____ zu haben.

_____ zu können.

Meine Regel für den „Infinitiv mit zu"

_____

_____

Interessante Ausdrücke

_____

_____

_____

_____

Erinnerungen

A

A 1

Stationen des Lebens

Herr Schümann hat zu seinem 70. Geburtstag ein Fotoalbum geschenkt bekommen. Was passt wo? Ergänzen Sie.

1

2

3

4

5

6

7

8

9

10

---

5 1931: Klein-Ernie auf dem Eisbärfell (27 Monate)

1938: Der Ernst des Lebens beginnt – erster Tag auf dem Gymnasium

1949–56: Ausbildung und Arbeit als Maschinenschlosser

8. Juli 1966: Hochzeit mit Ruth, der Traumfrau!

1969: Der stolze Papa mit seiner Anja (1 Jahr)

1973: „De swatte Hahn" – Premiere im Kurhaus

Ernst als Berufsschullehrer (1965–93) – hier 1976 mit seiner Klasse

Umzug nach Föhr 1981: Das erste Eigenheim

Dezember 1990: Die erste Fernreise (Mauritius)

Herbst 97: Opa liest vor

Schreiben oder sprechen Sie über das Leben von Herrn Schümann.

Als Kind/19-Jähriger/Lehrling/Rentner/ ... ◆ Mit neun Jahren ... ◆ Dann/Danach/Drei Jahre später ... ◆
(Im Jahre) 19... / Von 19... bis 19... ◆ seit 19.../bis 19... ◆ Zwischen 19... und 19... ◆
In den 70er-Jahren ... ◆ Anfang/Ende der 90er-Jahre ... ◆ Damals ... ◆ ...

Abitur machen ◆ als Berufsschullehrer / Maschinenschlosser arbeiten ◆ auf die Insel Föhr ziehen ◆
aufs Gymnasium kommen ◆ eine Ausbildung zum Berufsschullehrer machen ◆ ein Haus bauen ◆
eine Lehre als Maschinenschlosser beginnen ◆ eine Tochter bekommen ◆ der Enkelin vorlesen ◆
heiraten ◆ nach Mauritius fliegen ◆ Theater spielen

Ernst Schümann wurde 1929 geboren. Mit neun Jahren ist er aufs Gymnasium gekommen. ...

Erinnern Sie sich?

Beim Perfekt gibt es verschiedene Verbgruppen, z.B.

| gemacht | geflogen | verreist | studiert |
| eingekauft | umgezogen | begonnen | |

Aufgaben

Ordnen Sie diese Verben den Gruppen zu: *arbeiten, bekommen, besuchen, fahren, heiraten, passieren, vorlesen, vorspielen*
Finden Sie für jede Gruppe mindestens zwei weitere Beispiele.
Welche Endung hat das Partizip Perfekt bei regelmäßigen/unregelmäßigen Verben?
Welche Verben bilden das Partizip Perfekt ohne „-ge-"?
Welche Verben benutzt man selten im Perfekt?

A2-A.

Sie haben in Ihrer Fotokiste dieses Foto gefunden.
Schreiben Sie einen Brief an einen alten Freund oder eine alte Freundin.

Erinnerung.

Liebe/r ...

Gestern ...

Erinnerst du dich noch? Vor ...

Ich habe ...

Was ...?

Ich würde mich freuen, wenn ...

Liebe Grüße

...

B1-B4

B Berühmte Frauen

B 1 **Welche Informationen enthält der „Klappentext"? Machen Sie Notizen.**

Christine Nöstlinger
Die Kinder- und Jugend-
buchautorin Christine
Nöstlinger, 1936 in Wien
geboren, studierte Grafik
und arbeitete nach der
Ausbildung als Illustrato-
rin. Sie heiratete den Journalisten Ernst
Nöstlinger, bekam zwei Töchter, schrieb
für Tageszeitungen und Magazine und
arbeitete für den österreichischen Rundfunk. Erst später machte sie Karriere als
Schriftstellerin: „Eigentlich war ein glücklicher Zufall der Grund dafür, dass ich mit
dem Schreiben von Kinder- und Jugendliteratur begann. 1970 bekam ich den
Auftrag, die Bilder für ein Kinderbuch zu
malen." Was sie damals nicht wusste: Sie
musste dann auch den Text dazu selber
schreiben. „Die feuerrote Friederike"
wurde ein Riesenerfolg. Seitdem gab es
kein Jahr, in dem die Autorin nicht mindestens ein Buch veröffentlichte.
Heute stehen ihre Bücher in fast jedem
Kinderzimmerregal. Sie erhielt Literatur-
preise wie den „Goldenen Griffel" und
den „Deutschen Jugendbuchpreis".
Christine Nöstlinger lebt in Wien.

Christine Nöstlinger
geb. 1936 in Wien
studierte

dtv junior
Christine Nöstlinger
Die feuerrote Friederike

B 2 **Unterstreichen Sie die Verben und ergänzen Sie die Tabelle.**

Regelmäßige Verben / Mischverben: Präteritum (-t-)		Unregelmäßige Verben: Präteritum	
arbeiten	*arbeitete*	beginnen	*begann*
heiraten	*heiratete*	bekommen	*bekam*
machen	*machte*	erhalten	*erhielt*
müssen	*musste*	geben	*gab*
studieren	*studierte*	schreiben	*schrieb*
veröffentlichen *published*	*veröffentlichte*	werden	*wurde*
wissen	*wusste*		

Ergänzen Sie die Regeln.

> Verb-Endung (2x) ◆ mündliche Berichte ◆ -t- ◆ *ich* und *sie/er/es* ◆ Verbstamm ◆
> schriftliche Berichte ◆ -en

1 Mit Präteritum und Perfekt berichtet man über Vergangenes (vor fünf Minuten, gestern, vor zehn Jahren ...).
Präteritum: z. B. Märchen, _____ , Lebensläufe
Perfekt: z. B. Konversation, _____ , persönliche Briefe

2 Regelmäßige Verben *(machen)* und Modalverben *(müssen)* haben im Präteritum vor der
_____ immer das Präteritum-Signal __*t*__ *(ich mach-**t**-e, ich muss-**t**-e).*
Die Endungen sind gleich   bei *ich und es/sie es* (Singular)   Endung _*-te*_
                wir und *sie* (Plural)   Endung _*en*_

3 Unregelmäßige Verben verändern im Präteritum den _____ *(geben → gab).* Bei *ich* und *sie/er/es*
gibt es keine _____ .
Ausnahme: Es gibt einige „Mischverben". Sie verändern ihren Stamm, haben aber die gleichen Endungen
wie regelmäßige Verben: *wissen - wusste, (ver)bringen – (ver)brachte, denken – dachte, kennen – kannte,*
nennen – nannte.

B 3 — Was passt zusammen? Ergänzen Sie die Verbformen im Präteritum.

aß ◆ traf ◆ saß ◆ blieb ◆ fand ◆ flog ◆ gab ◆ sah ◆ ging ◆ kam ◆ fuhr ◆
las ◆ nahm ◆ sang ◆ wusste ◆ sprach ◆ begann ◆ starb ◆ trank ◆ kroch ◆
schlief ◆ verbrachte ◆ dachte ◆ vergaß

Verben **ohne** Vokalwechsel im Präsens			Verben **mit** Vokalwechsel im Präsens *(sie/er/es)*			
Infinitiv	Präteritum	Partizip Perfekt	Infinitiv	Präsens	Präteritum	Partizip Perfekt
beginnen	*begann*	hat begonnen	essen	isst	aß	hat gegessen
bleiben	blieb	ist geblieben	fahren	fährt	fuhr	ist gefahren
denken	dachte	hat gedacht	geben	gibt	gab	hat gegeben
finden	fand	hat gefunden	lesen	liest	las	hat gelesen
fliegen	flog	ist geflogen	nehmen	nimmt	nahm	hat genommen
gehen	ging	ist gegangen	schlafen	schläft	schlief	hat geschlafen
kommen	kam	ist gekommen	sehen	sieht	sah	hat gesehen
kriechen	kroch		sprechen	spricht	sprach	hat gesprochen
singen	sang	hat gesungen	sterben	stirb	starb	ist gestorben
sitzen	saß	hat gesessen	treffen	trifft	traf	hat getroffen
trinken	trank	hat getrunken	vergessen	vergisst	vergaß	hat vergessen
verbringen	verbrachte	hat verbracht	wissen	weiß	wusste	hat gewusst

crawl / creep (kriechen)

Ergänzen Sie die restlichen Verbformen im Präsens und Perfekt.

Lerntipp:

the same (dieselben)

Einige unregelmäßige Verben haben im Präteritum und Partizip Perfekt dieselben Stammvokale.
Bilden Sie verschiedene Verbgruppen und lernen Sie diese Verben zusammen, z. B.:

kommen – kam – gekommen	lesen – las – gelesen	finden – fand – gefunden
bekommen – bekam – bekommen	sehen – sah – gesehen	…
nehmen – nahm – genommen	…	
beginnen – begann – begonnen		
treffen – traf – …		
…		

B5

B 4 — Schreiben Sie einen Klappentext wie in B1.

Sinasi Dikmen

- geboren 1945 in Ladik (Türkei)
- nach Abschluss der Schule Besuch der Berufsfachschule für Gesundheit
- vier Jahre Beamter im staatlichen Gesundheitsdienst der Türkei
- 1972 Ankunft in der Bundesrepublik Arbeit als Krankenpfleger in Ulm
- 1979 Satiren über den Alltag als Gastarbeiter und seine Erfahrungen mit den Deutschen
- 1985 Gründung des „Knobi-Bonbon-Kabaretts"
- lebt und arbeitet in Ulm

Wenn der Türke...

Wenn der Türke zweimal klingelt
von und mit SINASI DIKMEN

Die Politiker mögen darüber streiten, ob die BRD schon ein Einwanderungsland ist oder nicht. SINASI DIKMEN, *der Inbegriff der Satire der Ausländer in Deutschland* geht mit dieser Tatsache ganz locker um. In einem Jugendstilhaus wohnen ein orthodoxer Grieche, ein katholischer Pole, ein atheistischer Jugoslawe und ein moslemischer Kurde zusammen. Dazu kommt der Bonsaieuropäer – der Italiener – und der edel Ausländer – ein Schweizer. Der Hausmeister dieses babylonischen Hauses ist protestantischer Schwabe. Das Haus gehört selbstverständlich einem moslemischen Türken. Das Chaos ist vorprogrammiert, jeder ist gegen jeden, der Schwabe gegen alle. Was fühlt ein schwäbischer Hausmeister, wenn er plötzlich einen türkischen Herrn bekommt? Wird der Türke sich mit der Übernahme des Hauses auch die Meinung des schwäbischen Hausmeisters über die Ausländer aneignen? Wo und warum den Grieche seine klassische griechische Nase vergessen und was haben die Türken alles dafür unternommen, damit der Grieche seine Nase wieder bekommt?

Dienstag 19.
Mittwoch 20.

Januar

Dienstag 16.
Mittwoch 17.
Freitag 19.
Samstag 20.

Februar

Freitag 19.
Samstag 20.
Dienstag 30.

KäS BARETT JNGSSCHNEIDEREI

C1

C

Erinnerungen

Was passt wo?

C 1

Augen ◆ Farben ◆ Geräusch ◆ hören ◆ Nase ◆ Parfum ◆ Salz ◆ Zucker ◆
Stimmen ◆ schmecken ◆ Schweiß ◆ sehen ◆ Zunge

	Sinne / Eindrücke	Körperteile / Sinnesorgane	Beispiele	
1	_riechen_	_Geruch_		,
2		_Geschmack_		,
3			_Ohren_	_Musik,_ ,
4				_Foto,_ ,

C 2

Ergänzen Sie die passenden Begriffe.

Erfahrung ◆ Gedächtnis ◆ Gefühl ◆ Gehirn ◆ Persönlichkeit ◆ Stimmung

_____
Mit diesem Organ kann man denken und fühlen.

_____
Die Fähigkeit, sich an etwas zu erinnern.

_____
Ein Wissen oder Können, das man nicht theoretisch aus Büchern, sondern in der Praxis bekommt.

_____
Man spürt es in seinem Inneren (aber nicht mit seinem Verstand).

_____
Man fühlt sich gut oder schlecht.

_____
Alle charakteristischen Eigenschaften eines Menschen.

C 3

Woran können Sie sich besonders gut oder schlecht erinnern (Namen, Zahlen, Gesichter, ...)? Erzählen oder schreiben Sie.

Ich kann mich gut an …
… kann ich mir nicht merken.

KURSBUCH C2-C4

C 4

Was passt wo?

Wasserhahn (m) ◆ Regen (m) ◆ Blitz (m) ◆ Faust (f) ◆ Gewitter (n) ◆ Bohrer (m) ◆
~~Donner~~ (m) ◆ Wind (m)

hören _der Donner,_ _____

sehen _____

fühlen _____

riechen _____

Was haben Sie als Kind bei Gewitter gemacht? Erzählen Sie.

Lesen Sie den Text und unterstreichen Sie alle Geräusche.

Caroline Link:
Jenseits der Stille

Ich heiße Lara Bischoff. Als ich acht Jahre alt war, hatte ich lange blonde Haare, die braunen Augen meiner Mutter und die stolze Nase meines Vaters. In meinem Kinderzimmer fühlte ich mich zu Hause. Da waren meine Puppen und ein alter Teddy, den ich besonders liebte. Ich schlief im Erdgeschoss, Papa und Mama oben. Angst hatte ich nicht. Ich wusste, dass sie in meiner Nähe waren. Bevor ich einschlief, lag ich oft wach und hörte auf die Geräusche in unserem Haus. Ein Wasserhahn im Bad tropfte, und die Treppe knarrte leise, wenn jemand nach oben ging. Geräusche waren für mich nicht einfach nur Geräusche. Ich übersetzte sie in Bilder. Wenn der Wind wehte, dann sprachen die Bäume miteinander. Wenn mein Vater seinen Bohrer herausholte, dann hörte ich Flugzeuge starten.
Eines Nachts wachte ich von einem lauten Donnern auf. Ich hatte das Gefühl, ein großer Mann im Himmel schlägt mit seiner Faust gegen eine alte Holztür. Als ich aus dem Fenster sah, erleuchtete ein heller Blitz den Garten. Ich zog mir die Decke über den Kopf und hoffte, dass das Gewitter schnell weiterzieht. Aber der Donner wurde immer lauter, und als der nächste Blitz mein Zimmer taghell erleuchtete, sprang ich aus dem Bett und rannte mit meinem Teddy unterm Arm die Treppe hoch zum Schlafzimmer meiner Eltern. Ich hatte das Gefühl, die Welt geht unter, und konnte es kaum glauben, aber die beiden schliefen wirklich tief und fest. Ich rüttelte meinen Vater an der Schulter, bis er aufwachte. Als er die Lampe neben dem Bett anmachte, sah er mich irritiert an. Er verstand nicht, warum ich solche Angst hatte. Aufgeregt beschrieb ich mit meinen kleinen Händen das schreckliche Gewitter, die Blitze und den Mann, der mit der Faust gegen die Himmelstür schlägt. Langsam verstand er, was draußen los war, lächelte und zog mich mit seinen wunderbaren großen Händen ins Bett. Wenn heute meine Kinder bei Gewitter zu mir ins Bett kriechen, muss ich immer noch daran denken, wie sicher ich mich damals fühlte im Bett meiner Eltern.

Caroline Link
geb. 1964 in Bad Nauheim, Studium an der Münchner Hochschule für Fernsehen und Film. Mit ihrem Kinodebüt „Jenseits der Stille" wurde sie international erfolgreich und gewann mehrere Preise. In „Jenseits der Stille" erzählt Caroline Link die Geschichte von Lara – Tochter gehörloser Eltern –, die die faszinierende Welt der Musik entdeckt und somit langsam Abschied nimmt von Kindheit und Elternhaus.

Wie versucht Lara ihren Eltern das Gewitter zu erklären?
Warum haben Laras Eltern das Gewitter nicht bemerkt?

Ergänzen Sie.

1 _____ ich acht Jahre alt _____ , hatte ich lange blonde Haare, ... _b_

2 Ein Wasserhahn im Bad tropfte, und die Treppe knarrte leise, _____ jemand nach oben _____ .

3 _____ der Wind _____ , dann sprachen die Bäume miteinander.

4 _____ mein Vater seinen Bohrer _____ , dann hörte ich Flugzeuge starten.

5 _____ ich aus dem Fenster _____ , erleuchtete ein heller Blitz den Garten.

6 ..., und _____ der nächste Blitz mein Zimmer taghell _____ , sprang ich aus dem Bett
und rannte mit meinem Teddy unterm Arm die Treppe hoch zum Schlafzimmer meiner Eltern.

7 _____ er die Lampe neben dem Bett _____ , sah er mich irritiert an.

8 _____ heute meine Kinder bei Gewitter zu mir ins Bett _____ , muss ich immer
noch daran denken, wie sicher ich mich fühlte im Bett meiner Eltern.

Lesen Sie die Sätze noch einmal und markieren Sie.

a Gegenwart oder Zukunft   *b* Vergangenheit: ein Zustand oder ein einmaliges Ereignis
c Vergangenheit: ein wiederholtes Ereignis

„Wenn" oder „als"? Ergänzen Sie die Regeln.

	temporale ◆ als ◆ am Anfang ◆ wenn
1	„Wenn" und „als" sind _temporale_ Konjunktionen und stehen _am Anfang_ von Nebensätzen.
2	Gegenwart oder Zukunft: _wenn_ Vergangenheit: ein Zustand oder ein einmaliges Ereignis: _als_ (event) Vergangenheit: ein wiederholtes Ereignis: _wenn_

C 8

[handwritten top: Infinitiv transformieren muss / die Verben transformieren oder / Präteritum oder perfekt]

[handwritten top right: Regeln: time then place / Zeit dann ort]

„Wenn" oder „als"? Ergänzen Sie die Sätze.

[handwritten: Sätze ordnung: Temporal, Local, Modal / Art und Weisen (Way + Manner)]

Lars erzählt:

Als ich ein kleiner Junge war (1) *(sein/ein kleiner Junge)*, hatte ich große Angst vor Gewitter. _____

_____ (2) *(ein Gewitter/sein/besonders stark)*, bin ich immer zu meinen Eltern ins Bett gekrochen.

Wenn wir einen Blitz gesehen *[hören]* (3) *(sehen/einen Blitz)*, haben wir immer langsam bis zum Donner gezählt.

Meine Mutter hat dann gesagt: „So viele Kilometer ist das Gewitter von uns entfernt." Und mein Vater hat

immer gesagt, dass man sich immer ganz flach auf den Boden legen soll, _wenn man bei Gewitter_

(4) *(bei Gewitter/sein/draußen in der Natur)*. _draußen in der nature war ist_

_____ (5) *(ein starkes Gewitter/sein/einmal/besonders nah)*, hat er alle Stecker im Haus aus den Steckdosen gezogen.

Einmal, _Als wenn_ _____ (6) *(ich/sein/allein zu Hause)*, gab es ein schreckliches Gewitter.

_____ (7) *(das Gewitter/sein/ganz nah)*, bin ich im ganzen Haus rumgelaufen und

habe die Stecker aus den Steckdosen gezogen. Und ich habe bei jedem Blitz gezählt. _Als_ _____

_____ *[gekommen ist]* (8) *(der Donner/kommen/schon bei „2")*, habe ich mich unter dem Bett versteckt und gedacht:

Wenn ich mich hier verstecke, kann mir nichts passieren. Später, _Als_ _____

_____ *[vorbei war]* (9) *(das Gewitter/sein/vorbei)*, habe ich mich ins Bett gelegt und

geschlafen. _____ *[gekommen sind]* (10) *(meine Eltern/kommen/nach Hause)*, haben sie

das mit den Steckern nicht bemerkt. Und _Als_ _____ (11)

[aufgewacht sind] *(wir/aufwachen/am nächsten Tag)*, war es schon Mittag. Wir hatten alle verschlafen, weil …

 1/12 Hören Sie und vergleichen Sie.

C 9

 1/13 Hören und antworten Sie.

Sie haben Ihren ersten Termin beim Psychologen und beantworten seine Fragen.

● *Es ist gut, dass Sie zu mir gekommen sind. Um Ihnen helfen zu können, muss ich möglichst viel von Ihnen wissen. Sie haben mir ja erzählt, dass Sie manchmal diese Angstzustände haben. In welchen Situationen haben Sie denn Angst?*

■ *Manchmal, → wenn ich nachts alleine bin. ↘*

● *Manchmal, wenn Sie nachts alleine sind? Interessant. Können Sie sich erinnern, wann Sie das erste Mal diese Angst hatten?*

■ *Mit drei Jahren, → als ich nachts aufgewacht bin und meine Eltern nicht da waren. ↘*

Angst	manchmal	nachts alleine sein
	mit drei Jahren	nachts aufwachen, Eltern nicht da sein
einsam	mit vierzehn	Eltern fahren ohne mich in Urlaub
	immer	Freunde verreisen
wütend	meistens	Leute haben keine Zeit für mich
	im Kindergarten	kein Kind will mit mir spielen
nervös	in der Schule	nach zwei Monaten noch nicht lesen können
	immer	irgendwas nicht gleich verstehen
traurig	oft	sich von jemand verabschieden müssen
	mit achtzehn	von zu Hause wegziehen
glücklich	immer	Leute interessieren sich für mich
	jetzt gerade	dieses Gespräch haben

 KURSBUCH C5

Der Ton macht die Musik

D 1 Hören Sie, sprechen Sie nach und ergänzen Sie „ei" oder „ie".

bl__ben – bl__ben	h__ß – h__ß	l__der – L__der
r__chen – r__chen	schr__ben – schr__ben	s__t – s__ht
W__n – W__n	Z__le – Z__le	Z__t – z__ht

D 2 Wo spricht man „ie" als [jə]? Hören und markieren Sie.

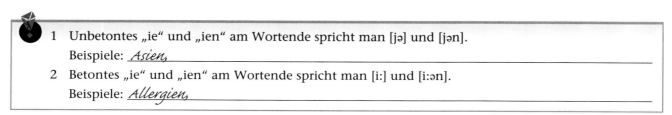

Allergien ◆ Asien ◆ Australien ◆ Biografie ◆ Brasilien ◆ Energie ◆ Familie ◆ Fantasie ◆
Ferien ◆ Garantie ◆ Immobilie ◆ Italien ◆ Kalorien ◆ Komödie ◆ Knie ◆ Linie ◆
Materialien ◆ Medien ◆ Melodien ◆ Petersilie ◆ Prinzipien ◆ Spanien ◆ Studien ◆ Textilien

Hören Sie noch einmal, sprechen Sie nach und markieren Sie den Wortakzent.

Ergänzen Sie die Regeln.

1 Unbetontes „ie" und „ien" am Wortende spricht man [jə] und [jən].
   Beispiele: _Asien,_ _____
2 Betontes „ie" und „ien" am Wortende spricht man [iː] und [iːən].
   Beispiele: _Allergien,_ _____

D 3 Wo spricht man [j]? Hören und markieren Sie.

Adjektiv ◆ anonym ◆ Handy ◆ Jahr ◆ Jeans ◆ jemand ◆ jetzt ◆ Job ◆ Journalist ◆ Jugend ◆ Juli
◆ Junge ◆ New York ◆ Party ◆ Projekt ◆ Subjekt ◆ Symbol ◆ Yuppie

Ergänzen Sie die Regeln.

1 Den Buchstaben ____ spricht man meistens [j] und nur bei Fremdwörtern [dʒ] oder [ʒ].
2 Den Buchstaben ____ spricht man nur am Wortanfang [j].

D 4 Hören und sprechen Sie.

Kneipen-Ferien
Sieben Familien aus Siegen
wollten nach Spanien fliegen.
In der Kneipe beim Bier
meinten dann aber vier:
„Wir bleiben jetzt doch lieber hier."

Wiener Lieder beispielsweise
Beim Wein in Wien schrieb ich viele Zeilen –
leider nur Lieder, keine Reime.
Heiße Lieder, beispielsweise
„Eine Liebe im Mai" und „Die Hochzeitsreise".

Zungenbrecher
Jedes Jahr im Juni und Juli
joggen junge joblose Yuppie-Journalisten
in Jeans und Jeansjacken durch New York

Freie Fantasien
Allergien in Australien,
Immobilien in Italien,
und Textilien aus Brasilien:
kniefrei, viele Materialien,
Studien über Kleinfamilien,
Ferien ohne Kalorien,
Prinzipien ohne Garantien:
Das sind meine Fantasien.

Das werde ich nie vergessen ...

Was passt wo? Ergänzen Sie die Definitionen.

E

E 1

Ausreiseantrag der, -e ◆ Botschaft die, -en ◆ Bürger, der - ◆ DDR die ◆ Führung die ◆
Gesetz das, -e ◆ Grenze die, -n ◆ Grenzübergang der, -̈e ◆ Menschenmasse die, -n ◆
Opposition die ◆ Partei die, -en ◆ Protest der, -e ◆ Reform die, -en ◆ Versammlungsfreiheit die

✓ 1	*Eine Grenze*	trennt zwei Länder.
2	Ein Grenzübergang	ist der Eingang und Ausgang eines Landes.
✓ 3	Die Botschaft	ist die offizielle Vertretung eines Staates im Ausland.
✓ 4	Ein Bürger	sind die Einwohner einer Stadt oder eines Staates.
✓ 5	Die DDR	ist die Abkürzung für „Deutsche Demokratische Republik".
✓ 6	Ein Ausreiseantrag	ist die offizielle schriftliche Bitte, das Land verlassen zu dürfen.
✓ 7	Ein Protest	sind Worte oder Handlungen, die zeigen, dass man mit etwas nicht einverstanden ist.
✓ 8	Eine Reform	sind Veränderungen zur Verbesserung einer Gesellschaft oder Organisation.
✓ 9	Eine Führung	ist die Leitung eines Staates oder einer Organisation.
✓ 10	Eine Opposition	sind Menschen mit anderen (politischen) Meinungen als die offizielle Meinung.
✓ 11	Eine Partei	ist eine offizielle Organisation von Personen mit gemeinsamen politischen Zielen.
12	die Versammlungsfreiheit	ist das Recht der Bürger eines Staates, sich öffentlich zu treffen und Werbung für ihre (politischen) Ziele zu machen.
13	Das Gesetz	ist ein Recht, das der Staat macht und das für alle Bürger des Staates gilt.
14	Eine Menschenmasse	sind sehr viele Menschen an einem Ort.

KURSBUCH
E1-E4

E 2

Lesen Sie den Text und ergänzen Sie die passenden Wörter aus E1.

Die „sanfte Revolution"

Die „sanfte Revolution"

Der 9. November 1989 war ein historischer Tag für Deutschland: Die DDR öffnete fast 30 Jahre nach dem Bau der Berliner Mauer ihre Grenzen und leitete damit eine Entwicklung ein, die schon ein knappes Jahr später zur Wiedervereinigung Deutschlands führte. Wie war es dazu gekommen?

Schon seit Mitte der 80er-Jahre hatte die Unzufriedenheit der Menschen in der DDR dramatisch zugenommen. Während andere osteuropäische Länder tiefgreifende wirtschaftliche und politische Reform begonnen hatten, hielt die DDR die Führung jede Art von Reform für überflüssig und gefährlich. Die DDR wurde zu einer Insel der Orthodoxie in einem Meer radikaler Veränderungen, und immer mehr DDR-Bürger fassten den Entschluss, ihre Heimat zu verlassen.

Im Sommer 1989 hatten über 120 000 DDR-Bürger einen Ausreiseantrag gestellt. Andere hatten durch die Besetzung der westdeutschen Botschaft in Budapest, Prag, Warschau und Ost-Berlin ihre Ausreise in die Bundesrepublik erreicht. Und nachdem Ungarn Anfang September seine Grenze geöffnet hatte, reisten täglich Tausende von DDR-Bürgern über Ungarn und Österreich in den Westen aus. Insgesamt waren 1989 bis zum Ende der ersten Novemberwoche über 225 000 Ostdeutsche in die Bundesrepublik geflohen.

Aber auch die Opposition innerhalb der DDR war im Laufe des Jahres 1989 stärker geworden. Nachdem es schon im Frühjahr zu massiven Proteste gegen die Fälschung der Kommunalwahlergebnisse gekommen war, gründeten sich im September und Oktober offiziell die ersten Organisationen und Partei der Opposition. Anfang September hatte in Leipzig die erste „Montagsdemonstration" mit 1 200 Teilnehmern stattgefunden. Ende Oktober beteiligten sich bereits über 300 000 Menschen und forderten lautstark Reise- und Versammlungsfreiheit.

Nachdem die DDR-Führung unter dem Druck der Ereignisse ein neues Gesetz zur Regelung der Ausreise angekündigt und allen DDR-Bürgern die freie Ausreise versprochen hatte, zogen am Abend und in der Nacht des 9. November 1989 spontan Tausende von Ost-Berlinern zur Mauer. Die Soldaten an den Grenzübergang waren unsicher, weil sie von den neuen Ausreiseregelungen nur durch Radio und Fernsehen gehört, aber keine neuen Anweisungen erhalten hatten. Doch unter dem Ansturm der Menschenmasse öffneten sie schließlich die Schlagbäume: In Berlin begann die Nacht ohne Grenzen, die Mauer hatte ihren Schrecken verloren. Willy Brandt, der zur Zeit des Mauerbaus Bürgermeister von Berlin gewesen war, kommentierte am nächsten Tag in West-Berlin diese sanfte Revolution mit dem Satz: „Jetzt wächst zusammen, was zusammengehört."

Kennen Sie andere Revolutionen? Berichten Sie.

Lesen Sie die Beispielsätze und ergänzen Sie die passenden Verben und die Regeln.

Rückschau *Reflection*   Erzähl-Zeit *Präteritum*

Plusquamperfect/Perfekt

(Was war oder passierte vorher?)   **(Was war oder passierte?)**

1 Während andere osteuropäische Länder tiefgreifende wirtschaftliche und politische Reformen _____ *begonnen* _____ *hatten*,

, _____ *hielt* die DDR-Führung jede Art von Reform für überflüssig und gefährlich.

2 Nachdem Ungarn Anfang September seine Grenzen _____ *reiste* _____ *aus*,

, _____ täglich Tausende von DDR-Bürgern über Ungarn und Österreich in den Westen _____ .

Insgesamt _____ 1989 bis zum Ende der ersten Novemberwoche über 225 000 Ostdeutsche in die Bundesrepublik _____ .

3 Aber auch die Opposition innerhalb der DDR _____ im Laufe des Jahres 1989 stärker _____ .

Nachdem die DDR-Führung unter dem Druck der Ereignisse ein neues Gesetz zur Regelung der Ausreise _____ und allen DDR-Bürgern die freie Ausreise _____ ,

_____ am Abend und in der Nacht des 9. November 1989 spontan Tausende von Ost-Berlinern zur Mauer.

Die Mauer _____ ihren Schrecken _____ .

In Berlin _____ die Nacht ohne Grenzen.

„hatt-" oder „war-" ◆ Vergangenes ◆ Plusquamperfekt ◆ nachdem

1 Über _____ *Vergangenes* _____ berichtet man im Präteritum oder im Perfekt. Wenn man etwas beschreiben will, was schon vorher passiert ist, dann benutzt man das _____ *Plusquamperfekt* .

2 Plusquamperfekt = _____ *hatt oder war* _____ + Partizip Perfekt

3 In Nebensätzen mit _____ *nachdem* _____ benutzt man sehr oft das Plusquamperfekt.

Lesen Sie den Text in E2 noch einmal und unterstreichen Sie alle Plusquamperfekt-Formen.

E 4   **Was passt zusammen? Schreiben Sie Sätze mit „nachdem".**

Bayern München gewinnt Europameisterschaft

Kultusministerkonferenz beschließt Rechtschreibreform

Berlin wird neue Hauptstadt Deutschlands

Ferienbeginn in Nordrhein-Westfalen

Bundestag verabschiedet neues Staatsangehörigkeitsrecht

Rot-Grün gewinnt die Bundestagswahl

Schwerer Atomunfall in Tschernobyl

Proteste gegen Arbeitslosigkeit nehmen zu.

Lady Di tödlich verunglückt

Nelson Mandela neuer Präsident von Südafrika

Telekom senkt Telefongebühren

Euro wird gemeinsame europäische Währung

¹feierten die Menschen das Ende der Apartheid. ²feierten die Münchner drei Tage lang. ◆ ³musste man bei Urlaubsreisen in andere europäische Länder kein Geld mehr wechseln. ⁴mussten die Verlage alle Schulbücher korrigieren. ⁵stellten viele Ausländer einen Antrag auf Einbürgerung. ⁶◆ stieg die Zahl der Internet-Anschlüsse in Deutschland. ⁷trauerten viele Menschen auf der ganzen Welt. ⁸versprach die Regierung wirtschaftliche Reformen. ⁹◆ wählte der Bundestag Gerhard Schröder zum neuen Bundeskanzler. ¹⁰waren die Autobahnen überfüllt. ¹¹zogen die meisten ausländischen Botschaften nach Berlin um.

Nachdem in Tschernobyl ein schwerer Atomunfall passiert war, diskutierte man überall neu über die Gefahren von Atomkraftwerken.

KURSBUCH
F1-F2

Zwischen den Zeilen

Sortieren Sie die Zeitangaben.

F

F 1

damals ◆ danach ◆ dann ◆ ein paar Wochen ◆ einmal ◆ früher ◆ immer ◆ jetzt ◆ kurz ◆ lange ◆ letztes Jahr ◆ manchmal ◆ nie ◆ oft ◆ schließlich ◆ seit zehn Jahren ◆ später ◆ ständig ◆ stundenlang ◆ zuerst

Häufigkeit	Reihenfolge und	Zeitpunkt	Zeitdauer
immer,	später	damals	kurz
manchmal	zuerst	jetzt	lange
oft	früher	letztes Jahr	seit zehn Jahren
ständig	danach	dann	stundenlang
nie	schließlich	einmal	ein paar Wochen
einmal			

Ergänzen Sie den Text mit passenden Zeitangaben.

F 2

Ein Freund fürs Leben

D. und ich hatten uns zum ersten Mal nur kurz im Urlaub gesehen, als ich _einmal_ (1) mit meinen Eltern zu Bekannten nach Berlin gefahren war. _Danach_ (2) hatten wir lange nichts mehr voneinander gehört.

Ein paar Jahre _____ (3) trafen wir uns in der Schule wieder. Zuerst wollte ich nichts von ihm wissen, weil alle sagten: „Lass die Finger von ihm, der ist viel zu kompliziert." Aber _____ (4) habe ich mich doch für ihn entschieden: D. hatte mich schon bei unserem ersten Treffen interessiert, schon _____ (5) in Berlin hatte ich ihn näher kennen lernen wollen, und jetzt hatte ich endlich die Gelegenheit dazu.

Am Anfang war unsere Beziehung nicht leicht: Ich wollte nur eine lockere Beziehung, aber D. wollte _____ (6) mit mir zusammen sein. Aber als ich ihn dann besser kennen lernte, konnte ich stundenlang mit ihm zusammen sein, und es war _nie_ (7) langweilig. Schon _____ (8), als Schulkind, hatte ich gern gelesen, aber mit D. zusammen machte mir das Lesen noch mehr Spaß. Und ich habe durch ihn viele neue Freunde gefunden.

Unser Verhältnis ist sehr gut. Wir streiten uns nur _____ (9), wenn ich ihn nicht verstehen kann. D. spricht nämlich _____ (10) sehr schnell. Aber wenn alles klar ist, geht es sehr gut zwischen uns. _____ (11) sind wir sogar zusammen nach Deutschland geflogen und haben dort _____ (12) Urlaub gemacht. Da gab es keine Probleme, weil D. mir immer geholfen hat.

D. und ich, wir kennen uns _____ (13). Das ist nicht sehr _____ (14), finde ich. Am liebsten würde ich mein ganzes Leben mit ihm verbringen.

Wer ist D. ?   **Hören und vergleichen Sie.**

KURSBUCH
G

Geschichten vom Franz:
Von alten und neuen Weihnachtsgeschenken
von Christine Nöstlinger (Zeichnungen von Erhard Dietl)

G 1

Was fällt Ihnen zu „Weihnachten" ein? Ergänzen Sie zuerst das Assoziogramm, dann lesen Sie den Text.

Zu Weihnachten fährt die Gabi auch immer mit ihren Eltern zur Tante Anneliese und zum Peter.
Der Franz nimmt es der Gabi sehr übel, dass sie zu Weihnachten nicht daheim bleibt. Jedes Jahr will er sie dazu überreden, nicht wegzufahren.
Wenn der Franz wollte, könnte er ja mitkommen. Doch Weihnachten ohne Mama und Papa, Oma und Josef, kann sich der Franz nicht gut vorstellen. Und Weihnachten mit diesem Peter kann er sich noch weniger gut vorstellen.
Gleich am letzten Schultag vor Weihnachten fahren die Gabi und ihre Eltern los. Und darum beschenken der Franz und die Gabi einander auch schon einen Tag vor dem Heiligen Abend. Sie machen das sehr feierlich.

**Arbeiten Sie zu dritt oder zu viert und vergleichen Sie.
Wie feiern Franz und Gabi Weihnachten?
Diskutieren Sie.**

Christbaum   *Geschenke*

Weihnachten

G 2

Wie heißen diese Sachen? Ergänzen Sie.

Ansteckknopf ◆ Nussknacker ◆ Schraubenzieher ◆ Duschhaube ◆ Stirnband ◆
Hosenknöpfe ◆ Quakfrösche aus Blech ◆ Briefpapier mit Zierrand

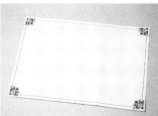

1 _____
2 _____
3 _____
4 _____

5 _____
6 _____
7 _____
8 _____

G 3

Lesen Sie die Aussagen. Stimmt das? Hören Sie die Geschichte und markieren Sie richtig oder falsch.

		richtig	falsch
1	Der Franz ist sauer, dass die Gabi an Weihnachten wegfährt.	X	
2	Der Franz und die Gabi feiern Weihnachten schon einen Tag vor Weihnachten.		
3	Sie singen Weihnachtslieder und tauschen ihre Geschenke aus.		
4	Der Franz freut sich immer sehr über die Geschenke von der Gabi.		
5	Die Gabi will dem Franz in diesem Jahr einen Nussknacker schenken.		
6	Der Franz glaubt, dass die Gabi ihm immer nur alte Sachen schenkt.		
7	Der Franz weiß noch nicht genau, was er der Gabi dieses Jahr schenken soll.		
8	Die Mama meint, der Franz soll der Gabi das teure Briefpapier schenken.		
9	Der Papa will der Mama einen Hosenknopf schenken.		

Arbeiten Sie zu dritt oder zu viert und vergleichen Sie.
Erzählen Sie jetzt die Geschichte mit eigenen Worten.

G 4

Welche Erklärung passt? Hören Sie noch einmal und markieren Sie.

1 Der Franz und die Gabi beschenken **einander** schon einen Tag vor dem Heiligen Abend. *c*

2 Die Gabi hat einen **winzigen** Puppenchristbaum aus Plastik. An dem sind noch **winzigere** Kerzen.

3 Der Franz **tut** immer **so**, **als ob** er sich über die Geschenke von der Gabi sehr freuen würde.

4 Doch da muss er ziemlich **mogeln**.

5 Die Gabi schenkt dem Franz nämlich immer sehr **sonderbare** Sachen.

6 Der Franz **hat den schweren Verdacht**, dass die Gabi gar nie Weihnachtsgeschenke für ihn besorgt, …

7 … sondern ihm bloß alten **Kram** schenkt, den keiner mehr braucht.

8 Was der Franz der Gabi dieses Jahr schenkt, muss er **sich** noch **gut überlegen**.

9 Die Mama vom Franz meint: „Sei nicht so **kleinlich**. Beim Schenken darf man nicht rechnen."

10 Der Papa meint: „Schenk ihr einen alten Hosenknopf. So **ein geiziges Stück** verdient nicht mehr."

a) nicht die wahren/echten Gefühle zeigen, sondern andere Gefühle

b) lange und gründlich über etwas nachdenken

c) sich gegenseitig: er sie und sie ihn

d) vermuten, glauben, ziemlich sicher sein

e) Gegenteil: tolerant, großzügig

f) ein Mensch, der nicht gern Geld ausgibt

g) nicht die Wahrheit sagen, gegen die (Spiel)regeln verstoßen

h) sehr, sehr klein

i) Sachen, Zeug

j) merkwürdig, komisch

Arbeiten Sie zu dritt oder zu viert und vergleichen Sie.

G 5

Haben Sie sich schon einmal über Geschenke geärgert? Was haben Sie da gemacht? Erzählen oder schreiben Sie.

Das Präteritum

Schreiben Sie einen Lebenslauf.

Erich Fried

– geboren 1921 in Wien
– Besuch des Gymnasiums in Wien
– schreibt schon als Kind Gedichte
– seit 1938 Emigrant in London
– 1952–1968 Kommentator des deutschen Programms der BBC*

* British Broadcasting Corporation = britischer Radiosender

– seit 1958 zahlreiche Veröffentlichungen (Gedichte, ein Roman, Prosabände, Hörspiele, Übersetzungen)
– Politisches Engagement gegen den Vietnam-Krieg und die Politik Israels gegenüber den Palästinensern
– zahlreiche Preise (u.a. 1965 Schiller-Gedächtnispreis des Landes Baden-Württemberg, 1983 Bremer Literaturpreis, 1987 Georg-Büchner-Preis)
– 1988 Tod in Baden-Baden

Meine Regel für das Präteritum

Welche Verben verändern im Präteritum ihren Stamm?

Lebensläufe

Schreiben Sie über das Leben eines Menschen, den sie gut kennen.

„Wenn" oder „als"?

Schreiben Sie über Ihre Schulzeit. Beginnen Sie die Antworten mit „wenn" oder „als".

Wann haben Sie sich auf die Schule gefreut?

Wann hatten Sie Angst, in die Schule zu gehen?

Wann hatten Sie Streit mit Freunden?

Wann hatten Sie Ärger mit Lehrern?

Wann haben Sie sich besonders viel Mühe gegeben?

Wann hatten Sie überhaupt keine Lust, in die Schule zu gehen?

Das Plusquamperfekt

Sie sind letzte Woche von einer großen Reise zurückgekommen und berichten einer Freundin davon in einem Brief. Schreiben Sie über die Reisevorbereitung.

Wir hatten vor der Reise alles genau geplant und organisiert. Ich war schon zwei Monate vorher ins Reisebüro gegangen und hatte Prospekte besorgt.

Interessante Ausdrücke

REISEN UND HOTELS

A

Entdecken Sie eine fremde Stadt!

A1

Was kann man in einer fremden Stadt sehen? Ergänzen Sie.

7 Museum	Theater	Kirche	Rathaus	Denkmal
Zoo	Park	Bahnhof	Aussichtsturm	

A2

Wo sind die Menschen, die hier sprechen? Hören und markieren Sie.

1/22   Dialog 1 _____   2 _____   3 _____   4 _____   5 _____

KURSBUCH A1–A3

A3

Ergänzen Sie die passenden Wörter.

Lieber Khaled,
gestern habe ich deinen Brief bekommen. Du nimmst meine _____ (1)
an und besuchst mich im August, wie schön! Ich habe dann auch zwei Wochen Urlaub,
und wir können uns Neustadt und die _____ (2)
gemeinsam ansehen. Wir müssen unbedingt ins Stadtmuseum gehen, dort kannst du die
_____ (3) der Stadt kennen lernen. Dann zeige ich dir das
Rathaus, das hat einen hohen Aussichtsturm. Von da _____ (4) kannst du
ganz Neustadt sehen. Bei schönem Wetter machen wir ein Picknick _____ (5)
Schlosspark. Und wir können ins Schwimmbad gehen, bring also deine Badehose _____ (6)!
Abends ist hier auch was los: Man kann im Biergarten der „Wiesenmühle" sitzen (da gibt's
auch Cola!) oder ins Kino gehen – und eine Kegelbahn und eine Disko gibt's hier auch.
_____ (7) genau kommst du an? Ich möchte dich nämlich gern vom Bahnhof
abholen!

Viele Grüße,
dein Jens

1	a) Absage	b) Einladung	c) Bestellung
2	a) Umgebung	b) Stadt	c) Zentrum
3	a) Geschichte	b) Ausstellung	c) Gärten
4	a) hoch	b) draußen	c) oben
5	a) im	b) auf	c) zum
6	a) zurück	b) mit	c) weg
7	a) Wo	b) Warum	c) Wann

Schreiben Sie selbst einen solchen Brief an einen Freund oder eine Freundin.

KURSBUCH A4–A5

Übernachten in einer fremden Stadt

Was bedeuten diese Piktogramme? Markieren Sie.

| 1 | 2 | 3 | 4 | 5 | 6 | 7 | 8 | 9 | 10 | 11 | 12 | 13 | 14 |

2 Doppelzimmer   ☐ Einzelzimmer   ☐ Minibar   ☐ Radio im Zimmer   ☐ Telefon im Zimmer

☐ Restaurant   ☐ Parkplatz   ☐ Fitnessraum   ☐ behindertengerecht   ☐ Gepäckträger

☐ Hunde erlaubt   ☐ Vollpension   ☐ Halbpension   ☐ TV im Zimmer

Diese beiden Hotels sind in Graz (in Österreich). Lesen Sie die Prospekte und die Aussagen und markieren Sie.

**Pension Ing. Johannes

Gutbürgerliche Frühstückspension in zentraler Lage nahe der Grazer Messe und der Neuen Technik, wenige Minuten vom Zentrum der Altstadt gelegen. Ein reichhaltiges Frühstücksbuffet, eine hauseigene Konditorei, ein kleines Restaurant und ein Gastgarten verwöhnen unsere Gäste.

PENSION ING. JOHANNES
A – 8010 GRAZ, MÜNZGRABENSTR. 48 UND 87
T ++43/316/837766, F ++43316/837766

***** Grand Hotel Wiesler

78 Einzel- und Doppelzimmer
20 Suiten verschiedener Kategorien

Zimmerausstattung:
ansprechendes Kirschholzmobiliar
Marmorbäder
Farbfernseher mit Kabel-TV,
Radio und Video
2 Direktwahl-Telefonanschlüsse
Minibar
Haarfön, Kosmetikspiegel
Wäschereiservice, Roomservice
In der Business-Etage zusätzlich:
Faxgerät, PC-Anschluss
Safe, Hosenbügler

Das Hotel bietet Weiteres:
Hoteleigene Tiefgarage
Restaurant „Zum goldenen Engel"
Wiesler Bar

Seminar- und Banketträume
für bis zu 150 Personen
Business Corner
Bankett- und Tagungsabteilung,
Sekretariatsservice
Concierge Service
Sauna

Reservierungssysteme
SUMMIT INTERNATIONAL, UTELL, APOLLO/GALILEO/GEMINI,
SABRE/FANTASIA, SAHARA, SYSTEM ONE, AMADEUS,
WORLDSPAN/ABACUS,HRS, DISCOVER STYRIA, START

GRAND HOTEL WIESLER GES.M.B.H. AUSTRIA
A-8020 Graz, Grieskai 4–8, Tel.: ++43/316/70660,
Fax: ++43/316/706676
e mail: wiesler sime.com, http: / / www.gcongress.com/wiesler1.htm
A
SUMMIT
INTERNATIONAL HOTEL

Das Hotel/die Pension …	Grand Hotel	Pension
… ist ein „Fünf-Sterne-Hotel".		
… ist interessant für Geschäftsleute.	X	
… ist interessant für Hundebesitzer.		
… hat ein Radio in allen Zimmern.		
… hat eine Minibar in allen Zimmern.		
… hat TV in allen Zimmern.		
… hat ein Restaurant.		
… bietet selbst gebackene Kuchen und Torten an.		
… ist günstiger.		
… ist im Internet.		

Vergleichen Sie Ihre Ergebnisse.

Beschreiben Sie das Grand Hotel Wiesler und die Pension Johannes.

Das Grand Hotel Wiesler ist ein Fünf-Sterne-Hotel, es ist das beste Hotel in Graz. …

B 4

An der Rezeption im Grand Hotel Wiesler gibt es viele Fragen.
Ergänzen Sie die passenden Antworten.

a) Ach, das ist nicht wichtig. Lassen Sie das ruhig frei. ◆ b) Frühstück ist von 7 bis 10 Uhr. ◆
c) Ja gern, um sechs Uhr. Wie ist Ihre Zimmernummer, bitte? ◆ d) Das ist ein ganzes Stück, da nehmen
Sie am besten ein Taxi. ◆ e) Nein, tut mir Leid, während der Messe sind wir völlig ausgebucht. ◆
f) Da hinten rechts, gleich neben dem Aufzug, wo das Schild „Frühstücksraum" steht. ◆
g) Nummer 221, das ist im zweiten Stock. ◆ h) Ein Einzelzimmer mit Dusche? Ja, für zwei Nächte. ◆
i) Unser Page ist gerade unterwegs. Wenn Sie bitte einen Moment warten. ◆
j) Ja, natürlich, wir nehmen American Express, MasterCard und Visa.

D   1   Haben Sie während der Messe noch ein Zimmer frei?   *e*

I   2   Können Sie mir bitte sagen, ob Sie während der Messe noch ein Zimmer frei haben?

D   3   Gibt es noch ein freies Einzelzimmer mit Dusche ?   *h*

I   4   Ich wollte fragen, ob es noch ein freies Einzelzimmer mit Dusche gibt.

I   5   Ich verstehe nicht, was ich hier hinschreiben soll.   *a*

D   6   Was soll ich denn hier hinschreiben?

D   7   Wo ist denn Zimmer 221?   *g*

I   8   Bitte sagen Sie mir, wo Zimmer 221 ist.

I   9   Ich möchte mich erkundigen, wann ich morgen frühstücken kann.   *b*

D   10   Wann kann ich morgen frühstücken?

I   11   Verraten Sie mir bitte, wo der Frühstücksraum ist.   *f*

D   12   Wo ist der Frühstücksraum, bitte?

D   13   Können Sie mich bitte morgen früh um sechs Uhr wecken?   *c*

I   14   Darf ich fragen, ob der Weckdienst mich morgen um sechs Uhr wecken kann?

I   15   Können Sie mir bitte sagen, wer hier für das Gepäck zuständig ist?   *responsible*   *i*

D   16   Wer ist denn hier für das Gepäck zuständig?

D   17   Kann ich auch mit Kreditkarte bezahlen?   *j*

I   18   Ich möchte noch wissen, ob ich mit Kreditkarte bezahlen kann.

D   19   Wie komme ich denn von hier zum Bahnhof?   *d*

I   20   Ich habe keine Ahnung, wie ich von hier zum Bahnhof komme.

Welche Fragen sind direkte Fragen (D), welche sind indirekte Fragen (I)? Markieren Sie.

Direkte Frage	Indirekte Frage
Hauptsatz	**Hauptsatz + Nebensatz**
Haben Sie während der Messe noch ein Zimmer frei?	Können Sie mir bitte sagen, **ob** Sie während der Messe noch ein Zimmer frei haben?
Wo ist denn Zimmer 221?	Bitte sagen Sie mir, **wo** Zimmer 221 ist.

Nach welchen Ausdrücken *expression* stehen indirekte Fragesätze? Machen Sie eine Liste.

Indirekte Fragen nach
Können Sie mir bitte sagen, ... ?

Lesen Sie die Fragen noch einmal, unterstreichen Sie alle Fragewörter mit „w-" und „ob" und markieren Sie die Verben. Ergänzen Sie dann die Regeln.

Am Anfang ◆ Aussagen ◆ Fragen ◆ Hauptsatz ◆ Nebensatz ◆ ob ◆ Verb

1 Indirekte Fragesätze sind Nebensätze: Das ___Fragen___ steht immer am Ende. ___Am___ ___Anfag___ steht ein Fragewort oder „ob".

2 Indirekte Fragesätze beginnen mit ___ob___ , wenn man die Antwort „Ja" oder „Nein" erwartet.

3 Indirekte Fragesätze stehen meistens nach Ausdrücken wie *Können Sie mir sagen, ...* oder *Ich wollte fragen, ...* . Bei ___Aussagen___ steht am Satzende ein Fragezeichen, bei ___verb___ steht am Satzende ein Punkt. Zwischen ___Hauptsatz___ und ___Nebersatz___ steht immer ein Komma.

B 5

Lesen Sie den Dialog und ergänzen Sie die indirekten Fragen.

■ Hotelgast   ● Dame an der Rezeption

■ Guten Tag.

● Guten Tag. Was kann ich für Sie tun?

■ Können Sie mir bitte sagen, *ob Sie noch ein Einzelzimmer frei haben?*
   (Haben Sie noch ein Einzelzimmer frei?)

● Darf ich fragen, _____
   (Wie lange möchten Sie bleiben?)

■ Bis Mittwoch. Also zwei Nächte.

● Sagen Sie mir doch bitte noch, _____
   (Soll das Zimmer ruhig sein?)

■ Das wäre natürlich schön, aber …

● Dann muss ich noch wissen, _____
   (Brauchen Sie auch einen Internet-Anschluss?)

■ Nein, das ist wirklich nicht nötig. Haben Sie denn ein Zimmer frei?

● Sagen Sie mir doch bitte noch, _____
   Wir haben nämlich Raucher- und Nichtraucherzimmer. *(Sind Sie Raucher?)*

■ Nein, ich rauche nicht. Aber wenn es sein muss, nehme ich auch ein Raucherzimmer.

● Nein, nein. Das sollen Sie nicht. Haben Sie schon überlegt, _____
   _____
   (In welchem Stockwerk soll das Zimmer sein?)

■ Darf ich fragen, _____
   (Haben Sie einen Aufzug?)

● Ja, natürlich, gleich hier um die Ecke.

■ Dann ist das Stockwerk egal. Sie haben also noch ein Zimmer frei?

● Ja, Nummer 810.

■ Gut, das nehme ich. Können Sie mir bitte sagen, _____
   (Wann ist bei Ihnen das Frühstück?)

● Zwischen 6.30 und 9.30 Uhr. Der Frühstücksraum ist im ersten Stock.

■ Gut. Vielen Dank. Kann ich jetzt …

● Gibt es noch etwas, _____
   (Was kann ich für Sie tun?)

■ Ja. Sagen Sie mir doch bitte, _____
   (Wie kann ich endlich meinen Zimmerschlüssel bekommen?)

● Oh ja, natürlich! Entschuldigung. Hier, bitte, Nummer 810. Ich wünsche Ihnen einen angenehmen Aufenthalt.

Hören und vergleichen Sie.

B 6

Buchen Sie ein Zimmer in Ihrem Traumhotel. Schreiben Sie einen Brief.

Schreiben Sie,
– wann Sie ankommen.
– wie lange Sie bleiben.
– was für ein Zimmer Sie möchten.
…
Fragen Sie,
– wie teuer das Zimmer ist.
– welche Sehenswürdigkeiten es in der Nähe gibt.
– wie die Lage des Hotels ist.
…
Denken Sie an: *sender   recipient*
– Adresse von Absender und Empfänger.
– Datum, Betreff und Anrede *form of address.*
– Gruß und Unterschrift

In offiziellen Briefen (an Behörden, Firmen, Hotels etc.) benutzt man oft indirekte Fragen, z.B. mit diesen Einleitungen:
Ich möchte mich erkundigen, …
Außerdem möchte ich fragen, …
Bitte teilen Sie mir (auch) mit, …
Wissen Sie (jetzt schon), …

Man kann auch mehrere Fragen mit einer Einleitung beginnen:
Bitte teilen Sie mir mit, ob Sie für diese Zeit ein freies Einzelzimmer haben, wie hoch der Zimmerpreis ist und ob die Zimmer Internet-Anschluss haben.

An Stelle von Fragen mit Modalverb benutzt man oft Ausdrücke mit „Infinitiv mit zu"
Ist es möglich, …   (statt *Kann ich …*)
Ist es notwendig, …   (statt *Soll man …*)

B 7

1/24

Hören und fragen Sie.

Sie sollen für Ihre Chefin eine Geschäftsreise organisieren. Ihre Chefin legt Wert auf Höflichkeit und gibt Ihnen nur wenige Informationen – Sie müssen alles fragen.

● *Guten Morgen. Ich muss übernächste Woche nach Leipzig. Bitte bereiten Sie doch alles vor.*
  ■ *Wissen Sie schon, → wann Sie fahren? ↗*
● *Wann ich fahre? Am Dienstag, dem dreiundzwanzigsten.*
  ■ *Sagen Sie mir bitte, → …*

Wissen Sie (schon), …	Wann fahren Sie?
Haben Sie (schon) überlegt, …	Wann genau müssen Sie in Leipzig sein?
Können Sie mir (schon) sagen, …	Wollen Sie mit der Bahn fahren oder fliegen?
Ich muss (noch) wissen, …	Welches Hotel soll ich buchen?
Sagen Sie mir bitte, …	Wie viele Personen gehen mit?
	Wo möchten Sie essen gehen?
	Wie lange dauert die Konferenz?
	Soll ich neue Termine vereinbaren?
	Welche Unterlagen möchten Sie mitnehmen?
	Wie kann ich Sie dort erreichen?
	Brauchen Sie einen Mietwagen in Leipzig?

KURSBUCH
C1-C2

C

C 1

Zwischen den Zeilen

Welche Nomen verstecken sich in diesen Adjektiven?

1 humorvoll *der Humor*   7 sinnvoll _____
2 wertvoll _____   8 grenzenlos _____
3 arbeitslos _____   9 reizvoll _____
4 liebevoll _____   10 treulos _____
5 herzlos _____   11 pausenlos _____
6 sprachlos _____   12 rücksichtsvoll _____

 Erinnern Sie sich?

Auch Adjektive auf „-ig", „-isch" und „-lich" kann man von Nomen ableiten:
gedul**dig**, ru**hig**, trau**rig**, vernünf**tig** …
beruf**lich**, herz**lich**, stünd**lich**, persön**lich** …
energ**isch**, telefon**isch**, italien**isch** …

Aufgaben

Finden Sie drei weitere Adjektive für jede Gruppe und machen Sie eine Liste „Adjektive – Nomen". Welche Veränderungen gibt es hier?

Welche Endungen haben diese Adjektive? Unterstreichen Sie.

Ergänzen Sie die Regeln und passende Beispiele.

Adjektive ◆ -e ◆ -los ◆ ohne ◆ Plural ◆ -s- ◆ -voll ◆ -voll

1 Die Zusätze _____ und _____ machen aus Nomen _____ .

2 Der Zusatz _____ bedeutet *mit* , der Zusatz *-los* bedeutet _____ .

3 Manchmal gibt es dabei kleine Veränderungen beim Nomen:

Ein _____ am Ende fällt weg: *Sprache – sprachlos* _____ .

Man nimmt die _____ -Form: *Grenze – grenzenlos* _____ .

Man ergänzt ein _____ : *Rücksicht – rücksichtslos* _____ .

Vorsicht: aus „-voll" kann man meistens „-los" machen (*humorvoll* → *humorlos, wertvoll* → *wertlos*), aber aus „-los" fast nie „-voll" (~~arbeitsvoll, herzvoll~~ gibt es nicht). Die wichtigen Kombinationen finden Sie im Wörterbuch beim Nomen oder als eigenen Eintrag.

Lerntipp:

Wenn Sie neue Adjektive lernen, suchen Sie im Wörterbuch auch gleich das dazu passende Nomen: Zu *teuflisch* gehört *der Teufel*, zu *kurzfristig* gehört *die (kurze) Frist*, zu *wertvoll* gehört ...
Wenn Sie ein Nomen kennen, aber das Adjektiv suchen, überprüfen Sie im Wörterbuch, ob und welche Adjektive es dazu gibt: Zu *Seele* heißt das Adjektiv *seelisch*, zu *Geschäft* gibt es *geschäftig* und *geschäftlich*, zu Problem gibt es ...
Notieren und lernen Sie diese Adjektive immer mit Beispielen und als Ausdrücke:
ein teuflischer Plan, ein Hotel/eine Reise kurzfristig buchen, seelische (←→ körperliche) Probleme haben, geschäftig herumgehen, geschäftlich unterwegs sein ...

Schreiben Sie die Sätze neu und benutzen Sie passende Adjektive.

Person ◆ mehr Reiz / Sinn ◆ per Telefon ◆ Beruf ◆ Mensch

1 ... Gespräche sind meistens ... und ... als ... Kontakte: Das gilt nicht nur für ... Beziehungen, sondern für ... Beziehungen allgemein.

voll Liebe, Ruhe, Geduld, Rücksicht ◆ mit Herz ◆ ohne Grenze, Pause ◆ voll Energie

2 Sie ist normalerweise eine ... Mutter, ein ... und ... Mensch, immer sehr ... und ... . Aber ihre Geduld ist nicht ...: Wenn man sie ... ärgert, kann sie sehr ... werden.

ohne Arbeit ◆ jeden Tag ◆ ohne Lust, Humor ◆ mit Vernunft, Trauer

3 Seit er ... ist, hängt er ... nur noch ... zu Hause herum, ist völlig ... und hat überhaupt keine ... Ideen mehr. Das macht auch mich ganz ...

ohne: Treue, Sprache, Bedeutung, Rücksicht, Kopf, Herz, Schuld, Stil, Ende, Gruß, Ziel, Partner

4 **Los! Los!**

Er war ..., sie war ... .
Er fand es ..., sie fand es ... .
Er fand sie ..., sie ihn ... .
Er fühlte sich ..., das fand sie ... .
So ging das ..., bis sie dann ...,
... und ... loszog.

Am Wortende spricht man „-ig" wie „ich" [ıç]:
Dein Vorschlag ist vernünftig.
Folgt eine Endung, spricht man [g]:
Das ist ein vernünftiger Vorschlag.
Ein „s" am Wortende spricht man [s]:
Sie ist arbeitslos.
Folgt eine Endung, spricht man [z]:
Sie ist arbeitslose Journalistin.

D1-D4

Menschen im Hotel

D

1   Wer arbeitet in einem großen Hotel? Machen Sie eine Liste.

> *Berufe im Hotel*
> *Hoteldirektor, Empfangschef, Portier, ...*

2   Lesen Sie den Text und unterstreichen Sie alle Berufsbezeichnungen.

„Ihre Zimmernummer, Sir"
frei nach Ephraim Kishon, aus: Kishons beste Reisegeschichten

Letzten Sommer war ich in einem Super-de-Luxe-Hotel in Salzburg. Ich kam im Taxi an. Ein Page öffnete mir die Tür. Er warf einen mitleidigen Blick auf meinen Koffer. Als er ihn nahm, fragte er: „Welche Zimmernummer, mein Herr?" – „Das weiß ich nicht", sagte ich. „Ich bin ja eben erst angekommen."

An der Rezeption informierte mich der Portier über meine Zimmernummer: 157. Diese Nummer war enorm wichtig, der Page schrieb sie sofort in sein Notizbuch. In meinem Zimmer (Nummer 157) wollte ich mir die Hände waschen, aber es war keine Seife da. Ich läutete. Das Zimmermädchen kam kurz darauf und brachte die gewünschte Seife. Als sie sie mir gab, fragte sie: „Welche Zimmernummer, bitte?" – „157", antwortete ich. Sie schrieb auf ein neues Blatt in ihrem Notizbuch: „157". Mit gewaschenen Händen ging ich in den Speisesaal des Hotels, wo man ohne weitere Fragen eine Tasse Tee und zwei Scheiben Toast vor mich hinstellte. Die Toasts schmeckten gut, also bestellte ich noch eine Scheibe. „Zimmernummer?", fragte der Kellner. Er wartete auf meine Antwort (157) und notierte sie sofort. Auf dem Rückweg in mein Zimmer fragte ich einen Portier nach der Uhrzeit. „Meine Zimmernummer ist 157", sagte ich. „Wie spät ist es?" – „5.32 Uhr", antwortete der Portier und trug die Nummer 157 in ein dickes Buch ein.

Da mich die ständige Nummernbuchhaltung langsam zu stören begann, ging ich zum Hotelmanager. Ich sah ihn durchdringend an und fragte dann: „Warum muss ich bei jedem Anlass meine Zimmernummer angeben?" – „Diese Regel gilt nicht nur für Sie", war seine Antwort. „Alle Dienstleistungen, die nicht im Pauschalpreis inbegriffen sind, werden in Rechnung gestellt, mein Herr. Deshalb müssen alle Angestellten über die Zimmernummer informiert sein. Sie müssen uns verstehen. Was ist Ihre Zimmernummer, mein Herr?" – „157." – „Danke, mein Herr", sagte der Manager und notierte: „Information für 157."

157 bestimmte mein Leben. Als ich einmal einen Orangensaft bestellte und ihn nicht bekam, sagte ich dem Kellner: „Schreiben Sie in Ihr Notizbuch: Kein Orangensaft für Nr. 157." Auch die Begegnung mit fremden Menschen wurde sehr seltsam. Es war wie im Gefängnishof. Wenn ich jemand traf, nannte ich nicht meinen Namen, sondern sagte: „157. Sehr angenehm." Aber mit einem Mal änderte sich die Situation. Ich war gerade auf der Terrasse des Hotels und atmete die gesunde Abendluft ein, als einer der Hotelangestellten mit dem Notizbuch in der Hand zu mir kam. „157", sagte ich höflich. „Frische Luft." „57", notierte der Aufseher. „Danke, mein Herr." Das war ein Missverständnis. Sollte ich es berichtigen? Eine seltsame Kraft hielt mich zurück. Abends im Restaurant entdeckte ich auf der Karte eine extra große Portion gegrillte Kalbsleber. Ich bestellte sie. „Zimmernummer?", fragte der Kellner. „75", antwortete ich. „75", notierte er. „Danke, mein Herr." So erfüllte ich mir in den nächsten Tagen manchen Wunsch. Zweimal fuhr ich mit einer Luxuslimousine aus (75), dreimal bestellte ich mir Bauchtänzerinnen (75). Das Beste war für mich gerade gut genug. Wenn man schon einmal auf Urlaub ist, soll man nicht kleinlich sein.

Nach zwei wunderbaren Wochen verließ ich das Hotel. Ich bezahlte die Rechnung von 12 000 Schilling. In dieser Rechnung waren auch die zusätzlichen Dienstleistungen enthalten, wie Seife (50,–), Information (431,–), Luftschöpfen am Abend (449,–) und ein paar andere Kleinigkeiten. Ich gab dem Portier ein großzügiges Trinkgeld.

Während ich ins Taxi stieg, gab es an der Rezeption einen peinlichen Auftritt. Ein dicker Herr hatte gerade einen Wutanfall, zerriss Rechnungsformulare und rief: „Ich denke nicht daran, 2600 Schilling für 29 Portionen Kalbsleber zu bezahlen! Ich habe sie weder bestellt noch gegessen!" Es war wirklich beschämend. Kann man denn solche Kleinigkeiten in einem zivilisierten Land wie Österreich nicht anders regeln als durch unbeherrschtes Brüllen?

Ephraim Kishon, Schriftsteller, geboren 23.8.1924 in Budapest, lebt seit 1949 in Israel, schreibt Satiren und Komödien über Alltagsthemen.

Was kostet in diesem Hotel extra? Machen Sie eine Liste.

> *Koffer tragen*
> *Seife*

Kishons
beste
Reisegeschichten

Rhodos – Türkei – Italien
Ungarn – Österreich
Deutschland – Schweiz
Frankreich – Spanien – Holland
England – Israel – Amerika

HERBIG

D 3   **Suchen Sie die Sätze im Text und ergänzen Sie.**

Missverständnis (n) ◆ Portion Kalbsleber (f) ◆ Orangensaft (m) ◆ ~~Koffer (m)~~ ◆ Zimmernummer (f) ◆
Seife (f) ◆ Antwort (f) ◆ Hotelmanager (m) ◆ Erzähler (m) ◆ Erzähler (m) ◆ die Angestellten (Pl) ◆
employe
29 Portionen Kalbsleber (Pl)

Bezugswort

1 Als er _ihn_ nahm, fragte er: „Welche Zimmernummer, mein Herr?"   *den Koffer*

2 An der Rezeption informierte _mich_ der Portier über meine Zimmernummer: 157.   *der Erzähler*

3 Diese Nummer war enorm wichtig, der Page schrieb _sie_ sofort in sein Notizbuch. *die Zimmernummer*

4 Als sie _sie_ mir gab, fragte sie: „Welche Zimmernummer, bitte?"   *die Seife*

5 Er wartete auf meine Antwort (157) und notierte _sie_ sofort.

6 Ich sah _ihn_ durchdringend an und fragte dann: „Warum muss ich bei jedem Anlass
   meine Zimmernummer angeben?"   *der Hotelmanager*

7 „Diese Regel gilt nicht nur für _Sie_ ", war seine Antwort.   *der Erz.*

8 „Sie müssen _uns_ verstehen. Was ist Ihre Zimmernummer, mein Herr?"   *die Angestellten*

9 Als ich einmal einen Orangensaft bestellte und _ihn_ nicht bekam, sagte ich dem Kellner:

10 Das war ein Missverständnis. Sollte ich _es_ berichtigen?   *das Missver.*

11 Ich bestellte _sie_ .   *die portion*

12 „Ich habe _sie_ weder bestellt noch gegessen!"   *die 29*

D 4   **Ergänzen Sie die Tabelle mit den Pronomen.**

Nominativ:	ich	du	sie	er	es	wir	ihr	sie
Dativ:	mir	dir	ihr	ihm	ihm	uns	euch	ihnen
Akkusativ:	*mich*	*dich*	*sie*	*ihn*	*es*	*uns*	*euch*	*sie*

Lesen Sie die Beispiele und ergänzen Sie die Regel.

Ein Page öffnete mir die Tür.

→ **Er** warf einen mitleidigen   *sympathy*
   Blick auf **meinen Koffer**.
   Bezugswort *m Sg.*

→ Als **er** *ihn* ← nahm, fragte **er**:
Pronomen *m Sg.* AKK ← Verb + AKK

   „Welche Zimmernummer, mein Herr?"

Diese Nummer war enorm wichtig,
Bezugswort *f Sg.*

→ der Page schrieb → *sie* sofort in sein Notizbuch.
   Verb + AKK → Pronomen *f Sg.* AKK

Das Beste war für → **mich** gerade gut genug.
Präposition + AKK → Pronomen AKK

Bezugswort ◆ Nomen (2x) ◆ Pronomen (2x) ◆ Präposition ◆ Verb

1 In Texten und Dialogen ersetzen _Bezugswort_ bekannte _Pronomen_ . Meistens steht
   also zuerst das _Nomen_ . Wenn klar ist, welche Person oder Sache man meint, benutzt man das
   kürzere _Pronomen_ .

2 Für das Pronomen gilt: Das _____ _Nomen_ _____ bestimmt Genus (f, m, n) und *for sure*
   Numerus (Sg. oder Pl.), das _Verb_ oder die _Präposition_ bestimmen den Kasus
   (NOM, AKK, DAT).

38 *Arbeitsbuch*

D 5   **Drei Hotelangestellte sprechen über ihren Beruf. Ergänzen Sie die Texte.**

Sie ◆ mich ◆ dich ◆ sie ◆ ihn ◆ es ◆ uns ◆ euch

Ich begrüße alle Gäste in unserem Hotel, heute natürlich auch _Sie_! Für _mich_ und meine Kolleginnen an der Rezeption kann das Leben ganz schön hektisch sein. Jeder Gast, der hereinkommt, spricht _mich_ an und will etwas von mir. Und ich tue, was ich kann. Wenn jemand ein Taxi braucht, rufe ich _es_ ihm. Wenn jemand einen ausgefallenen Wunsch hat, versuche ich, _es_ zu erfüllen. Meistens sind die Gäste nett zu mir, aber manchmal behandeln sie _mich_ wie den letzten Dreck. Solchen Gästen würde ich gern mal die Meinung sagen, aber ich muss _sie_ alle freundlich behandeln.

Wir Zimmermädchen sollen überall sein und alles erledigen, aber man soll _uns_ nicht sehen und nicht hören. „Reg _dich_ nicht auf", sagt mein Mann immer, „Ihr seid auch ein Teil des Hotels. Wenn man _euch_ nicht bemerkt, macht ihr eure Arbeit gut." Die Portiers und Kellner bekommen Trinkgeld, weil sie Kontakt zu den Gästen haben und _sie_ direkt bedienen. An _uns_ Zimmermädchen denkt kaum jemand. Nur die japanischen Gäste, die legen immer ein Geldstück unters Kopfkissen!

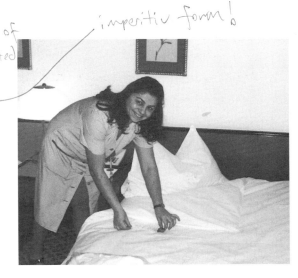

Ich muss alles unter Kontrolle haben: zuerst das Personal. Wir haben gute Leute, aber trotzdem muss ich _sie_ ständig kontrollieren. Wenn jemand nicht gut ist, muss ich _sie_ entlassen. Dann das Gebäude. Wenn etwas nicht in Ordnung ist, muss ich _es_ reparieren lassen. Und natürlich die Gäste. Wenn ein besonderer Gast kommt, begrüße ich _ihn_ auch schon mal persönlich. Ich habe einen langen Tag, keine festen Arbeitszeiten. Wenn viel zu tun ist, können Sie _mich_ noch abends um elf hier finden. Aber mir macht die Arbeit Spaß.

Hören und vergleichen Sie.

E

Hier geht's lang!

E 1

Was passt wo?

Gehen Sie ...

Wie komme ich zur Präposition?
Fahren Sie bis zum DATIV, am DATIV
vorbei,
dann steigen Sie um: den AKKUSATIV
entlang,
durch den AKKUSATIV und um den
AKKUSATIV herum.

7 bis zur/zum …
5 über den …platz
10 die zweite (Straße) rechts
11 zurück
4 über die …brücke
6 um die …kirche/den …park herum

1 rechts in die …straße/gasse
8 (weiter/immer) geradeaus
9 die erste (Straße) links
2 den Fluss entlang
3 an der/am … vorbei

E1-N

E 2   Lesen Sie die Wegbeschreibung für den Stadtrundgang durch Bern. Ergänzen Sie.

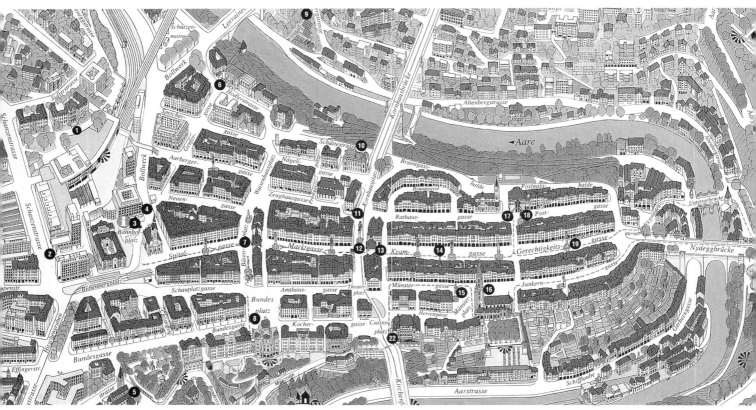

1 Universität   2 Hauptpost   3 Bern Tourismus   4 Bahnhof   5 Dreifaltigkeitskirche   6 Kunstmuseum   7 Käfigturm   8 Bundeshaus
9 Botanischer Garten   10 Stadttheater   11 Kornhaus (Keller)   12 Kindlifresserbrunnen   13 Zeitglockenturm   14 Einstein-Museum   15 Mosesbrunnen
16 Münster/Stiftsgebäude   17 Rathaus   18 Vennerbrunnen   19 Gerechtigkeitsbrunnen   20 Bärengraben   21 Rosengarten   22 Konzerthaus Casino

am ◆ am … vorbei ◆ bis zum (2x) ◆ bis zur ◆ durch ◆ entlang ◆ gegenüber ◆ geradeaus (2x) ◆
hinter ◆ links ◆ neben ◆ rechts ◆ über (2x) ◆ um … herum ◆ vor ◆ zweite ◆ zwischen

Ihr Rundgang beginnt am Bern Tourismus Büro auf dem Bahnhofplatz. Von hier aus gehen Sie durch die Spitalgasse bis zum Käfigturm (Stadttor von 1256 bis 1344) und weiter geradeaus _____ *(1)* Zeitglockenturm (Stadttor bis 1256) mit seiner astronomischen Uhr und dem bekannten Figurenspiel von 1530 (Beginn vier Minuten vor jeder vollen Stunde). Sie gehen weiter _____ *(2)*, die Kramgasse entlang, an schönen Brunnen und am Einstein-Museum vorbei, _____ *(3)* nächsten Kreuzung. Schauen Sie nach _____ *(4)*: Hier können Sie _____ *(5)* den Häusern das Rathaus sehen (schönster gotischer Profanbau, 1406 bis 1416). Wenn Sie weitere Brunnen sehen möchten, gehen Sie die paar Schritte zum Rathaus: _____ *(6)* dem Rathaus steht der Vennerbrunnen. Gehen Sie zurück und die Gerechtigkeitsgasse _____ *(7)*, _____ *(8)* Gerechtigkeitsbrunnen _____ *(9)*, durch den Nydeggstalden und über die Untertorbrücke. Auf der anderen Seite gehen Sie _____ *(10)* und dann _____ *(11)* zum Bärengraben (gleich _____ *(12)* der Nydeggbrücke). Der Bär ist das Wappentier von Bern. Lehnen Sie sich nur vorsichtig an die Mauer, denn es sind wirklich Bären im Bärengraben! Jetzt ist es nicht mehr weit zum Rosengarten oder zum Muristalden. Von diesen beiden Aussichtspunkten hat man den schönsten Blick auf die Altstadt von Bern. Gehen Sie _____ *(13)* die Nydeggbrücke zurück und dann links _____ *(14)* die Junkerngasse mit ihren schönen Häusern bis zum Münster (1421, Hauptwerk der Schweizer Spätgotik). Der Weg _____ *(15)* die Kirche _____ *(16)* lohnt sich: Von der Münsterplattform _____ *(17)* der Kirche hat man einen schönen Blick auf die Aare. Gehen Sie _____ *(18)* den Münsterplatz, _____ *(19)* Mosesbrunnen links in die Münstergasse, und dann wieder die _____ *(20)* Straße links. Am Konzerthaus Casino überqueren Sie die Straße und gehen immer geradeaus _____ *(21)* Bundeshaus (1896 bis 1902, Sitz der Schweizer Regierung). Von der Bundesterrasse hinter dem Bundeshaus können Sie die Berner Alpen sehen. Das ist das Ende unseres Rundgangs. Vom Bundesplatz (_____ *(22)* dem Bundeshaus) kommen Sie wieder zum Käfigturm.

Casino

Hören Sie jetzt den Text und vergleichen Sie mit Ihren Ergebnissen.

E 3 **Sie sind am Bahnhof in Bern. Spielen oder schreiben Sie Dialoge mit Wegauskünften.**

~~Stadttheater~~ ◆ Kunstmuseum ◆ Einstein-Museum ◆ Bundeshaus ◆ …

Stadttheater

Entschuldigung. ↘ *Können Sie mir sagen,* → *wie ich zum Stadttheater komme?* ↗

Gehen Sie hier das Bollwerk entlang, → *dann nach rechts durch die Neuengasse, dann nach links* → *über den Waisenhausplatz. Die dritte rechts ist die Schüttestraße,* → *das Stadttheater liegt an der Ecke Schüttestraße/Kornhausbrücke.* ↘

Hier entlang, → *dann nach rechts durch die Neuengasse über den Waisenhausplatz,* → *dann die dritte rechts.* ↘ *Vielen Dank!* ↘

E 4 **Beschreiben Sie Ihren Weg von der Schule nach Hause. Schreiben Sie oder arbeiten Sie zu zweit: Partner A beschreibt, Partner B markiert den Weg auf einem Stadtplan.**

Teils heiter, teils wolkig

F 1

Sortieren Sie Wetter-Wörter.

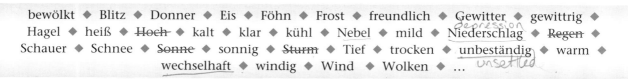

bewölkt ◆ Blitz ◆ Donner ◆ Eis ◆ Föhn ◆ Frost ◆ freundlich ◆ Gewitter ◆ gewittrig ◆
Hagel ◆ heiß ◆ ~~Hoch~~ ◆ kalt ◆ klar ◆ kühl ◆ Nebel ◆ mild ◆ Niederschlag *Depression* ◆ ~~Regen~~ ◆
Schauer ◆ Schnee ◆ ~~Sonne~~ ◆ sonnig ◆ ~~Sturm~~ ◆ Tief ◆ trocken ◆ unbeständig ◆ warm ◆
wechselhaft ◆ windig ◆ Wind ◆ Wolken ◆ ... *unsettled*

die Sonne   der Regen

(gutes Wetter)   (schlechtes Wetter)

das Hoch   der Sturm

F1-F2

F 2
1/27

Hören Sie den Wetterbericht. Sind die Aussagen richtig oder falsch?

	richtig	falsch
1 Im Osten Deutschlands regnet es heute Abend nicht.		
2 Nachts schneit es.		
3 Morgen gibt es im Nordosten Deutschlands Gewitter.		
4 Morgen liegen die Höchsttemperaturen bei über 25 Grad.		
5 In den nächsten Tagen bleibt es wechselhaft.		

F3

F 3

Lesen Sie den Text ohne Wörterbuch und finden Sie eine Überschrift.

Hamburg - dpa. Den einen plagt Asthma beim Durchzug einer Schlechtwetterfront, die andere hat Kopfschmerzen bei Föhn: Jeder dritte Deutsche ist nach Schätzungen von Medizinmeteorologen wetterfühlig. Bei Menschen ab 65 Jahren reagieren sogar mehr als zwei Drittel auf Wetterreize. Frauen sind drei- bis viermal so oft betroffen wie Männer. Dass Wetterfühligkeit keine Einbildung ist, ist schon lange bekannt: So macht der Föhn vielen Menschen in der Münchner Gegend schwer zu schaffen. Jetzt wird die Wetterfühligkeit auch medizinisch bestätigt: Forscher der Gießener Universität konnten nachweisen, dass elektromagnetische Impulse, wie sie etwa bei Gewittern vorkommen, Einfluss haben auf die Gehirnaktivität wetterfühliger Menschen. Gesunde Menschen bemerken die Klimareize gar nicht. „Jede Reaktion auf das Wetter ist eine Art Gradmesser des Gesundheitszustands", erklärt der Medizinmeteorologe Klaus Burscher, „die Betroffenen leiden wirklich und verdienen unsere Sympathie."

Lesen Sie den Text noch einmal und markieren Sie die Antworten.

1 Welche Krankheiten können vom Wetter kommen?
   a) Kopfschmerzen
   b) Zahnschmerzen
   c) Asthma

2 Wer ist besonders wetterfühlig?
   a) ältere Menschen
   b) Frauen
   c) Kinder

3 Welches Wetter bringt Krankheiten?
   a) Gewitter
   b) Sonne
   c) Föhn

4 Sehr wetterfühlige Menschen sind ...
   a) gesund.
   b) nicht gesund.
   c) sympathisch.

Sind Sie wetterfühlig? Was kann man gegen Wetterfühligkeit tun? Schreiben oder diskutieren Sie.

G

Der Ton macht die Musik

G

G 1

Hören Sie, sprechen Sie nach und markieren Sie.

1/28

| [v] | <u>was</u> | Wein | Wolle | Verben | Wortakzent | Vase | Krawatte | nervös | Adjektive |
| [f] | <u>Fass</u> | fein | volle | verbinden | Vorsilbe | Phase | Karaffe | perfekt | Adjektiv |

Ergänzen Sie die Regeln.

1 „w" spricht man fast immer* _____ .

   „f" und „ph" spricht man immer _____ .

2 Deutsche Wörter mit „v" (ver-, vor-, voll, Vater ...): „v" spricht man _____ .

   Internationale Wörter mit „v" (Verb, Vase, nervös ...): „v" spricht man _____ .

   Aber: „v" am Wortende (Adjektiv, Dativ, kreativ ...): „v" spricht man _____ .

   *„w" am Wortende spricht man nicht: Interview, Bungalow ...

G 2

Wo spricht man [f]? Markieren Sie.

wir ◆ <u>vier</u> ◆ wollen ◆ feiern ◆ viele ◆ wilde ◆ Feste ◆ Verwandte ◆ Freunde ◆
fragen ◆ woher ◆ frischer ◆ Fisch ◆ wieso ◆ schwanger ◆ fällt ◆ schwer ◆ offen ◆
Winter ◆ Frost ◆ Frühling ◆ Wind ◆ warm ◆ Föhn ◆ verwöhnt ◆ Villa ◆ Vampir ◆
weshalb ◆ kreativ ◆ vorlesen ◆ weil ◆ Vergnügen ◆ Vorsicht ◆ Kreative ◆ wissen ◆ davon ◆
Phonetik ◆ Fan ◆ Vokale ◆ Diphthonge ◆ verwechseln ◆ verstehen ◆ von ◆ Alphabet ◆
Vater ◆ Philosoph ◆ hoffen ◆ Schwester ◆ hochwertig ◆ Wilfried ◆ Video ◆ halbfertig

 1/29 Hören Sie, sprechen Sie nach und vergleichen Sie.

G 3

Üben Sie.

1/30 Atmen Sie tief ein. Sagen Sie „aaaa..." und legen Sie die Unterlippe an die oberen Zähne: „aaa" wird zu „www". Üben Sie „www" mit verschiedenen Vokalen: „wwwas", „wwwer", „wwwie", „wwwo", „Wwwein".

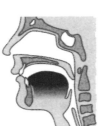

Sagen Sie noch einmal „wwwas". Jetzt ohne Stimmton: Holen Sie tief Luft und flüstern Sie „wwwas": „wwwas" wird zu „fffass". Sagen Sie: Was für ein Fass? Ein Weinfass. Was für ein Fall? Ein Wasserfall.

G 4

Wählen Sie ein Gedicht oder einen Zungenbrecher und üben Sie.

Wilde Phasen
Wir vier wollen feiern,
wollen feiern wilde Feste,
wilde Feste mit viel Wein.
Mit viel Wein und vielen Freunden,
vielen Freunden und Verwandten,
in der Villa der Vampire ...
Viel Vergnügen, das wird fein!

Viele Fragen offen
Wie? Was? Wer?
Wo? Wohin? Woher?
Wieso? Weshalb? Warum?
Wer nicht fragt, bleibt dumm.

Zungenbrecher
Fischers Fritz fischt frische Fische.
Frische Fische fischt Fischers Fritz.
　Wir wollen viel warmen Föhnwind,
　weil wir vom warmen Föhnwind verwöhnt sind.

Für Phonetik-Fans
Wer viel von Phonetik versteht,
versteht viel vom Alphabet.
vɐ vɪrklɪç fiːl fɔn foːneːtɪk fɐʃteːt
fɐʃteːt das foːneːtɪʃə alfabeːt

 1/ 31-34 Hören und vergleichen Sie.

 H

Geschichten vom Franz:

Ein Geistesblitz

von Christine Nöstlinger (Zeichnungen von Erhard Dietl)

H 1

Lesen Sie die Wörterbucherklärungen und ergänzen Sie.

Geist *der; -(e)s; nur Sg.;* **1** die Fähigkeit des Menschen zu denken, sein Verstand <einen wachen, scharfen G. haben> || K-: **Geistes-, -zustand; geistlos** *Adj;* **geistreich** *Adj;* **2** die innere Einstellung oder Haltung <der demokratische, olympische G.> || K-: *Geistes-,-haltung;* || -K: *Gemein-schafts-, Kampf-;* **3** das Charakteri-stische einer Zeit oder Kultur || -K: *Zeit-* || ID *denscheinen∂...∂ geben...*

Blitz *der; -es; -e;* **1** ein sehr helles Licht am Himmel bei Gewitter <B. und Donner; j-d/ etw. wird vom B. getroffen> **2** *Foto;* künstliches Licht für Aufnahmen || K-: *Blitz-, -licht, -lichtgerät* || ID *(schnell) wie der B.;* sehr schnell; *wie ein B. aus heiterem Himmel; etw. ∂ ∂ ∂∂ ∂∂ sich...∂...*

Geistesblitz

_____

_____

_____

_____

_____

_____

_____

Arbeiten Sie zu dritt oder zu viert und vergleichen Sie. Wählen Sie die beste Erklärung aus. Dann vergleichen Sie mit Ihren Wörterbüchern.

H 2

Lesen Sie die Notizen und die Fragen und erfinden Sie eine Geschichte.

23. Dezember: Franz klingelt bei Gabi; Franz und Gabi wollen Bescherung machen; Briefpapier für Gabi (Mutter hat bezahlt)

Gabi traurig: Puppenchristbaum kaputt; Ersatz: echte Kerzen und Christbaumschmuck; Gabi bereitet alles vor – Franz muss im Wohnzimmer warten; zwei Päckchen mit Kärtchen (FRANZ, PETER); neugierig – sauer – dann ein Geistesblitz

die Feier: Kerzen, Lametta, ein Lied singen, Geschenke; Gabi freut sich; Franz packt sein Geschenk aus; Franz freut sich auch – Gabi ist überrascht; schöne Weihnachten!

1 Warum machen Franz und Gabi schon am 23. Dezember Bescherung?
2 Was schenken sich Franz und Gabi?
3 Warum muss Franz alleine im Wohnzimmer warten?
4 Was macht Franz im Wohnzimmer?
5 Wie feiern Franz und Gabi?
6 Warum ist Gabi überrascht?

Arbeiten Sie zu dritt oder zu viert und vergleichen Sie Ihre Geschichten.

Franz und Gabi singen ein Weihnachtslied.

Ihr Kinderlein kommet, o kommet doch all,
zur Krippe herkommet in Bethlehems Stall
und seht, was in dieser hochheiligen Nacht
der Vater im Himmel für Freude uns macht.
Da liegt es, das Kindlein, auf Heu und auf Stroh,
Maria und Josef betrachten es froh,
die redlichen Hirten knien betend davor,
hoch oben schwebt jubelnd der Engelein Chor.

H 3

Hören Sie die Geschichte und markieren Sie die Reihenfolge der Bilder.

Vergleichen Sie mit Ihren Geschichten.

1	2	3	4	5	6	7	8
A							

H 4

Was passt zusammen? Ergänzen Sie.

auf und ab ◆ ~~besorgen~~ ◆ Gipfel ◆ gleich ◆ gleich ◆ hüpfen ◆ kassieren ◆ kugelrunden ◆ offenem ◆ prächtige ◆ schaffen ◆ schlechtes ◆ tief ◆ Unrecht ◆ verzweifelt ◆ Wort

1 für jemand etwas _besorgen_
2 von jemand Geld _____
3 total _____ sein
4 im Wohnzimmer _____ wandern
5 zwei _____ schmale und _____ lange Päckchen
6 Das ist ja der _____ !
7 mit jemand kein _____ mehr reden

8 _____ beeindruckt sein
9 vor Freude durchs Zimmer _____
10 _____ haben
11 eine ganz _____ Uhr
12 mit _____ Augen und _____ Mund
13 ein _____ Gewissen
14 etwas aus der Welt _____

Hören Sie noch einmal und vergleichen Sie.

H 5

Franz hat eine „Gemeinheit aus der Welt geschafft". Finden Sie das richtig? Diskutieren oder schreiben Sie.

Stadtbesichtigung
Welche Stadt würden Sie gern einmal besuchen? Was würden Sie dort ansehen?

Im Hotel
Was für ein Zimmer würden Sie nehmen? Und in was für einem Hotel würden Sie gern wohnen?

Ich würde ein   *mit*

Das Hotel sollte

Indirekte Fragesätze
Fragen Sie besonders höflich: *Können Sie mir sagen, …*

… frei?

Preis?   Lage?

Meine Regel für indirekte Fragesätze:

Personalpronomen im Akkusativ
Ergänzen Sie.

nicht mit mir und nicht ohne *mich*
nicht mit dir und nicht ohne *dich.*
nicht mit ihr und nicht ohne *sie*
nicht mit ihm und nicht ohne *ihn*
nicht mit uns und nicht ohne *uns*
nicht mit euch und nicht ohne *euch*
nicht mit ihnen und nicht ohne *sie*

„Nicht mit dir und nicht ohne dich"
= *ein Ausdruck für eine unglückliche Liebesbeziehung: Zwei Menschen können nicht miteinander leben, aber sie können sich auch nicht trennen.*

Wegauskünfte
Wie fragen Sie nach dem Weg?

Beschreiben Sie den Weg von Ihrer Schule zum Bahnhof / zur Stadtmitte / zum nächsten Supermarkt / …

Wetter
Welches Wetter passt zu …

… schwimmen?

… wandern?

… Ski fahren?
Wie ist das Wetter in Ihrem Heimatland in den verschiedenen Jahreszeiten?

Interessante Ausdrücke

Beziehungen

Auf Partnersuche ...

A 1   Was passt wo? Sortieren Sie die Adjektive und machen Sie eine Liste.

demanding
anspruchsvoll ◆ blond ◆ charmant ◆ dunkelhaarig ◆ ehrlich *honest* ◆ energisch ◆ erfolgreich ◆
fantasievoll ◆ gefühlvoll ◆ gut aussehend ◆ hübsch ◆ humorvoll ◆ intelligent ◆
langweilig ◆ lebenslustig ◆ lieb ◆ niveauvoll ◆ optimistisch ◆ romantisch ◆
schlank ◆ selbstbewusst ◆ tolerant ◆ treu

persönliche Eigenschaften		beides	Aussehen
ehrlich (+)	charmant (+)	langweilig (-)	blond (o)
humorvoll (+)	erfolgreich (+)	intelligent (+)	dunkelhaarig (o)
gefühlvoll (+)	optimistisch (+)	lieb (+)	hübsch (+)
fantasievoll (+)	treu (+)		gut aussehend (+)
anspruchsvoll (-)	tolerant (+)		schlank (+)
romantisch (+)	lebenslustig (+)		
energisch (+)	selbstbewusst (-)		

**Was ist positiv (+)? Was ist negativ (–)? Was ist neutral (o)?
Markieren Sie und diskutieren Sie zu zweit.**

A 2   Welche Adjektive verstecken sich in diesen Nomen? Ergänzen Sie die Listen von A1.

Aktivität ◆ Attraktivität ◆ Ehrlichkeit ◆ Häuslichkeit ◆ Leidenschaftlichkeit ◆
Naturverbundenheit ◆ Natürlichkeit ◆ Offenheit ◆ Schönheit ◆ Sensibilität ◆
Seriosität ◆ Sportlichkeit ◆ Unkompliziertheit ◆ Zärtlichkeit ◆ Zuverlässigkeit

Erinnern Sie sich?

Nomen mit den Endungen „-heit", „-keit" und „-tät" kommen
von Adjektiven und sind immer feminin:
*die Offen**heit**, die Ehrlich**keit**, die Aktivi**tät** ...*

Aufgaben

Welche anderen Endungen für feminine Nomen kennen Sie?
Wie heißen die Merkwörter?
Finden Sie für jede Endung drei Nomen.

A1-A4

Lesen Sie die Anzeigen und den Text und ergänzen Sie die passenden Überschriften.

Liebe – nicht mehr als ein Geschäft? ◆ Familienfeste – kein Grund zur Freude ◆
Aus Spaß wird Ernst ◆ Ehrlichkeit ist wichtig

SUCHE selbstbewussten, zuverlässigen Partner für eine offene und zärtliche Beziehung. Aussehen spielt keine Rolle. Ich (W, 27, 168) bin eine lebenslustige Frau mit Freude am Beruf (Grafikerin). Also beeile dich und schreib mir schnell. Ich freue mich über jede ernst gemeinte Zuschrift. Chiffre 9962

JUNGS!!! Das ist eure (letzte?) Chance! Vier hübsche Mädels aus dem Raum Hamburg wollen ihre Traumprinzen kennen lernen. Habt ihr Lust, euch mal mit uns zu treffen? Na, dann nix wie los! Eine solche Gelegenheit kommt so schnell nicht wieder. Chiffre 4400

Beruflich erfolgreicher Akademiker möchte die Früchte seiner Arbeit nicht allein genießen. Sind Sie um die 45, bis 1,70m groß, zeitlich und finanziell unabhängig? Interessieren Sie sich für moderne Kunst? Dann schreiben Sie mir unter Chiffre 1928.

Suche Gebraucht-Ehemann
Baujahr ca. 45–55 in gutem Zustand

1 _____

Am Anfang ist das Wort. Deshalb lesen wir so gern Heiratsanzeigen – lauter erste Worte, Anfänge von möglichen Geschichten. Zuerst tun wir es, weil wir uns amüsieren wollen. Dann fangen wir an, in Gedanken auf die eine oder andere Anzeige zu antworten oder selbst eine zu formulieren. Und auf einmal ist man 30 oder 35 Jahre alt und hat das Gefühl, einen Zug verpasst zu haben.

2 _____

Plötzlich besteht das Jahr aus einer Reihe von kritischen Tagen. Man freut sich nicht mehr auf den Geburtstag, weil es keinen Spaß macht, ihn allein zu feiern. Die ersten Frühlingstage machen melancholisch: Der Frühling ist doch die schönste Jahreszeit. Da möchte sich jeder gern verlieben! Der Urlaub wird auf einmal zum Problem, die langen, einsamen Novemberabende werden immer ungemütlicher, und schließlich die „Jahresendkatastrophe": Weihnachten und – ganz schlimm – Silvester.

3 _____

An irgendeinem dieser Tage entscheiden sich die „Übriggebliebenen" dann für das letzte Mittel: Sie tragen ihre Haut auf den Anzeigenmarkt. Ja, Markt. Wer auf Kontaktanzeigen antwortet oder selber welche schreibt, muss doch zugeben: Liebe ist ein Geschäft. Zumindest am Anfang. Mit seiner Anzeige in der Zeitung findet sich der einsame Mensch irgendwo zwischen Gebrauchtwagen, Immobilien und Stellenangeboten wieder. Eigentlich will er ja Liebe, Romantik, Gefühl. Aber seine Wünsche formuliert er oft so sachlich und nüchtern, als ob er eigentlich nur ein neues Auto, ein Reihenhaus oder einen Job haben möchte.

4 _____

Aber nicht alles, was wie ein Geschäft beginnt, muss auch wie ein Geschäft enden. Denn wenn schließlich doch noch zwei Menschen zusammenfinden, ist es völlig egal, ob die Geschichte auf diesem oder einem anderen Weg zu ihrem Happy End gekommen ist. Aber was heißt schon enden? Hier fängt die Geschichte ja eigentlich erst an. Und geht es nur eine kurze Zeit gut, dann waren die ersten Worte vielleicht schlecht gewählt, falsch formuliert oder einfach übertrieben. Wenn es ein Rezept für die ersten Worte gibt, dann dies: Sei ehrlich! Präsentiere dich so, wie du bist!

A 4 **Welche Zusammenfassung passt am besten? Markieren Sie.**

Abschnitt

1 Menschen lesen a) weil sie keine Bücher lesen wollen.
Heiratsanzeigen, … b) weil sie schnell einen Lebenspartner finden wollen.
  c) weil sie das interessant und witzig finden.

2 Es ist schöner, … a) Festtage zusammen mit einem Partner oder einer Partnerin zu feiern.
  b) sich im Sommer zu verlieben, weil der Frühling melancholisch macht.
  c) Weihnachten und Silvester im Urlaub zu feiern als zu Hause.

3 Mit Kontakt- a) machen Zeitungen gute Geschäfte.
anzeigen … b) kann man seine wirklichen Wünsche nur schwer ausdrücken.
  c) kann man auch Autos, Häuser oder eine neue Stelle finden.

4 Liebesgeschichten, a) haben nie ein Happy End.
die mit einer Kontakt- b) haben bessere Chancen, wenn der Anzeigentext ehrlich war.
anzeige beginnen, … c) dauern meistens nicht lange.

A 5 **Lesen Sie noch einmal die Anzeigen und den Text und ergänzen Sie die Sätze.**

1 Also *beeile* *dich* und schreib mir schnell.

2 Ich _____ über jede ernst gemeinte Zuschrift.

3 Sie _____ für moderne Kunst?

4 Habt ihr Lust, _____ mal mit uns zu _____ ?

5 Zuerst tun wir es, weil wir _____ _____ .

6 Man _____ nicht mehr auf den Geburtstag, weil es keinen Spaß macht, ihn allein zu feiern.

7 Da _____ jeder gern _____ .

8 An irgendeinem dieser Tage _____ die „Übriggebliebenen" dann für das letzte Mittel.

9 Mit seiner Anzeige in der Zeitung _____ der einsame Mensch irgendwo zwischen Gebrauchtwagen, Immobilien und Stellenangeboten _____ .

10 _____ so, wie du bist!

Ergänzen Sie jetzt die Tabelle und die Regel.

Subjekt	Verb	Akkusativ-Ergänzung
Personalpronomen (NOM)		Personalpronomen (AKK)
Ich	liebe	dich.
Personalpronomen (NOM)		Reflexivpronomen (AKK)
Ich	freue	mich.

	Singular			Plural			
Personalpronomen (NOM)	ich	du	sie/er/es	wir	ihr	sie	Sie
Personalpronomen (AKK)	mich	dich	sie/ihn/es	uns	euch	sie	Sie
Reflexivpronomen (AKK)			*sich*				

1 Verben mit _____ nennt man „reflexive Verben".

Das Reflexivpronomen zeigt zurück auf das _____ : „**Ich** freue **mich**."

2 Reflexivpronomen und _____ sind im _____
gleich.

Ausnahme: das Reflexivpronomen „sich" im _____ .

A 6   **Ergänzen Sie.**

sich amüsieren ◆ sich ärgern ◆ sich beklagen ◆ sich entscheiden ◆ sich entschuldigen (bei) ◆
sich erholen ◆ sich erinnern (an) ◆ sich freuen (auf) ◆ sich wohl fühlen ◆ sich interessieren (für) ◆
sich kümmern (um) ◆ sich setzen ◆ ~~sich verabschieden (von)~~ ◆ sich verändern

Zum Abschied

Lieber Martin,

ich möchte _mich_ von dir _verabschieden_____ .
Du hast _____ in den letzten Jahren sehr _____ .
Früher hast du _____ immer gleich _____ ,
wenn mich ein anderer Mann nur angeguckt hat. Heute
_____ du _____ selbst oft mit anderen
Frauen und _____ _____ kaum noch um mich.
Ich weiß nicht warum, aber ich habe _____ nie

_____ _____ du _____ noch an unseren letzten Urlaub? _____ du _____ noch an unseren letzten Urlaub? Aber
Wir hatten _____ so auf Griechenland _____ . Aber
leider habe ich _____ nicht besonders gut _____ .
Am schlimmsten war der Abend in der Disko. Da war diese
dunkelhaarige Frau. Sie hat _____ neben dich _____ und
stundenlang mit dir geredet. Und du hast _____ den ganzen
Abend nur noch für sie _____ . Ich weiß nicht, ob
ihr _____ habt in dieser Situation. Für mich
war es schrecklich! Später hast du _____ nicht einmal bei mir
_____ .
Es reicht. Ich habe _____ : Ich gehe!

Irene

Hören und vergleichen Sie.

A 7   **Suchen Sie im Kursbuch oder Arbeitsbuch eine Kontaktanzeige, die Ihnen gefällt,
und schreiben Sie einen Antwortbrief.**

B

Allein oder zusammen?

B 1

Was passt zusammen? Markieren Sie.

1	die Forschung		so ist es üblich, das stimmt meistens oder immer
2	der Lehrstuhl		zwei zur selben Zeit von derselben Mutter geborene Kinder
3	die persönliche Biografie		unüblich, das passiert selten
4	das Umfeld		der eigene Lebenslauf
5	der Zufall		der Ort, wo man lebt und arbeitet, wichtige Menschen (Familie, Freunde, Bekannte, Kollegen), gute und schlechte Vorbilder
6	der Faktor		die Stelle eines Universitätsprofessors
7	die Regel		Menschen oder Tiere mit genau gleichen Gen-Informationen
8	die Ausnahme		ein Element, ein Grund (von mehreren)
9	die Zwillinge (Pl.)	1	die Wissenschaft
10	genetisch identisch		man kann es nicht planen – es passiert einfach so

B 2

Lesen Sie zuerst die Aussagen, hören Sie dann das Interview mit Herrn Professor Rehberg und markieren Sie.

2/2

		richtig	falsch
1	Kurt Rehberg ist Verhaltensforscher.	X	
2	Kurt Rehberg lebt und arbeitet in Wien.		
3	„Liebe auf den ersten Blick" ist die Regel.		
4	Literatur und Film stellen die Partnerwahl realistisch dar.		
5	Die meisten Menschen finden ihren Partner in ihrem Umfeld.		
6	Die Forschung bestätigt das Sprichwort „Gegensätze ziehen sich an".		
7	Der Zufall spielt bei der Partnerwahl keine Rolle.		
8	Eineiige Zwillinge sind genetisch identisch und haben deshalb ähnliche Partner.		

B 3

Wie haben Sie Ihren Partner oder Ihre Partnerin kennen gelernt? Wie haben sich Ihre Freunde, Eltern, Großeltern kennen gelernt? Schreiben oder erzählen Sie.

B 4

Lesen Sie das Gedicht zu zweit als Dialog.

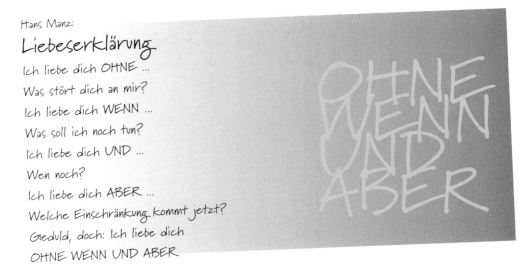

Hans Manz:

Liebeserklärung

Ich liebe dich OHNE ...

Was stört dich an mir?

Ich liebe dich WENN ...

Was soll ich noch tun?

Ich liebe dich UND ...

Wen noch?

Ich liebe dich ABER ...

Welche Einschränkung kommt jetzt?

Geduld, doch: Ich liebe dich

OHNE WENN UND ABER

Wie könnten die Sätze mit OHNE, WENN, UND, ABER weitergehen? Ergänzen Sie.

C1-C2

C

Zwischen den Zeilen

C 1

Verben mit verschiedenen Präpositionen. Ergänzen Sie.

Melde dich doch mal! Ich freue mich **auf** deinen Anruf.
Freust du dich **auf** deinen Geburtstag?

freuen + sich + auf (AKK)
(etwas in der Zukunft)

Schön, dass du dich meldest. Ich freue mich **über** deinen Anruf.
Hast du dich **über** deine Geburtstagsgeschenke gefreut?

_____
(etwas in der Gegenwart oder Vergangenheit)

Du musst dich unbedingt **bei** Silke entschuldigen.

_____
(= Person)

Wieso soll ich mich **für** jede Kleinigkeit entschuldigen?

_____
(= Grund, Anlass)

Hast du dich schon **bei** Tante Klara bedankt?

_____
(= Person)

Tante Klara, ich möchte mich **für** die schönen Blumen bedanken.

_____
(= Grund, Anlass)

C 2

Ergänzen Sie die passenden Verben und Präpositionen.

Paar-Diskussionen ...

- ● Ich habe das Gefühl, dass du dich gar nicht richtig _____ meine Geschenke _____ . Das merke ich, wenn du dich _____ mir _____ . Das kommt nicht richtig „von Herzen".
- ■ Oh Schatz, das tut mir Leid, das ...
- ● Und _____ unseren Urlaub _____ du dich auch nicht. Jedenfalls merke ich nichts davon.
- ■ Oh Schatz, das tut mir wirklich Leid, aber ...
- ● Nein, nein, du brauchst dich gar nicht _____ mir zu _____ . Wenn du dich nicht _____ , dann _____ du dich halt nicht.
- ■ Aber das stimmt nicht. Natürlich _____ ich mich _____ den Urlaub mit dir, und ich _____ mich auch immer _____ deine Geschenke! Ich habe es nur einfach nie gelernt, meine Freude richtig zu zeigen. Du weißt doch, meine Familie war nie besonders herzlich. Wenn mein Vater sich _____ jemandem irgendetwas _____ hat, gab es immer nur ein trockenes „danke". Und er hat nie gesagt oder gezeigt, dass er sich _____ irgendein Ereignis oder _____ irgendein Geschenk _____ .
- ● Ja, ja, du und deine Familie. Ich bin mit dir zusammen, mein Lieber, nicht mit deinem Vater!
- ■ Ach, komm! Ich weiß, ich kann meine Gefühle nicht so gut zeigen – das ist ein Fehler von mir, o.k. Aber warum kannst du es eigentlich nie akzeptieren, wenn ich mich _____ meine Fehler _____ ?

Hören und vergleichen Sie.
Wie geht der Dialog weiter? Sprechen Sie zu zweit oder schreiben Sie.

D1-D

D

Freunde fürs Leben

✳ Verben mit DATIVE *(handwritten)*

D 1

Ergänzen Sie die Antworten.

fragen ◆ ~~glauben~~ ◆ ~~helfen~~ ◆ (die Meinung) sagen ◆ ~~(einen Brief) schreiben~~ ◆
sich verabreden (mit) ◆ vertrauen *trust (handwritten)*

Was machst du, wenn ...

1 deine Freunde Probleme haben? *truth (handwritten)*
2 dir eine Freundin erzählt, dass sie dir die Wahrheit sagt?
3 Freunde dir sagen, dass sie immer für dich da sind?
4 du dich über eine Freund**in** geärgert hast?
5 ein Freund sauer ist und nicht mit dir sprechen will?
6 du von einem Freund wissen willst, was er über dich denkt?
7 du eine Kolleg**in** besser kennen lernen möchtest? *die (handwritten)*

Antworten:

Ich helfe ihnen. *[Personal Pronomen DAT] (handwritten)*
Ich vertraue ihr *DAT (handwritten)*
Ich glaube es ihnen *DAT (handwritten)*
Ich sage ihr meine Meinung *DAT (handwritten)*
Ich schreibe ihm einen Brief *DAT (handwritten)*
Ich würde ihn fragen. *AKK (handwritten)*
Ich verabrede mich mit ihr *DAT (handwritten)*
Ich frage ihn *AKK (handwritten)*

Sortieren Sie die Verben und Präpositionen.

Verb + AKK:	*haben, ... (handwritten)*
Verb + DAT:	
Verb + DAT + AKK oder „dass"-Satz:	*erzählen, (handwritten)*
Präposition + DAT: *mit (handwritten)*	Präposition + AKK: *für (handwritten)*

KURSBUCH D3-D4

D 2

Wir haben Leute auf der Straße gefragt, was für sie „Freundschaft" bedeutet. Lesen Sie die Antworten und sortieren Sie.

common experience (handwritten)
Gemeinsame Erlebnisse: *Holger, Martin (handwritten)*
trust (handwritten)
Vertrauen: *Oliver, Heinrich, Eva Tanja (handwritten)*
Kritik und Offenheit: *Gerda + Walter, Tanja (handwritten)*

Ein guter Freund ist **ein Mensch**, der immer für mich da **ist** und **mit** dem ich über alles sprechen kann.
Oliver, 37 Jahre

Meine besten Freunde kenne ich schon lange. Es ist die gemeinsame Geschichte, die wichtig ist.
Holger, 26 Jahre

Wir sind mit einem Ehepaar befreundet, das wir schon viele Jahre kennen. Sie sind meistens sehr direkt. Das ist nicht immer ganz leicht. Aber es stimmt schon: Man braucht auch Menschen, die einem mal so richtig die Meinung sagen. *Gerda, 54 Jahre, und Walter, 57 Jahre* *to whom DAT (handwritten)*

Ich habe zwei wirklich gute Freundinnen, die ich schon seit meiner Schulzeit kenne und denen ich alles erzählen kann. Und manchmal denke ich, dass echte Freundschaften fast wichtiger sind als Liebesbeziehungen. Sie halten nämlich meistens länger. *Eva, 31 Jahre* *keep (handwritten)*

DAT to whom (handwritten)
Ein Freund ist eine Person, die ich sehr gut kenne und der ich vertrauen kann, auch wenn sie mir vielleicht mal sehr weh getan hat. *Heinrich, 62 Jahre* *weh tun – hurt (handwritten)*

whom (handwritten) *meet with (handwritten)*
Ich habe viele Freundinnen, mit denen ich mich verabrede und ausgehe. Aber eine wirklich gute Freundin, *whom DAT (handwritten)* mit der ich über alles reden kann und die mir ehrlich sagt, was sie über mich denkt, habe ich eigentlich nicht. ... Oder doch, meine Katze Molly! Ich finde sowieso, dass Tiere viel besser zuhören können als Menschen.
Tanja, 16 Jahre *Nom oder AKK? (handwritten)*

who AKK (handwritten)
Ich habe einen Freund, den ich mal vor Jahren im Urlaub auf einer Bergtour kennen gelernt habe. Vier Tage zusammen da oben in den Bergen – das verbindet zwei Menschen. Es war ein sehr intensives Erlebnis, das sehr wichtig für mich war und von dem wir auch heute noch oft sprechen. *Martin, 41 Jahre*

DAT whom (handwritten)

D 3

Lesen Sie die Beispiele und ergänzen Sie.

Die markierten Wörter nennt man Relativpronomen. Sie stehen am Anfang von Relativsätzen. Mit Relativsätzen kann man Personen oder Sachen genauer beschreiben und zusätzliche Informationen geben.

additional

▸ Das Relativpronomen verbindet das Bezugswort im Hauptsatz mit der zusätzlichen Information im Relativsatz.

reference word

Ein guter Freund ist **ein Mensch,** _der_ *immer für mich da ist und mit* _dem_ *ich über alles sprechen kann.*

Hauptsatz   Relativsatz 1   Relativsatz 2

▸ Das Relativpronomen bekommt Genus (*f, m, n*) und Numerus (Singular, Plural) vom Bezugswort im Hauptsatz.

Ein guter Freund ist _ein Mensch_ , ***der*** *immer für mich da ist und mit **dem** ich über alles sprechen kann.*

that

Bezugswort *m Sg* →   Relativpronomen *m Sg*   Relativpronomen *m Sg*

▸ Das Relativpronomen bekommt den Kasus (Nominativ, Akkusativ oder Dativ) vom Verb oder von einer Präposition im Relativsatz.

Ein guter Freund ist ein Mensch, ***der*** *immer für mich da* _ist_ *und* _mit_ ***dem*** *ich über alles sprechen kann.*

that

Relativpronomen NOM   ← sein + NOM   mit + DAT → Relativpronomen DAT

Lesen Sie noch einmal die Aussagen in D2 und markieren Sie Bezugswörter, Verben und Präpositionen.

Relativpronomen

		NOM	AKK	DAT
Sg.	fem.	die	die	der
	mask.	*der*	den	*dem*
	neutr.	das	das	dem
Pl.		die	die	! denen

Ergänzen Sie die Tabelle und die Regeln.

beginnen ◆ Dativ Plural ◆ die Verben ◆ Hauptsatz ◆ rechts ◆
Relativpronomen (2x) ◆ Relativsatz

1 Relativsätze sind Nebensätze, _die Verben_ stehen am Ende.

2 Relativsätze stehen _rechts_ vom Bezugswort, das sie genauer beschreibt.

3 Relativsätze _beginnen_ mit einem Relativpronomen oder mit einer Präposition + Relativpronomen.

4 Das _Relativpronomen_ bekommt Genus (*f, m, n*) und Numerus (Singular und Plural) vom Bezugswort im _Hauptsatz_ und den Kasus vom Verb oder von der Präposition im _Relativsatz_ .

5 _Relativpronomen_ haben dieselben Formen wie die bestimmten Artikel.
Ausnahme: Relativpronomen _Dativ Plural_ = denen

D 4

Ergänzen Sie die Relativpronomen.

Woran denken Sie beim Thema „Freundschaft"?

1 Ich denke an meine Freundin Sarah, _die_ im selben Haus wohnt, _der_ ich bedingungslos vertraue, mit *unconditional* _der_ ich über alles sprechen kann, _die_ ich oft um Rat frage, für _die_ ich alles tun würde.

2 An Karsten. Das ist ein Mensch, _der_ immer für mich da ist, wenn ich Probleme habe, _den_ ich jederzeit
NOM   *AKK*
anrufen kann, auch nachts, _dem_ ich in jeder Situation helfen würde, über _den_ ich nie schlecht
DAT   *AKK*
sprechen würde, von _dem_ ich Ehrlichkeit und Offenheit erwarte.
DAT

3 An Meike und Daniel. Das sind gute Freunde, _die_ wir vor Jahren mal auf einer Party kennen gelernt
AKK
haben, mit _denen_ wir uns früher regelmäßig getroffen haben, _die_ jetzt am anderen Ende der Welt
DAT
leben, _die_ wir leider nur noch selten sehen, _die_ uns immer noch wichtig sind, _denen_ wir
   AKK   *NOM*
regelmäßig Briefe schreiben.
      DAT
      AKK

D 5

Lesen Sie den folgenden Text.

Freundschaft fällt nicht vom Himmel

... Am meisten wünsche ich mir einen Freund. Aber Vater hat gesagt, dass man Freunde nicht kaufen kann.
Freundschaft fällt nicht vom Himmel wie Regen oder Schnee, hat er gesagt. Man muss sie suchen und finden und
festhalten. Und man muss etwas dazu tun, hat er gesagt. Ähnlich wie mit einer Sparbüchse. Nimmt man immer nur
Geld heraus und tut keines hinein, dann ist sie bald leer. Das alles hat Vater gesagt ...   *H. Grit Seuberlich*

Denken Sie an ähnliche Bilder für „Freundschaft" und schreiben Sie einen kleinen Text.

Freundschaft ist wie ...   Freundschaft ist kein ...

*Freundschaft ist wie eine Pflanze, die man regelmäßig gießen und pflegen muss, die zum
Wachsen Sonne und frische Luft braucht und für die der richtige Platz sehr wichtig ist. ...
Freundschaft ist keine Krawatte, die ...*

D5

D 6

2/4

Hören und antworten Sie.

Auf Ihrer Geburtstagsparty sind viele Freunde und Verwandte. Eine Freundin fragt Sie, wer wer ist. Antworten Sie.

● *Wer ist denn der Typ da hinten in der Ecke, der mit dem blauen Pullover?*
 ■ *Das ist mein Freund Sven, → mit dem ich letztes Jahr im Urlaub war.↘*

● *Aha. Und die Frau neben ihm?*
 ■ *Das ist meine Tante Anna, → der ich alles erzählen kann und die immer für mich da ist, ...*

machen Relativ Sätze.

1	Der Typ mit dem blauen Pullover.	Mein Freund Sven. Ich war mit ihm letztes Jahr in Urlaub.
2	Die Frau neben Sven.	Meine Tante Anna. Ich kann ihr alles erzählen und sie ist immer für mich da, wenn ich Probleme habe.
3	Die Frau mit den blonden Haaren.	Meine Nachbarin Jasmin. Ich helfe ihr immer im Garten.
4	Der große Dunkle im Jackett.	Armin. Er war früher mal mein Chef und arbeitet jetzt bei einer anderen Firma.
5	Der Mann mit den lockigen Haaren.	Mein bester Freund, Joachim. Ich kenne ihn schon seit meiner Schulzeit und ich kann ihm völlig vertrauen.
6	Die Frau in den bunten Klamotten.	Silke. Ich habe sie im Spanischkurs kennen gelernt.
7	Die beiden da am Fenster.	Thomas und Michael. Ich habe mal mit ihnen in einer WG gewohnt.
8	Und die drei Frauen an der Tür.	Bekannte. Sie spielen mit mir im Verein Volleyball.
9	Der Mann am Eingang.	Mein Onkel Jürgen. Ich bekomme von ihm jedes Jahr zum Geburtstag einen wunderschönen Blumenstrauß.
10	Und das Pärchen auf dem Sofa.	Eine neue Kollegin mit ihrem Freund. Ich habe sie zum ersten Mal eingeladen und weiß noch nicht so viel über sie.
11	Der Typ mit dem dunklen Hemd.	Mein neuer Nachbar Lars. Ich finde ihn sehr interessant und würde ihn gern näher kennen lernen.
12	Und die lustigen Leute in der Küche.	Das sind Bekannte. Ich spiele mit ihnen in einer Theatergruppe.

club
Verein

E

Frohe Feste

E 1

Was passt nicht? Streichen Sie.

1	eine Einladung	bekommen ◆	annehmen ◆	~~abnehmen~~ ◆	ablehnen
2	dem Gastgeber	annehmen ◆	danken ◆	absagen ◆	zusagen
3	die Gäste	begrüßen ◆	besichtigen ◆	erwarten ◆	einladen
4	zum Geburtstag	gratulieren ◆	feiern ◆	einladen ◆	schenken
5	den Geburtstag	feiern ◆	vergessen ◆	notieren ◆	gratulieren
6	ein Jubiläum	haben ◆	begehen ◆	bekommen ◆	feiern
7	ein Examen	machen ◆	bestehen ◆	feiern ◆	zusagen
8	ein Geschenk	bedanken ◆	besorgen ◆	kaufen ◆	mitbringen
9	die Party	findet statt ◆	beginnt ◆	holt ab ◆	endet

E1-E

E 2

Was passt? Ergänzen Sie.

~~Astrologie~~ *(f)* ◆ Horoskop *(n)* ◆ Krebs *(m)* ◆ Sternenkonstellation *(f)* ◆ Sternzeichen *(n)*

1 die Lehre vom Einfluss der Sterne auf das Leben der Menschen   *die Astrologie*
2 Symbol, das seinen Namen von einer Gruppe von Sternen hat   *das Sternzeichen*
3 jemand, der in der Zeit vom 22. Juni bis 22. Juli geboren ist   *der Krebs*
4 die Position der Sterne bei der Geburt   *die Sternenkonstellation*
5 Aussage über das Leben und die Zukunft eines Menschen   *das Horoskop*

Lesen Sie jetzt Text 1.

(1) Sternzeichen

„Typisch Krebs", sagt H., ein Bekannter aus Heidelberg. Er meint, er erinnert sich noch an meinen Geburtstag: Ende Juni. Wir haben zusammen studiert. Heute ist er erfolgreicher Astrologe. Nach fünfzehn Jahren sehen wir uns zum ersten Mal wieder. Er will sofort ein genaues Horoskop für mich machen. Ich lehne ab.

„Typisch für den Krebs ist seine Liebe zur Kunst", sagt er. Entscheidend für meinen Lebensweg ist also seiner Meinung nach mein Geburtstag gewesen. Und er spricht ständig von Sternenkonstellationen. „Ich habe schon damals in Heidelberg sicher gewusst, dass du trotz des Chemiestudiums in deinem tiefsten Inneren ein Künstler bist. Und was ist dann aus dir geworden, hm? Vielleicht ein Chemiker? Nein, ein Schriftsteller."

Araber feiern vieles, aber Geburtstage nie. Denn wenn man seinen Geburtstag genau kennt, wird man nur älter. Bei Europäern habe ich manchmal das Gefühl, sie sind alle am Bahnhof geboren. Sie wissen nicht nur das Datum, sondern sogar die genaue Uhrzeit ihrer Geburt. H., mein Bekannter, weiß auch die Temperatur und das Himmelsbild dieses Tages.

Als er geht, rufe ich meine Mutter in Damaskus an und frage sie, wann ich geboren wurde, denn ich glaube nicht, was in meinem Pass steht. „Anfang bis Mitte April", antwortet sie. „Die Aprikosen haben geblüht. Wir mussten uns aber wegen der Kämpfe in der Hauptstadt in den Bergen verstecken. Deshalb konnten wir dich erst danach in der Hauptstadt registrieren lassen. Das war dann Ende Juni."

Und ich freue mich schon jetzt auf die nächste Begegnung mit H., dem Astrologen.

(nach: Rafik Schami)

„wegen" und „trotz"
„wegen" und „trotz" sind Präpositionen, sie stehen mit Genitiv.
„wegen" nennt einen Grund (ähnlich wie „weil"-Sätze)
wegen der Kämpfe in der Hauptstadt
wegen des Geburtstags   → ... weil in der Hauptstadt gekämpft wurde.
→ ... weil jemand Geburtstag hat.
„trotz" nennt einen Gegengrund (ähnlich wie „obwohl"-Sätze)
trotz des Chemiestudiums   → ... obwohl du Chemie studiert hast.

E 3

Lesen Sie Text 2 und suchen Sie die passenden Ausdrücke zu diesen Erklärungen.

1 *viele Leute stellen mir immer die gleichen Fragen*   <u>der bekannte Fragesturm schüttelt mich</u>

2 Geburtstagfeiern ist *gut für Geschäfte und Kaufhäuser* _____

3 meine Bekannten *wollen, dass ich genauso wie sie bin* _____

4 der Integrationsversuch *funktioniert nicht* _____

5 *dieses Datum ist für meine Zukunft sehr wichtig* _____

(2) Kein Geburtstag, keine Integration

Bei jeder Geburtstagsfeier in Deutschland, zu der ich eingeladen [invite] werde, ist es dasselbe Theater. Seit einiger Zeit nehme ich Geburtstagseinladungen überhaupt nicht mehr an, weil ich ganz genau weiß, dass der bekannte Fragesturm mich wieder schüttelt, wenn ich hingehe.
– Warum feierst du denn deinen Geburtstag nicht?
– Kannst du dir deinen Geburtstag nicht merken?
– Feiert man in der Türkei keinen Geburtstag? Warum denn nicht?
– Wünscht man sich denn bei euch nichts zum Geburtstag?
– Freust du dich denn nicht über Geschenke?
Ich habe mir jedes Mal eine andere Antwort ausgedacht [fantasised]. „Ich mag nicht", habe ich gesagt, „dass wir uns nur wegen des Geburtstags treffen. „Geburtstagfeiern ist eine Erfindung [invention] der Konsumgesellschaft; wenn wir uns treffen wollen, brauchen wir doch keinen Grund." Es hat alles nichts genützt: Meine deutschen Bekannten können sich ein Leben ohne Geburtstag nicht vorstellen. Ich weiß schon, dass sie mich in ihre Gesellschaft voll integriert sehen wollen. Solange ich aber keinen Geburtstag feiere, scheitert [fail] dieser Integrationsversuch. Es fehlt mir nur dieser Scheiß-Geburtstag. Ich kann meinen deutschen Bekannten die Wahrheit [truth] nicht sagen, weil sie eben nur Bekannte sind und keine Freunde.
Bevor ich nach Deutschland gekommen bin, habe ich nicht gewusst, dass irgendein Tag im Leben eines Menschen so wichtig sein könnte. Meine Zukunft in Deutschland hängt von diesem Datum ab. Aber soviel [as far as] ich weiß, habe ich keinen Geburtstag. In meinem Reisepass steht zwar [indeed] ein Datum, aber das ist nur geschrieben, damit die Deutschen nicht meinen, dass ich noch nicht geboren bin.

(nach: Sinasi Dikmen)

Reflexive Verben für gegenseitige Beziehungen
Einige reflexive Verben drücken im Plural eine gegenseitige Beziehung aus:
*Nach fünfzehn Jahren **sehen wir uns** zum ersten Mal wieder.*
(= **ich** sehe **dich** wieder und **du** siehst **mich** wieder)
*Wenn **wir uns treffen** wollen, brauchen wir doch keinen Grund.*
(= **ich** treffe **euch** und **ihr** trefft **mich**)
*Wie haben **sich** Ihre Eltern **kennen gelernt**?*
(= **Ihr Vater** ↔ **Ihre Mutter**)

Vergleichen Sie die Texte.
Welche Gemeinsamkeiten [community] haben die beiden Autoren? Markieren Sie.

Sie leben in Deutschland. ✓   Sie finden Geburtstage nicht wichtig. ✓

Sie haben nicht die deutsche Nationalität. ✓   In ihren Pässen steht das richtige Geburtsdatum. ✗

Sie haben Probleme mit der Ausländerbehörde [official]. ✗   In ihrer Kultur feiert man Geburtstage nicht. ✓

Wie ist das in Ihrem Land? Sind Geburtstage und Sternzeichen wichtig? Berichten oder schreiben Sie.

E 4

Lesen Sie die Texte noch einmal und ergänzen Sie.

		Reflexiv-pronomen	
1	Er *erinnert*	*sich*	noch an meinen Geburtstag.
2	Nach 15 Jahren *sehen* wir	*uns*	zum ersten Mal wieder.
3	Wir *mussten*	*uns*	wegen der Kämpfe … in den Bergen *verstecken*.
4	Und ich *freue*	*mich*	schon jetzt auf die nächste Begegnung mit H.

		Reflexiv-pronomen		Akkusativ-Ergänzung			

5. *Kannst* du *dir* _____ *deinen Geburtstag* nicht *merken* ?

6. *Wünscht* man *sich* denn bei euch ___*nichts.*___ zum Geburtstag?

7. Ich *habe* ___*mir*___ jedes Mal *eine ändere Antwort ausgedacht* .

Ergänzen Sie die Tabelle und die Regeln.

Reflexivpronomen im Akkusativ und Dativ

Akkusativ ◆ Dativ ◆ eine ◆ keine ◆ Personalpronomen ◆ sich

1. *sich erinnern (an):* Wenn das reflexive Verb _____ weitere Akkusativ-Ergänzung hat, steht das Reflexivpronomen im _____ .

2. *sich (etwas) merken:* Wenn das reflexive Verb _____ weitere Akkusativ-Ergänzung hat, steht das Reflexivpronomen im _____ .

3. Im Akkusativ und im Dativ haben die Reflexivpronomen dieselben Formen wie die _____ .

   Ausnahme: _____ (Singular und Plural)

Personal-pronomen (AKK)	Reflexiv-pronomen (AKK)	Personal-pronomen (DAT)	Reflexiv-pronomen (DAT)
mich	mich	mir	mir
dich	dich	dir	dir
sie/ihn/es	sich	ihr/ihm/ihm	sich
uns	uns	uns	uns
euch	euch	euch	euch
sie/Sie	sich	ihnen/Ihnen	sich

E 5

Ergänzen Sie die passenden Reflexivpronomen.

1. ● Tut mir Leid, dass ich ___*mich*___ so spät melde. Ich habe ___*mich*___ wirklich beeilt, aber es ging nicht früher.
   ■ Schon gut. Aber du solltest ___*dich*___ bei Sonja entschuldigen. Die hat _____ sehr über dich geärgert. [AKK]

2. ● Erinnert ihr ___*sich*___ noch an die Silvesterparty bei Sven?
   ■ Ja, da haben wir ___*uns*___ wirklich gut amüsiert.

3. ● Wünscht Omar ___*sich*___ eigentlich etwas Bestimmtes zur Hochzeit? [DAT]
   ■ Ich weiß nicht. Aber über einen Fernseher würde er ___*sich*___ sicher freuen.

4. ● Kaufst du ___*dir*___ ein neues Kleid für Evas Hochzeit? [DAT] [AKK]
   ■ Ja, aber ich weiß nicht, welches ich nehmen soll. Ich kann ___*mich*___ so schwer entscheiden.

5. ● Freut Mira _____ auch schon so auf Isabels Geburtstag?
   ■ Ich glaube nicht. Auf Geburtstagspartys fühlt sie _____ nie so richtig wohl.

6. ● Interessierst du ___*dich*___ eigentlich für Astrologie?
   ■ Ja, sehr, ich habe ___*mir*___ gerade ein Buch über Horoskope gekauft. [AKK]

7. ● Petra und Karin haben ___*sich*___ was Verrücktes ausgedacht. Sie wollen Kontaktanzeigen aufgeben, um neue Leute kennen zu lernen.
   ■ Was? So aktiv kenne ich die beiden ja gar nicht. Da haben sie ___*sich*___ aber sehr verändert. [changed/alter]

8. ● Habt ihr Lust, ___*sich*___ den neuen Tarantino anzuschauen? Der läuft ab morgen im „Cinema".
   ■ Ja, warum nicht? Aber wir sollten ___*uns*___ rechtzeitig Karten besorgen, das wird bestimmt voll.

Hören und vergleichen Sie. Spielen Sie die Dialoge.

2/5

E5

F

Der Ton macht die Musik

Hören Sie, sprechen Sie nach und markieren Sie.

F 1

Im Deutschen gibt es viele Konsonanten-Verbindungen: Man spricht zwei Konsonanten als Einheit (= direkt hintereinander) – dabei darf man zwischen den Konsonanten keinen Vokal hören.

[pf]	Pfeffer	Schnupfen	Kopf	Pflanze	tropfen	pflegen	Pfund	Äpfel
[kv]	Quatsch	Qualität	Aquarium	quengeln	Quote	quer	Antiquität	Qual
[ts]	ziemlich	Partizip	ganz	Sitz	nutzlos	Sätze	nichts	Rätsel
[ks]	Fax	reflexiv	links	denkst	magst	wächst	sechs	Wechsel

Ergänzen Sie die Regeln.

1 Die Buchstaben-Kombination „pf" spricht man immer _____

2 Die Buchstaben-Kombination „qu" spricht man immer _____

3 Die Lautverbindung **[ts]** schreibt man _z_ , _____ oder _____ *

4 Die Lautverbindung **[ks]** schreibt man _x_ , _____ , _____ oder _____

*[ts] spricht man auch „t" vor „-ion": Lektion, Station, Tradition, traditionell, funktionieren ...

Wo spricht man [ts]? Markieren Sie.

F 2

Hochzeitstag ◆ jetzt ◆ Herz ◆ Konjunktion ◆ Wanze ◆ Zäpfchen ◆ Spezialist ◆ Ergänzung ◆ zart ◆ schmutzig ◆ Platz ◆ verzweifelt ◆ Präposition ◆ Zeug ◆ Schmerzen ◆ Zahnarzt ◆ plötzlich

Hören Sie, sprechen Sie nach und vergleichen Sie.

Üben Sie.

F 3

[pf] Sagen Sie „aapp...", halten Sie den p-Verschluss und ziehen Sie die Unterlippe an die oberen Zähne zurück: „appp..." wird zu „apfff...".
Sagen Sie: Apfel, Äpfel, Pfund, ein Pfund Äpfel ...

[kv] Sagen Sie „akk...", halten Sie den k-Verschluss, legen Sie die Unterlippe an die oberen Zähne und öffnen Sie den Verschluss: „akkk..." wird zu „akvvv...".
Sagen Sie: Aquarium, quer, Quatsch, So ein Quatsch! ...

[ks] Sagen Sie „takk...", halten Sie den k-Verschluss für einen Moment und sprechen Sie dann ein stimmloses „s": „takkk..." wird zu „takkksss...".
Sagen Sie: unterwegs, sechs, Taxis, unterwegs mit sechs Taxis ...

[ts] Sagen Sie „gehtt...", halten Sie den t-Verschluss und lösen Sie ihn dann vorsichtig: „gehtt..." wird zu „gehttss...".
Sagen Sie: Wie geht's?, Franz, stets, zusätzlich, Portion, Pizza, Franz isst stets eine zusätzliche Portion Pizza ...

Wählen Sie einen Dialog oder ein Gedicht und üben Sie.

F 4

Komplizierte Sätze
Magst du Sätze mit Konjunktionen,
Partizipien und Wechselpräpositionen,
Präpositonalergänzungen und reflexiven Verben?
So ein Quatsch! Dieses nutzlose Zeug ist eine Qual –
auch Sätze mit Plusquamperfekt sind ganz unbequem!

Wechselhafte Gesundheitszustände
Ich hab' ziemliche Zahnschmerzen ...
Quengeln nutzt nichts – geh zum Zahnarzt!
Jetzt hab' ich plötzlich zusätzlich Kopfschmerzen ...
Nimm ein Zäpfchen oder Kopfschmerztabletten!
Das ist mir ein Rätsel: diese Schmerzen am Herzen ...
Geh zum Herzspezialisten – oder rufe i h n an!

Zungenbrecher
Wenn wegen Schnupfen Tropfen tropfen,
dann pfleg den Kopf mit Schnupfentropfen.

Max ist kein fixer Faxer –
fixe Faxer faxen sechs Faxe viel fixer
als Max sechs Faxe faxt.

Pflanzen mit Wanzen fehlt Pflanzenpflege,
die gepflegte Pflanze wächst ohne Wanze!

Geschichten vom Franz:
Wie der Franz ein echtes Liebesproblem löste
von Christine Nöstlinger (Zeichnungen von Erhard Dietl)

G 1

Schauen Sie sich noch einmal die „Geschichten vom Franz" aus den Lektionen 1–3 an und schreiben Sie eine Kontaktanzeige für Franz.

Arbeiten Sie zu dritt oder zu viert und vergleichen Sie.

G 2 **Wen liebt der Franz? Wer war bei der Party? Lesen und unterstreichen Sie.**

Der Franz liebt viele Menschen. Seine Mama und seinen Papa liebt er. Seine Oma und seinen großen Bruder, den Josef, liebt er. Die Gabi, die in der Wohnung nebenan wohnt, liebt er. Den Eberhard Most, der mit ihm in die Klasse geht, liebt er. Und dann liebt er noch drei Tanten. Und weil die Mama, der Papa, die Oma, der Josef, die Gabi, der Eberhard, die drei Tanten den Franz auch lieben, hat der Franz mit der Liebe keine großen Probleme. Nur einmal, da steckte der Franz bis über beide Ohren in einem Liebesproblem. Bei der Geburtstagsfeier von der Gabi fing das Problem an. Eine Menge Kinder waren eingeladen. Der Franz war natürlich auch da. Extra eingeladen war er nicht. Er gehörte ja fast zur Gabi-Familie. Seit ein paar Monaten aß er sogar an den Schultagen bei der Gabi zu Mittag. Weil die Mama ja bei der Arbeit war. Am Nachmittag und am Sonntag war er auch oft bei der Gabi. Wenn der Franz nicht daheim war und ihn jemand suchte, konnte er ihn meistens bei der Gabi finden. Hin und wieder stritten der Franz und die Gabi auch. Doch lange waren sie aufeinander nie böse.
Bei dieser Party nun war auch die Sandra. Ein paar Tage vor der Party hatte die Gabi mit ihr in der Schule Freundschaft geschlossen. Das hatte den Franz nicht gestört. Die Gabi ging in eine andere Klasse. Und mit wem sie in den Pausen kicherte und ihr Pausenbrot teilte, war dem Franz egal.
Doch auf der Party dann störte ihn diese Freundschaft sehr. …

G 3 **Was war das Liebesproblem vom Franz? Wie hat er es gelöst?**
Wie geht die Geschichte weiter? Raten Sie und machen Sie Notizen.

sich nur noch / nicht mehr um (jemand) kümmern ◆
nur noch / nicht mehr mit (jemand) spielen ◆
keine Zeit mehr für (jemand) haben ◆

(jemand) ignorieren ◆
auf (jemand) sauer / eifersüchtig / wütend sein ◆
(jemand) eifersüchtig machen ◆
sich bei (jemand) entschuldigen

 Hören und vergleichen Sie.

G 4
Franz
4

Was sagt wer zu wem? Hören Sie noch einmal und markieren Sie.

Was?	Wer = X	zu wem? = O	Franz	Gabi	Sandra	Franz-Mama	Franz-Papa	Gabi-Mama
1 „Ab jetzt komme ich oft zu dir, Liebling!"				O	X			
2 „Jedes Mädchen braucht eine Freundin."								
3 „Die Gabi ist sowieso eine Beißzange."								
4 „Das darfst du nicht hören!"								
5 „Für einen Prinzen bist du viel zu klein!"								
6 „Ein Bub braucht auf ein Mädchen nicht eifersüchtig zu sein."								
7 „Ich liebe die Gabi nicht mehr!"								
8 „So ein Spinner, der Franz! Ich hab keine Ahnung, warum er sich so blöd benimmt."								
9 „Die Gabi hat dich sehr lieb. Glaub mir. Sie merkt bloß nicht, dass sie dir wehtut. Sie hat das noch nie selbst durchgemacht."								
10 „Ich werde ihr beibringen, es zu merken!"								
11 „Warten wir auf die Sandra. Ohne die mag ich nicht spielen. Mit der Sandra ist es viel, viel lustiger!"								
12 „He, Franz, ich bin auch noch da!"								
13 Du bist heute der Prinz. Und der Prinz ist heute krank! Leg dich ins Bett und röchle!"								
14 „Geht heim! Alle beide! Aber sofort!"								
15 „Was hat sie denn auf einmal?"								
16 „Sie hat es gemerkt, und jetzt macht sie es selber durch!"								
17 „Es tut mir ja so Leid. Ich war in der letzten Zeit wirklich nicht sehr nett zu dir!"								
18 „Gerechter aufteilen musst du die Liebe zwischen der Sandra und mir!"								
19 „Da kämst du aber schlecht weg. Weil ich dich doch in Wirklichkeit zehnmal so lieb habe wie sie!"								

G 5

Schreiben oder erzählen Sie die Geschichte mit eigenen Worten.
Oder arbeiten Sie in Gruppen und spielen Sie die Geschichte.

Der Franz liebt viele Menschen, auch die Gabi, die in der Wohnung nebenan wohnt. Jeden Tag war er bei Gabi, er gehörte schon fast zur Familie.
Bei Gabis Geburtstagsfeier fing das Problem an. Da waren viele Kinder und auch Gabis neue Schulfreundin Sandra. In der Schule hatte diese Freundschaft den Franz nicht gestört, aber auf der Party störte sie ihn sehr. …

kurz & bündig

Ergänzen Sie die Sätze.

Partnerschaft ist, *wenn* _____

Liebe ist, *wenn* _____

Freundschaft ist, *wenn* _____

Reflexivpronomen im Akkusativ

Freust du _____ – dann freu ich _____

Freut er _____ – dann freut sie _____

Freut ihr _____ – dann freuen wir _____

Was für eine Freude!

Schreiben Sie weitere Gedichte zu: *sich ärgern, sich entschuldigen, sich wohl fühlen …*

Reflexivpronomen im Dativ

Wunschzettel

Ich wünsche _____ ein____ _____ .

Du wünschst _____ ein____ _____ .

Er wünscht _____ ein____ _____ .

Sie wünscht _____ ein____ _____ .

Wir wünschen _____ ein____ _____ .

Ihr wünscht _____ ein____ _____ .

Sie wünschen _____ ein____ _____ .

So viele Wünsche! Wer soll das bezahlen?

Schreiben Sie weitere Gedichte zu: *sich (etwas) kaufen, sich (etwas) besorgen, sich (etwas Neues / Interessantes / …)*
ausdenken …

Relativpronomen

Beschreiben Sie einen guten Freund oder eine gute Freundin.

Das ist ein Mensch, …   Das ist eine Person, …

der _____   *die* _____

den _____   *die* _____

dem _____   *der* _____

über den _____   *über die* _____

für den _____   *für die* _____

von dem _____   *von der* _____

mit dem _____   *mit der* _____

Meine Regel für die Relativpronomen

_____

_____

Sie machen eine Einweihungsparty in Ihrer neuen Wohnung.
Schreiben Sie eine Einladung.

_____

_____

Interessante Ausdrücke

_____

_____

_____

Fantastisches Unheimliches

A

Das ist ja unheimlich!

A 1

Was passt zusammen? Sortieren Sie.

Außerirdische der, -n ◆ Engel der, - ◆ Fee die, -n ◆ Geist der, -er ◆
Hellseher der, - ◆ Hexe die, -n ◆ Ufo das, -s ◆ Vampir der, -e

1	*das Ufo, -s*	*g*
2		
3		
4		
5		
6		
7		
8		

a) himmlische Wesen
b) Sie lieben Blut.
c) Sie sehen die Zukunft voraus.
d) Sie können zaubern und tun Gutes.
e) Sie kommen um Mitternacht.
f) Sie tun Böses.
g) eine Art Flugzeug
h) Sie kommen von einem anderen Stern.

A 2

Was gibt es wirklich? Was ist erfunden?

... gibt es   ... gibt es nicht   ...gibt es vielleicht

Diskutieren Sie in Gruppen.

A2-A5

Hören Sie und machen Sie Notizen.

2/12

1 Herr Helmer

3. September, lange am Computer, mit Hund raus, großes weißes Licht, Flugzeug? Angst, nicht wegrennen können, Ufo landete, Hund zum Raumschiff, 2 Leute aus Raumschiff mit silbernen Raumanzügen, nahmen ihn mit, bewusstlos, einen Monat später: Spaziergänger fanden ihn; Brief und Kugel, Krankenhaus, untersucht, nichts mehr wissen, alles im Brief

2 Frau Sander

3 Karlheinz Müllermann

4 Frau Burger

5 Sabine

Berichten oder schreiben Sie mit den Stichwörtern über die Erlebnisse einer Person.

A 4   **Ergänzen Sie die Sätze.**

> um den Lottoschein abzugeben ◆ vielleicht um einen Landeplatz zu suchen ◆
> um ihn zurückzuhalten ◆ um sich das Ufo aus der Nähe anzuschauen ◆
> um die Polizei anzurufen ◆ um auf sich aufmerksam zu machen ◆ um ihr zu helfen ◆ um abzuwarten ◆
> ~~um mit ihnen gemeinsam dieses Thema zu diskutieren~~ ◆ um sich die Beine zu vertreten ◆
> um ihr von den mysteriösen Vorfällen zu berichten ◆ um zu sehen ◆
> um sie auf eine Reise mitzunehmen ◆ um einen Teil des Geldes zu holen

1   Wir haben einige Experten, die sich mit dem Thema Ufos lange beschäftigt haben, ins Studio eingeladen, *um mit ihnen gemeinsam dieses Thema zu diskutieren* .

2   Herr Helmer ging abends noch einmal raus, _____ .

3   Er blieb stehen, _____ , was passiert.

4   Das Ufo blieb in der Luft stehen, _____ .

5   Er rief seinem Hund: „Halt, Waldi, bleib hier!", _____ .

6   Frau Sander ist rausgegangen, _____ .

7   Sie ist ins Haus zurückgegangen, _____ .

8   Dann ist sie zum Fenster gerannt, _____ , ob das Ufo noch im Garten steht.

9   Sie hat die Polizei angerufen, _____ .

10 Herr Müllermann meint, dass ein paar Leute irgendwas erfinden, _____

_____ .

11 Außerirdische kamen zu Frau Burger, _____

_____ .

12 Sie kamen, _____ .

13 Sabine ging zur Lotto-Annahmestelle, _____ .

14 Die Außerirdischen haben sich nicht gemeldet, _____ .

Hören Sie noch einmal und vergleichen Sie.

2/12

A 5

Markieren Sie die Verben in A4 in den „um … zu + Infinitiv"-Sätzen und ergänzen Sie die Regeln.

Hauptsatz,	Nebensatz (Finalsatz)	
Aussage 1	Aussage 2	
	um	zu + Infinitiv
	→ Ziel/Absicht	
Herr Helmer ging noch mal raus,	**um** sich die Beine	**zu** vertreten.

Hauptsatz ◆ zu ◆ Absicht

1 Sätze mit „um … zu + Infinitiv" heißen Finalsätze. Mit einem Finalsatz drückt man ein Ziel, eine _____ aus.

2 Im „um zu + Infinitiv"-Satz steht kein Subjekt. Das Subjekt im _____ gilt auch für den „um … zu + Infinitiv"-Satz.

3 Bei trennbaren Verben steht _____ nach der Vorsilbe (ab**zu**geben).

A 6

Ergänzen Sie die Sätze.

1 Ich lerne Deutsch, …
2 Ich lese jeden Tag die Zeitung, …
3 Ich brauche mein Auto, …
4 Ich fahre in die Stadt, …
5 Ich rufe meinen Bruder an, …
6 Ich bleibe zu Hause, …
7 Ich wandere aus, …
8 Ich lege mich in die Sonne, …
9 Ich schließe alle Fenster, …

A 7

Lesen Sie die Schlagzeilen und den Text.

KURSBUCH
A6-A7

Gestern Abend im Fernsehen:
Millionen Zuschauer sahen Ufo landen

Sie waren gekommen, um mich zu holen

Mann von Außerirdischen entführt
nach 4 Wochen zurückgebracht – völlig verstört

Das unheimliche Haus
Jede Nacht um 24 Uhr kamen die Geister – Familie musste ausziehen

Mann von Außerirdischen entführt
nach 4 Wochen zurückgebracht – völlig verstört

Wann?
Wer?
Wo?
Was?

Am 3. September fanden Spaziergänger den völlig verstörten Walter H. Er lag bewusstlos am Main. Er hatte nur einen Brief und eine seltsame Kugel aus Glas in der Tasche. Man brachte ihn ins Krankenhaus. Dort untersuchte man Herrn H. Er konnte sich zunächst an nichts erinnern, nicht einmal an seinen Namen. In dem Brief fand man aber Name, Adresse und Beruf des Mannes. Nach und nach kam dann seine Erinnerung zurück: Außerirdische waren direkt vor ihm gelandet, als er mit seinem Hund am Main spazieren ging. Sie nahmen ihn mit zu ihrem Stern und brachten ihn einen Monat später wieder zur Erde zurück. Sein Hund ist bis zum heutigen Tag verschwunden. An Einzelheiten kann Herr H. sich bis heute nicht erinnern.

Schreiben Sie dann einen kurzen Zeitungsbericht zu einer Schlagzeile.

KURSBUCH
B1-B4

Ein Blick in die Zukunft

Wie heißen die Erfindungen und Entdeckungen? Sortieren Sie.

Antibiotikum *(n)* ◆ Kernspaltung *(f)* ◆ Automobil *(n)* ◆ Buchdruck *(m)* ◆ Computer *(m)* ◆
Dampfmaschine *(f)* ◆ DNA *(f)* ◆ Dynamit *(n)* ◆
elektrisches Licht *(n)* ◆ Relativitätstheorie *(f)* ◆ Telefon *(n)*

1 Telefon,

Wie hat sich das Leben durch diese Erfindungen bzw. Entdeckungen verändert? Diskutieren oder schreiben Sie über einige.

Durch die Erfindung des Telefons hat sich das Leben der Menschen sehr verändert. Früher haben sich die Leute viel öfter besucht. Heute telefoniert man nur kurz und fragt: Wie geht's? Das finde ich schade.

Heute kann man ganz einfach mit Freunden und Verwandten auf der ganzen Welt sprechen. Das ist wunderbar.

...

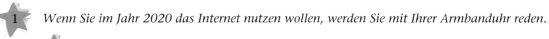
B 2

Was wird es in Zukunft geben? Lesen Sie die Aussagen und sprechen Sie darüber.

1 *Wenn Sie im Jahr 2020 das Internet nutzen wollen, werden Sie mit Ihrer Armbanduhr reden.*

2 *Der Laptop-Computer wird mit dem Mobiltelefon verschmelzen und Platz in einer Krawattennadel finden.*

3 *Sie werden Urlaub auf dem Mond machen können.*

4 *Brillen werden Kameras und Bildschirme enthalten, über die man Videokonferenzen abhalten kann. Damit werden Sie am Strand sitzen und an einer Besprechung im Büro teilnehmen können.*

5 *Die Brille wird auch die Fähigkeit haben, Gesichter wieder zu erkennen. Sie kann Ihnen auf einer Party Namen Ihrer Gesprächspartner und deren komplette Biografie zuflüstern.*

6 *Heute können Sie unbemerkt an einem Herzinfarkt sterben. In Zukunft wird Ihre Kleidung den Puls kontrollieren und einen Krankenwagen rufen, wenn Ihnen etwas zustößt.*

7 *Die Menschen werden gegen jede Krankheit ein wirksames Medikament haben.*

8 *Computer werden so selbstverständlich wie Lichtschalter sein.*

9 *Die Menschen werden nicht mehr arbeiten müssen.*

10 *Es ist nicht vorstellbar, dass es in 20 Jahren denkende Roboter geben wird.*

11 *Wir werden mit allen möglichen elektronischen Geräten in einer sehr primitiven Sprache sprechen können. Wir können davon ausgehen, dass die Geräte einen Wortschatz von vielleicht 50 000 Wörtern haben werden, aber sie werden nur einfache Kommandos verstehen.*

12 *Unser Kühlschrank wird intelligenter als wir sein.*

Welche Aussagen über die Zukunft sind von Herrn Gako? Hören Sie das Interview und ergänzen Sie.

Aussagen von Herrn Gako:

Sätze: *1,* _____

Was finden Sie gut? Was würden Sie kaufen? Diskutieren Sie zu viert oder schreiben Sie.

B 3

Markieren Sie alle Verben in B2 und ergänzen Sie die Regeln.

Position 2 ◆ Präsens ◆ Satzende ◆ werden

Das Futur I

1 In der Regel benutzt man im Deutschen, wenn man über die Zukunft spricht, das _____ – mit entsprechenden Zeitangaben (morgen, in einer Woche, nächstes Jahr …). Nur manchmal (z.B. in schriftlichen Texten oder bei offiziellen Anlässen, für Pläne, Prognosen und Versprechen) benutzt man dafür das Futur I.

2 Das Futur I bildet man mit _____ und dem Infinitiv.

3 Im Hauptsatz steht „werden" auf _____ , der Infinitiv oder der Infinitiv + Modalverb im Infinitiv am Satzende.

4 Im Nebensatz steht „werden" nach dem Infinitiv am _____ .

Sprechen oder schreiben Sie über die Zukunft.

Im nächsten Jahrtausend werden die Menschen Urlaub auf dem Mond machen. Auf dem Mond wird es Hotels und Restaurants geben.

Im Jahr 2050 wird es Roboter geben, die alle Haushaltsarbeiten machen. Sie werden die Wäsche waschen und aufhängen. Sie werden …

B5-B6

C

Der Ton macht die Musik

Hören und vergleichen Sie.

C 1

2/14

Es gibt im Deutschen einige Laute, die man leicht verwechseln kann.

Vergleichen Sie:	Juli	[l]	Juni	[n]
	leise	[l]	Reise	[r]
	Mehl	[l]	mehr	[ɐ]

„l", „n" oder „r"? Hören und markieren Sie.

C 2

2/15

	[l]	[n]		[l]	[n]		[l]	[r]		[l]	[ɐ]
1			7			13			19		
2			8			14			20		
3			9			15			21		
4			10			16			22		
5			11			17			23		
6			12			18			24		

C 3
2/16

Atmen Sie tief ein
und sagen Sie
„nnnnnnnnnnn".

Üben Sie.

Sagen Sie weiter „nnnnnnnnnn" und halten Sie sich die Nase
fest zu. Aus „nnnnnn" wird „lllllllllll".

Sagen Sie: la-la-lachen, le-le-leben, lie-lie-lieben, lo-lo-loben,
lu-lu-lustig
erst nach links, dann leicht rechts

C 4
2/17

Hören Sie und sprechen Sie nach.

Wand – Wald	Zahn – Zahl	Hans – Hals	Anne – alle	Nacht – lacht
von – voll	Neid – Leid	nass – lass	Kohl – Chor	
Rücken – Lücken	rockig – lockig	Regen – legen	Regal – legal	reiten – leiten
riet – Lied	Gras – Glas	Schrank – schlank	Kreis – Gleis	
wahr – Wahl	Herr – hell	vier – viel	hart – halt	Worte – wollte

Makler	Fehler	Lehrling	Riesling	Kartoffel	Schnitzel	Schachtel
klingeln	wechseln	Vokabeln	ähnlich	ehrlich	endlich	unheimlich

C 5

Ergänzen Sie „l", „n" oder „r" und sprechen Sie.

Früh _l_ ing	p__ima	Gefüh__	Inse__	Inse__at	Tech__ik
K__ima	t__effen	künst__ich	Compute__	Enge__	si__gen
büge__n	sch__afen	He__z	Küh__e	__echts	__inks
a____ein	____eer	de__ __	übe__a__ __	__aut__os	Sti__ __e
p__ötz__ich	ve__wechse__n	schne____	sp__echen	__äche__n	he____

Hören und vergleichen Sie.
2/18

C 6
2/
19-23

Wählen Sie ein Gedicht und üben Sie. Dann lesen Sie vor.

Zukunftsprognosen
Computer lernen, sprechen, denken,
sie leiten und lenken
ohne Gefühle:
Nie weinen, lächeln, lachen, schlafen,
immer wachen
in liebloser Kühle.
Überall Glas statt Gras,
überall künstliches Licht,
doch Leben findet man nicht.
Unheimliche Stille,
die Welt wirkt leer –
gibt es denn gar keine Menschen mehr?

Prima Klima
Alle mögen Anne.
Anne mag uns alle.
Alle mögen alle.
Prima Klima!

Zungenbrecher
Blaukraut bleibt Blaukraut
und Brautkleid bleibt Brautkleid.

In Ulm, um Ulm
und um Ulm herum

Geisterstunde
Letzte Nacht um Mitternacht
bin ich plötzlich aufgewacht.
Ich sah ein Licht,
es war ganz hell,
mein Herz schlug schnell –
mehr weiß ich nicht.
Ich fühlte, ich war nicht allein:
Ich war umgeben
von lautlosem Leben –
dann schlief ich wieder ein.

lichtung
(von Ernst Jandl)
manche meinen
lechts und rinks
kann man nicht
velwechsern.
werch ein illtum* !

*Irrtum ≈ Fehler

Krankheiten und Heilmittel

Was machen Sie, wenn Sie krank sind? Welche Hausmittel nehmen Sie?

Üben Sie zu viert oder schreiben Sie.

> heißen Tee mit Zitrone trinken ◆ Joghurt auf die Haut machen ◆ ein Bier trinken ◆
> eine Zwiebelscheibe auf die Stelle legen ◆ Cola trinken und Salzstangen essen ◆
> ein Stück Würfelzucker mit etwas Wasser auf die Stelle geben ◆ lange schlafen ◆
> den Kopf nach hinten legen ◆ die Luft anhalten ◆ heiße Milch mit Honig trinken ◆
> die Hand / den Fuß ... unter kaltes Wasser halten ◆ einen Eisbeutel auf die Stelle legen ◆
> Halswickel / Wadenwickel machen ◆ ein heißes Bad nehmen ◆ inhalieren ◆ ...

Was machen Sie, → wenn Sie Sonnenbrand haben? ↗
  Wenn ich einen Sonnenbrand habe, → dann mache ich Joghurt auf die Haut ↘. Das ist schön kühl
und hilft immer ganz schnell. Und was machst du? ↗
    Ich habe eine sehr gute Creme gegen Sonnenbrand. ↘
      Wenn ich Sonnenbrand habe, mache ich gar nichts. ↘ Das geht auch so wieder weg. ↘
        ...

1   einen Sonnenbrand haben

3   Durchfall haben

5   Nasenbluten haben

2   eine Biene hat gestochen

4   eine Beule haben

6   Schluckauf haben

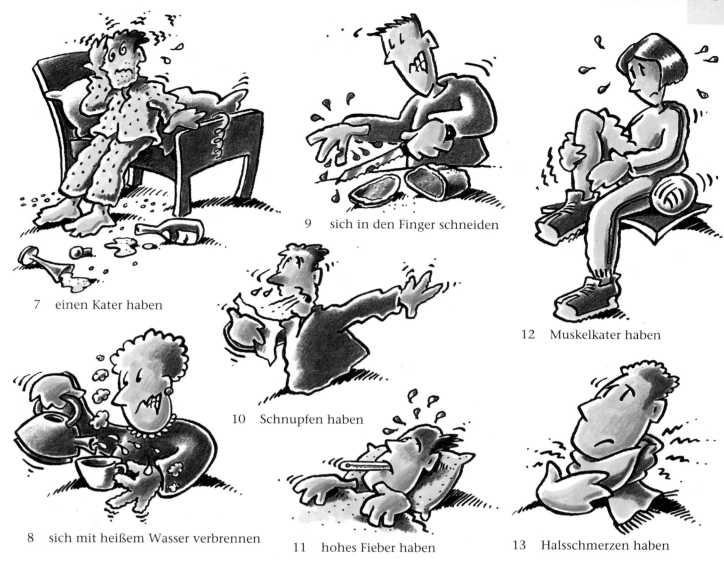

7 einen Kater haben

8 sich mit heißem Wasser verbrennen

9 sich in den Finger schneiden

10 Schnupfen haben

11 hohes Fieber haben

12 Muskelkater haben

13 Halsschmerzen haben

Was passt zusammen?

1 Migräne
2 Asthma
3 Neurodermitis
4 Hexenschuss
5 Heuschnupfen
6 Schlafstörungen
7 Depressionen
8 Nervosität

a) starke Kopfschmerzen
b) man ist sehr traurig und mutlos – ganz ohne Grund
c) unruhig, hektisch
d) Schnupfen durch allergische Reaktionen
e) man kann nachts nicht gut schlafen
f) stark juckende Hautkrankheit
g) starker Schmerz im Rücken, man kann sich nicht mehr bewegen
h) starker Husten

Sortieren Sie und ergänzen Sie weitere Krankheiten.

Infektionen	Allergien	andere Krankheiten
Schnupfen	Heuschnupfen	Migräne

Erinnern Sie sich?

wenn = Nebensatz
Wenn man auf den Auslöser drückt, macht man ein Foto.
„Wenn"-Sätze sind Nebensätze. Mit „wenn" nennt man den (zeitlichen) Auslöser für die Aussage im Hauptsatz.

Aufgaben

Wo stehen das Verb und das Subjekt im „wenn"-Satz?
Welche Nebensätze kennen Sie noch?
„Wenn" oder „wann"? Erklären Sie den Unterschied und geben Sie ein paar Beispiele.

D1-D5

Sprechstunde

1 ____ Seit drei Jahren leide ich an Schwindel. Ich war bei vielen Ärzten, aber keiner konnte eine Ursache dafür feststellen. Es ist immer dasselbe: Sie hören sich kurz meine Probleme an, dann <u>werde</u> ich zu irgendeiner Untersuchung in ein Krankenhaus oder zu einem Spezialisten <u>geschickt</u>. Ich werde überhaupt nicht ernst genommen. Ich weiß wirklich nicht mehr, was ich tun soll. Können Sie mir helfen?

Sabine S., Düsseldorf

2 ____ Ich habe seit meiner Jugend sehr starken Heuschnupfen. Meine Augen schwellen an, ich bekomme kaum mehr Luft, und im Gesicht habe ich dicke rote Flecken. Ich reagiere auf sehr viele Stoffe allergisch. Jahrelang habe ich Cortison bekommen, drei Hautärzte haben alles in allem 14 Jahre lang an mir herumgedoktert – ohne Erfolg. Ich habe nun von einer Freundin gehört, dass Heuschnupfen mit einer Eigenbluttherapie behandelt werden kann. Was halten Sie von dieser Methode? Soll ich Sie ausprobieren?

Peter Schober, Frankfurt

3 ____ Seit sechs Monaten leide ich an starken Bauchkrämpfen und habe immer wieder Durchfall. Ich war bei verschiedenen Internisten, die alle möglichen Untersuchungen gemacht haben. Aber sie konnten nichts finden. Ein Internist gab mir folgenden Rat: „Achten Sie etwas auf Ihre Ernährung und essen Sie nichts aus der Pfanne." Damit kann ich nichts anfangen. Ich ernähre mich gesund. Ich esse kein Weißbrot, keinen Industriezucker, trinke keinen Alkohol und wenig Kaffee. Ich habe keine Lust mehr, immer nur untersucht oder geröntgt zu werden. Was soll ich jetzt tun?

Jan H., Gelsenkirchen

4 ____ Jedes Jahr im Winter habe ich eine Erkältung nach der anderen. Ich komme überhaupt nicht zur Ruhe. Wenn ich zum Arzt gehe, werden mir meistens Antibiotika verschrieben. Ich fühle mich dann immer sehr schwach und ausgelaugt. Bisher konnte mir kein Arzt weiterhelfen. Ich bin total ratlos.

Franziska Hase, Duisburg

Frau Dr. Sommer rät:

Hatten Sie in letzter Zeit viel Stress und viele Sorgen? Dann sollten Sie darüber nachdenken, ob Sie vielleicht einen Psychotherapeuten aufsuchen sollten. Schwindel ist oft ein Ausdruck von tief sitzenden Ängsten. Durch Gespräche mit einem Therapeuten können diese Ängste bewusst gemacht und behandelt werden. Auch ein Heilpraktiker wird Ihnen weiterhelfen können. ——— A

Sie sollten trotz schlechter Erfahrungen zum Arzt gehen. Aber zu einem, der sich auch mit alternativen Heilmethoden auskennt. Eine Möglichkeit, wie Ihre Darmerkrankung behandelt werden kann, ist die Symbioselenkung. Sie nehmen dabei ein spezielles Medikament (bestimmte Darmbakterien) ein. Mit Hilfe dieser Bakterien wird Ihr Darm saniert. Sie brauchen aber viel Geduld, Sie müssen das Mittel längere Zeit nehmen. ——— B

Ihr Immunsystem ist geschwächt. Sie sollten auf jeden Fall auf eine vitaminreiche Ernährung achten. Viel frische Luft und viel Bewegung sind auch hilfreich, um das Immunsystem zu stärken. Sie können auch bei einer Heilpraktikerin eine Eigenbluttherapie beginnen. Bei dieser Therapieform wird Ihnen etwas Blut aus der Armvene entnommen und sofort in den Gesäßmuskel eingespritzt. Die Behandlung muss mehrmals durchgeführt werden. Sie bringt aber bei den meisten Patienten gute Erfolge. ——— C

Ich halte sehr viel von der Eigenbluttherapie. Gerade bei chronischen oder immer wieder auftretenden Krankheiten wie zum Beispiel Heuschnupfen, Asthma, Magen- und Darmgeschwüren und Neurodermitis wird sie mit gutem Erfolg angewendet.
Probieren Sie es aus. Am Anfang kann es aber sein, dass Sie nach den Spritzen leichtes Fieber bekommen und Ihre Beschwerden sich zunächst verschlimmern. Diese Reaktion ist erwünscht: Danach setzt die Heilung ein. ——— D

Frage	1	2	3	4
Antwort				

D 4 **Markieren Sie alle Sätze mit „werden" und ergänzen Sie einige Sätze und die Regeln.**

Hauptsatz	Verb 1		Verb 2
1 *dann*	*werde*	*ich zu irgendeiner …*	*geschickt.*
2			
3			
4			

Nebensatz		Verben
1		
2		
3		

Partizip Perfekt ◆ Passiv-Hauptsatz ◆ Personen ◆ werden ◆ Passiv-Nebensatz

Das Passiv

1 Das Passiv kann überall dort vorkommen, wo es um Beschreibungen von Handlungen und Prozessen geht. Die handelnden _____ sind nicht wichtig, nicht bekannt oder nicht vorhanden.

2 Das Passiv bildet man mit „werden" + dem Partizip Perfekt; _____ steht auf Position 2 und das _____ am Satzende.

3 Im _____ mit Modalverb steht das Modalverb auf Position 2 und das Partizip Perfekt + „werden" im Infinitiv am Satzende.

4 Im _____ stehen die Verben am Ende. Die Reihenfolge ist:
Partizip Perfekt + „werden" *oder* **Partizip Perfekt + „werden" (Infinitiv) + Modalverb**

D 5 **Was wird hier gemacht? Schreiben Sie.**

Eigenbluttherapie
a) Blut entnehmen/abnehmen aus der linken Armvene
b) Blut in den rechten Gesäßmuskel einspritzen

inhalieren
c) heißes Wasser und Kamillenblüten in einen Topf geben
d) ein Handtuch über den Kopf legen und den heißen Dampf inhalieren

Wadenwickel
e) Tücher und kaltes Wasser bereitstellen
f) die nassen Tücher um die Waden wickeln und den Patienten gut zudecken

Eigenbluttherapie

a) Zuerst wird Blut aus der Armvene entnommen.

b) Dann

Inhalieren

Hören und antworten Sie.

Sie arbeiten in einer Arztpraxis. Die Praxis muss umziehen. In der Woche, in der der Umzug ist, muss Ihre Chefin an einem Kongress teilnehmen. Sie ruft Sie aber an und möchte wissen, wie weit der Umzug ist. Antworten Sie.

■ *Hier Praxis Dr. Grandel, guten Tag.*
● *Guten Tag, Frau Behring. Ich wollte mal hören, wie der Umzug läuft. Klappt alles?*
■ *Ach ja, es sieht ganz gut aus.*
● *Na, prima. Sind die Computer schon ausgepackt?*
■ *Nein,* → *die* **müssen** *noch* **ausgepackt werden.** ↘
● *Ach so. Die müssen noch ausgepackt werden. Und was ist mit dem Faxgerät? Ist das Faxgerät schon angeschlossen?*
■ *Nein,* → *tut mir Leid. Das* **muss** *noch* **angeschlossen werden.** ↘
● *Das muss noch angeschlossen werden. Ist das Praxisschild wenigstens schon angebracht?*

1 Computer schon ausgepackt?	8 Fenster schon geputzt?
2 Faxgerät schon angeschlossen?	9 die neuen Gardinen schon abgeholt?
3 Praxisschild schon angebracht?	10 Lampen schon aufgehängt?
4 Patienten benachrichtigt?	11 Labor schon eingerichtet?
5 Visitenkarten bestellt?	12 Telefon in der alten Praxis abgemeldet?
6 Bilder schon aufgehängt?	13 Zimmer in der alten Praxis schon gestrichen?
7 Teppichboden im Wartezimmer schon verlegt?	14 Stromrechnung von der alten Praxis schon bezahlt?

E

E 1

Zwischen den Zeilen

Lesen Sie den Text und ergänzen Sie die Präpositionen.

an (3x) ◆ auf (3x) ◆ bei ◆ mit (3x) ◆ nach ◆ über (3x) ◆ um ◆ von (2x) ◆ zu (2x)

Die Esoterik- und Gesundheitswelle

Sie wissen doch sicher, was Reiki ist? Sie achten natürlich _auf_ eine gesunde Ernährung ohne Fleisch, rein vegetarisch, und Sie verlassen sich bei gesundheitlichen Problemen nur noch _____ Bachblüten oder homöopathische Mittel, nicht wahr? Sicherlich haben Sie sich ausgiebig _____ Ihrem Geburtshoroskop beschäftigt, und bestimmt haben Sie schon mal _____ einem Kurs teilgenommen wie „Handlesen für Anfänger" oder „Alles über Feng-Shui" …

Nein? Das gibt es nicht! Die Esoterik- und Gesundheitswelle hat doch inzwischen alle erfasst! Sogar mich, obwohl ich nie viel _____ solchen Dingen gehalten habe. Meine WG hat mich _____ einem hervorragenden Kenner von alternativen Heil- und Gesundheitsmethoden gemacht. Früher waren wir eine ganz normale WG: Wir bereiteten uns _____ Demos vor, diskutierten nächtelang _____ Gott und die Welt und stritten uns regelmäßig _____ unseren Putz- und Küchendienstplan.

Heute ist alles ganz anders. Zum Beispiel Monika: Sie war eigentlich nie krank; sie litt höchstens _____ ganz normalen, alltäglichen Krankheiten wie Schnupfen oder Kopfschmerzen. Aber dann – ich erinnere mich noch ganz genau _____ den Tag – kam sie einmal nach Hause und erzählte uns mit glänzenden Augen _____ ihrem Besuch bei Gabis Heilpraktikerin. Seitdem stehen elf dunkelbraune Fläschchen in unserem Badezimmer, mit Tropfen gegen Pilze, gegen Bakterien, zur Stärkung des Immunsystems – für und gegen alles!

Oder Stefan: Vor ein paar Wochen roch die ganze Wohnung _____ Räucherstäbchen. Stefan saß in seinem Zimmer auf dem Boden und meditierte; neben ihm stieg weißer Rauch auf. Was war nur ihm passiert? Früher qualmten bei ihm doch nur die Zigaretten!

Und dann Verena: Ich ging damals sofort in die Küche, um _____ ihr _____ Stefans seltsame Entwicklung zu reden. Da saß sie mit einer Freundin am Küchentisch, und auf dem Tisch lag ein halbes Dutzend Bücher über Astrologie. Verena sagte: „Du störst uns. Sandra hilft mir gerade _____ meinem Geburtshoroskop." Ich war entsetzt: Verena also auch!

Inzwischen sind unsere Regale voll von Steinen und Düften, die _____ unseren Sternzeichen passen, und wir haben uns sogar ein paar Tage lang in Reiki ausbilden lassen, in der japanischen Kunst des Handauflegens. Ehrlich gesagt: Gesünder fühle ich mich heute nicht; aber ich kann jetzt wenigstens mitreden, wenn es _____ Astrologie, makrobiotische Ernährung, spirituelle Kraft und ähnliche Themen geht …

E 2

Ergänzen Sie die Beispielsätze.

Verb	Präposition	Beispiel
teilnehmen	an DAT	*Bestimmt haben Sie schon mal an einem Kurs teilgenommen …*
leiden		
sich erinnern		
achten	auf AKK	
sich verlassen		
sich vorbereiten		
helfen	bei DAT	
sich beschäftigen	mit DAT	
passieren		
reden		
riechen	nach DAT	
streiten	über AKK	
diskutieren		
reden		
es geht	um AKK	
halten	von DAT	
erzählen		
machen	zu DAT	
passen		

E 3

Ergänzen Sie die Sätze. Schreiben oder sprechen Sie.

Manchmal erinnere ich mich …
Ich halte nicht viel …
Meine Nachbarin leidet …
Sie beschäftigt sich oft …
Im Haus riecht es oft …
Ich verlasse mich …
Ich achte …
Hilfst du mir …? / Soll ich dir … helfen?
Diskutiert ihr manchmal …?
Erzähl doch mal …

 Erinnern Sie sich?

Es gibt viele Verben, die eine feste Präposition bei sich haben.
Lernen Sie immer die Präposition und den Fall mit. Also:
teilnehmen an + DAT

Aufgaben

Schreiben Sie mit den Verben oben Wortkarten mit Beispielsätzen.

Wie heißen die Präpositionen zu diesen Verben?

schreiben   denken   sprechen   berichten
einladen   gratulieren   bitten

Geschichten vom Franz:
Wie der Franz Angstbauchweh hatte
von Christine Nöstlinger (Zeichnungen von Erhard Dietl)

F 1   **Denken Sie an Ihre Schulzeit: Was fällt Ihnen zu „Schule" ein? Ergänzen Sie.**

F 2   **Was stört den Franz an der Schule? Lesen Sie den Text und machen Sie Notizen.**

Eine Woche vor seinem siebenten Geburtstag kommt der Franz in die Schule. Er ist das kleinste Kind in seiner Klasse. Auch in der 1a und der 1c gibt es kein kleineres Kind als den Franz.

Den Franz stört das ziemlich. Noch mehr stört ihn aber, dass die Gabi nicht in seiner Klasse ist. Der Franz hat immer fest damit gerechnet, später einmal, in der Schule, neben der Gabi zu sitzen.

Den Franz stört an der Schule auch sonst noch allerhand. Das Lernen geht ihm zu langsam. Vier Wochen sitzt er jetzt schon in der Schule herum, aber schreiben kann er noch immer nicht richtig.

Und der Herr Lehrer gefällt dem Franz überhaupt nicht! „Der kann ja nicht einmal richtig reden", beschwert sich der Franz bei seinem Papa.

Der Lehrer vom Franz redet wirklich ein bisschen merkwürdig. Sehr kurz redet er.

„Hinsetzen", sagt er.

„Aufstehen", sagt er.

„Mund zu", sagt er.

„Hefte aufschlagen", sagt er. „Bücher heraus", sagt er.

Der Franz ist nicht gewohnt, daß ihn jemand so anredet.

„Setzt euch hin, liebe Kinder", fände der Franz besser*. „Seid so lieb und steht auf", fände der Franz richtiger. „Es wäre nett, wenn ihr still sein könntet", fände der Franz freundlicher. „Jetzt wollen wir ein bisschen in die Hefte hineinschreiben", fände der Franz anregender. Und „Habt ihr Lust, ein wenig zu lesen?" fände der Franz höflicher.

„Der Mann ist eben ein Zickzack-Typ", sagt der Papa vom Franz.

Dem Franz gefällt das Wort. Er sagt immer „Der Zickzack", wenn er von seinem Lehrer erzählt.

* = **würde** der Franz besser **finden**

Waren Ihre Lehrer auch „Zickzack-Typen"? Erzählen Sie.

F 3
Franz
5

Lesen Sie die Aussagen. Stimmt das? Hören Sie die Geschichte und markieren Sie richtig oder falsch.

	richtig	falsch
1 Einmal war die Oma zu Besuch beim Franz zu Hause.		X
2 Als der Franz ihr vom Zickzack erzählt, steht der plötzlich hinterm Franz.		
3 Der Franz freut sich, weil die Oma zu seinem Lehrer „Herr Zickzack" sagt.		
4 Der Franz läuft weg, versteckt sich und beobachtet die Oma und den Zickzack.		
5 Die Mutter vom Zickzack schimpft mit ihrem Sohn.		
6 Die Oma erzählt dem Franz, dass sie sich beim Zickzack entschuldigt hat.		
7 Der Franz hat Angstbauchweh, weil die Oma dem Zickzack die Wahrheit gesagt hat.		
8 Am nächsten Tag in der Schule ist der Zickzack so wie immer.		
9 Der Zickzack bittet den Franz, der Oma Grüße auszurichten.		
10 Der Franz erzählt den anderen Kindern von dem Treffen im Altersheim.		

Arbeiten Sie zu dritt oder zu viert und vergleichen Sie.

F 4
Franz
5

Welche Erklärung passt? Hören Sie noch einmal und markieren Sie.

1 Der Franz erzählte der Oma alle **Neuigkeiten**, die er wusste. _c_

2 Der Franz **erschrak** ziemlich.

3 Er **grabschte** sich den Rest Schoko-Torte vom Teller und **flitzte davon.**

4 Er beobachtete den Kaffeehaustisch und sah, dass die Oma **unentwegt** redete.

5 Wenn die Oma so richtig loslegte, **duldete** sie **keine Widerrede.**

6 „Du hast wirklich **einen unerhörten Kommandoton** drauf."

7 Die Oma **schaute** sehr **vergnügt drein.**

8 Das **ist** doch **ganz in deinem Sinne.**

9 Die Gabi wartete bei der Treppe auf den Franz. „Schiss?", fragte sie.

10 Vor der Klassentür der 1b sagte die Gabi leise: „**Toi-toi-toi.**"

11 **Verstohlen linste** er zum Lehrertisch hin, zum Zickzack.

12 Dann **kicherte** der Franz erleichtert **los**, und der Zickzack **kicherte** auch ein bisschen.

a) keinen Widerspruch erlauben

b) ein fröhliches Gesicht machen

c) neue Informationen

d) Umgangssprache: Angst

e) leise (anfangen zu) lachen

f) Viel Glück!, Viel Erfolg!

g) einen Schreck bekommen

h) heimlich schauen

i) laut und unhöflich sprechen (wie beim Militär)

j) ständig, ohne Pause

k) etwas ist genau so, wie du es willst

l) schnell nehmen und weglaufen

Arbeiten Sie zu dritt oder zu viert und vergleichen Sie.

F 5

Erzählen oder schreiben Sie die Geschichte mit eigenen Worten.

Jetzt sind Sie der Zickzack. Erzählen Sie Ihre Geschichte.

Wortschatzarbeit

Was passt zu „unheimlich", zu „Zukunft", zu „Akupunktur"?
Finden Sie ein Wort zu jedem Buchstaben.

___ u _fo_ ___		___ Z ___		_____ A _____
___ n ___		___ u ___		_____ k _____
___ h ___		___ k ___		_____ u _____
___ e ___		___ u ___		_____ p _____
___ i ___		___ n ___		_____ u _____
___ m ___		___ f ___		_____ n _____
___ l ___		___ t ___		_____ k _____
___ i ___				_____ t _____
___ c ___				_____ u _____
___ h ___				_Rückenschme_ r _zen_ _____

Vor Ihnen landet ein Ufo und zwei Außerirdische kommen zu Ihnen. Was machen Sie?

_____ .

_____ .

Jemand fragt Sie: Wozu lernen Sie Deutsch? Was antworten Sie?

_____

Meine Regel für die „um ... zu + Infinitiv"-Sätze

_____

Was macht eine Wahrsagerin?

_____

Wie werden die Menschen in 100 Jahren leben? Was meinen Sie?

_____

Meine Regel für das Futur I

_____

Ein Freund hat seit Wochen starke Rückenschmerzen. Die Ärzte können ihm nicht helfen. Er fragt Sie um Rat. Was sagen Sie?

_____

Wie wird ein Waden-/Halswickel gemacht?

_____

Meine Regel für das Passiv

_____

Interessante Ausdrücke

_____

A

Test

Test

A 1   Was ist richtig: a, b oder c? Markieren Sie.

Beispiel: ● Wie heißen Sie?
■ Mein Name _____ Schneider.
a) hat
✗ b) ist
c) heißt

1 ● Wo _____ du denn gern wohnen?
   ■ Am liebsten in einer Villa am See.
   a) würdest
   b) wurdest
   c) werden

2 ● Steinmetz. Guten Tag.
   ■ Guten Tag. Ich rufe wegen Ihrer _____ an.
   a) Anzeige
   b) Brief
   c) Werbung

3 ● Ist die Wohnung denn noch _____ ?
   ■ Ja, aber es haben schon einige andere Interessenten angerufen.
   a) neu
   b) offen
   c) frei

4 ● Wie hoch sind denn die _____ ?
   ■ 250 Mark pauschal.
   a) Miete
   b) Nebenkosten
   c) Kaution

5 ● Sag mal, was war denn gestern Abend?
   ■ Wieso? Ach, je. Ich habe ganz vergessen, dich _____ .
   a) anrufen
   b) zu anrufen
   c) anzurufen

6 ● Und Paul hat endlich eine Arbeit gefunden?
   ■ Ja, das stimmt.
   ● Na, dann kann er doch endlich ausziehen.
   ■ Ja, aber er will _____ noch bei seinen Eltern wohnen bleiben.
   a) deshalb
   b) trotzdem
   c) obwohl

7 ● _____ ich klein war, hatte ich Angst vor Gewittern.
   ■ Das geht mir heute noch so.
   a) Wenn
   b) Als
   c) Nachdem

8 ● _____ ich manchmal an meine Schulzeit denke, dann erinnere ich mich zuerst an meinen Mathematiklehrer.
   ■ Warum denn?
   ● Der war ein ganz besonderer Mensch.
   a) Nachdem
   b) Bis
   c) Wenn

9 ● Was bedeutet denn _____ ?
   ■ Das sind Augen, Ohren, Nase, Zunge.
   a) Sinnesorgane
   b) Gerüche
   c) Geräusche

10 ● Woher wusstest du, dass die Grenze offen war?
   ■ Ich _____ es am Abend vorher im Fernsehen _____ .
   a) bin – gesehen
   b) hatte – gesehen
   c) war – sah

11 ● Als ich das erste Mal nach dem Fall der Mauer nach West-Berlin _____ , weinte ich vor Freude.
   ■ Ja, das war ein unglaubliches Erlebnis.
   a) kam
   b) komme
   c) gekommen

12 ● Es gab jeden Montag in vielen Städten _____ .
   ■ Und warst du auch dabei?
   a) Oppositionen
   b) Wahlen
   c) Demonstrationen

13 ● Was kann man sich bei euch in Buxtehude denn anschauen?
   ■ Unsere Stadt ist nicht sehr groß, aber es gibt trotzdem viele _____ .
   a) Umgebung
   b) Hotels
   c) Sehenswürdigkeiten

14 ● Entschuldigung. Können Sie mir sagen, _____
das Hotel Astoria ist?
■ Gehen Sie immer geradeaus und dann die zweite
Straße rechts.
a) wo
b) ob
c) wohin

15 ● Entschuldigung. Können Sie mir sagen, _____
die Bar noch geöffnet hat?
■ Ja natürlich, bis halb eins.
a) ob
b) wann
c) wo

16 ● Und du hast Peter wirklich nicht erkannt?
■ Nein, wirklich nicht. Ich habe _____ vor zehn
Jahren zum letzten Mal gesehen. Er hat sich sehr verändert.
a) er
b) ihn
c) ihm

17 ● Entschuldigung. Wo ist denn das Theater?
■ Gehen Sie hier die Josephsstraße _____ ,
dann kommen Sie automatisch zum Theater.
a) gegenüber
b) herum
c) entlang

18 ● Wie wird denn das Wetter morgen?
■ Schlecht! In der Zeitung steht, es gibt den ganzen
Tag _____ .
a) regnerisch
b) Regen
c) regnet

19 ● Interessierst du dich _____ Geschichte?
■ Ja, in der Schule war das mein Lieblingsfach.
a) bei
b) für
c) an

20 ● Erinnerst du _____ noch an die Silvesterparty
letztes Jahr?
■ Natürlich, das war total lustig.
a) dir
b) uns
c) dich

21 ● Weißt du schon das Neuste? Johannes will sich von
Silvia _____ .
■ Was? Aber die beiden haben doch erst vor zwei
Jahren geheiratet.
a) getrennt
b) scheiden lassen
c) verloben

22 ● Hast du denn keinen Freund, _____ du
über alles sprechen kannst?
■ Nein, ich bin doch noch ganz neu hier.
a) dem
b) mit dem
c) mit der

23 ● Was wünscht ihr _____ zur Hochzeit?
■ Hm. Wir könnten noch Geschirr gebrauchen.
a) euch
b) sich
c) dich

24 ● Kommt ihr denn zu meiner Party?
■ Nein, tut mir Leid. Ich muss leider _____ .
Mein Mann ist krank.
a) annehmen
b) bedanken
c) absagen.

25 ● Wozu rufst du die Polizei an?
■ _____ den Vorfall zu melden.
a) Um
b) Ob
c) Weil

26 ● Wird es in einigen Jahren denkende Roboter geben?
Nein, aber wir _____ mit vielen Geräten
in einer sehr primitiven Sprache _____ .
a) werden … sprechen können.
b) werden … gesprochen können
c) können … sprechen werden

27 ● Ist das Telefon schon abgemeldet?
■ Nein, das _____ noch _____ .
a) muss … abmelden werden
b) kann … abmelden werden
c) muss … abgemeldet werden

28 ● Bei der Aromatherapie _____ fast 300 Öle
_____ .
a) werden … verwenden
b) werden … verwendet
c) wird … verwendet

29 ● Beschäftigen Sie sich auch _____ Ufos?
■ Nein, ich glaube, dass es keine Ufos gibt.
a) über
b) mit
c) von

30 ● Was sollen wir denn jetzt machen?
■ Beruhige dich! Wir _____ bestimmt eine
Lösung.
● Meinst du?
a) nehmen
b) finden
c) kommen

A 2

Wie viele richtige Antworten haben Sie?

Schauen Sie in den Lösungsschlüssel im Anhang. Für jede richtige Antwort gibt es einen Punkt. Wie viele Punkte haben Sie?

_____ Punkte

Jetzt lesen Sie die Auswertung für Ihre Punktzahl.

(**24–30 Punkte:**) Sehr gut. Weiter so!

(**13–23 Punkte:**) Schauen Sie noch einmal in den Lösungsschlüssel. Wo sind Ihre Fehler? In welcher Lektion finden Sie Übungen dazu? Machen Sie eine Liste.

Meine Fehler

Nummer	Lektion	(G) = Grammatikfehler	(W) = Wortschatzfehler
4	1, B-Teil		X
5	1, C-Teil	X	
	2,		

- **Ihre Fehler sind fast alle in einer Lektion?** Zum Beispiel: Fragen 20, 21, 22 und 24 sind falsch. Dann wiederholen Sie noch einmal die ganze Lektion 4.

- **Ihre Fehler sind Grammatikfehler (G)?** Dann schauen Sie sich in allen Lektionen noch einmal den Abschnitt „Kurz & bündig" an. Fragen Sie auch Ihre Lehrerin oder Ihren Lehrer, welche Übungen für Sie wichtig sind.

- **Ihre Fehler sind Wortschatzfehler (W)?** Dann schauen Sie sich in allen Lektionen „Kurz & bündig" noch einmal an. Lernen Sie mit dem Vokabelheft und üben Sie auch mit anderen Kursteilnehmern. Dann geht es bestimmt leichter.

(**5–12 Punkte:**) Wiederholen Sie noch einmal gründlich alle Lektionen. Machen Sie ein Programm für jeden Tag. Üben Sie mit anderen Kursteilnehmern. Und sprechen Sie mit Ihrer Lehrerin oder Ihrem Lehrer.

(**0–4 Punkte:**) Wie oft haben Sie den Kurs besucht? ... Ach, so.

KURSBUCH
B1-B2

Hören wie ein Profi

Wie hören Sie? Warum? Markieren Sie.

Textsorte	Ich konzentriere mich auf jedes Wort.	Ich höre gezielt einzelne Teile.	Ich höre nicht so genau hin.	Ich suche konkrete Informationen.	Ich höre aus Spaß.
Nachrichten					
Lied					
Wetterbericht					
Ansage auf dem Anrufbeantworter					
Werbung					
Hörspiel					
Live-Bericht von einem Fußballspiel					
Lautsprecherdurchsage (Bahnhof/Flughafen)					
Lottozahlen					
Gespräch mit einem Arzt					

Arbeiten Sie zu dritt und vergleichen Sie.

Die Nachrichten höre ich konzentriert und achte dabei auf jedes Wort, weil ich über die Ereignisse in der Welt gut informiert sein möchte. Aber beim Wetterbericht ...

B 2
2/25

Hören Sie die Radiosendung und markieren Sie.

	richtig	falsch
1 Hören und Zuhören ist dasselbe.		X
2 Zuhören muss man lernen.		
3 Beim Zuhören ist alles, was man hört, gleich wichtig.		
4 Babys können zunächst nichts verstehen.		
5 Es gibt Strategien für das Zuhören.		
6 Lehrer klagen darüber, dass Schüler nicht mehr zuhören können.		
7 Wortbeiträge in Radiosendungen werden immer länger.		

Sind Sie mit den Aussagen der Radiosendung einverstanden? Diskutieren Sie zu dritt oder zu viert.

B 3

Hören oder lesen? Was ist für Sie leichter? Sammeln Sie Argumente.

Hören	Lesen
– Ich kann die Geschwindigkeit nicht selbst bestimmen.	+ Ich kann schnell oder langsam lesen.

Vergleichen Sie Ihre Ergebnisse.

B 4

Welche Probleme haben Sie beim Hören von Deutsch?

A Oft interessieren mich die Themen nicht, um die es geht. Warum soll ich mir dann dazu etwas anhören?

B Die Deutschen reden immer zu schnell. Ich möchte gern alles verstehen, aber: Wenn ich gerade die ersten Wörter verstanden habe, sind die Sprecher schon drei Sätze weiter.

C Die Leute sprechen immer so undeutlich. Außerdem sind die Sätze oft nicht zu verstehen, weil Lautsprecher oder Telefone die Sprache verzerren.

D Ich kann mich nicht so lange konzentrieren. Oft gibt es so viele Informationen, dass ich mir wirklich nicht alles merken kann.

E Ich höre einfach nicht, was wichtig ist. Wörter und Sätze, alles fließt für mich zu einem langen, unverständlichen Blabla zusammen.

2/26 **Hören Sie nun Tipps zu den Problemen. Machen Sie zu jedem Tipp eine kurze Notiz.**

1 _____

2 _____

3 _____

4 _____

5 _____

Ordnen Sie die Tipps den Problemen zu.

Welche Probleme haben Sie beim Hören? Wie finden Sie die Tipps? Diskutieren Sie zu dritt. Kennen Sie weitere Tipps?

B 5

Spielen Sie „Stille Post".

Kennen Sie das Spiel „Stille Post"? Sie sitzen in einer Reihe, und der Erste flüstert seinem Nachbarn einen Satz ins Ohr. Der gibt den Satz so, wie er ihn verstanden hat, an den Nächsten weiter. Am Ende der Reihe hat sich der Satz meistens ziemlich verändert!

**Was passt zusammen? Ordnen Sie die Redewendungen den Bildern zu.
Dann suchen Sie die passende Erklärung zu jeder Redewendung.**

3	Wer nicht hören will, muss fühlen. *c*	a) Du hörst ja nicht zu!
	Auf dem Ohr bin ich taub!	b) Ein Lied oder eine Melodie, die man sich leicht merken kann.
	Der Lauscher an der Wand, der hört die eigene Schand´.	c) Du bist selbst schuld. Warum hast Du nicht auf mich gehört?
	Du sitzt wohl auf den Ohren!	d) Das interessiert mich nicht. Damit bin ich nicht einverstanden.
	Man höre und staune!	e) Wer heimlich zuhört, hört oft Schlechtes über sich.
	Ich bin ganz Ohr.	f) Ich habe Interesse, ich höre gern zu!
	Das ist ein Ohrwurm.	g) Das ist aber eine Überraschung!

**Kennen Sie diese Redewendungen? Was könnten Sie bedeuten?
Gibt es in Ihrer Sprache ähnliche Redewendungen zum Thema Hören?**

C1-C2

C

Der Ton macht die Musik

C1

Hören Sie, sprechen Sie nach und markieren Sie den Wortakzent.

2/27

Viele deutsche Wörter haben einen gemeinsamen Stamm und bilden Wortfamilien:
z. B. *-sprech-* *(-sprach-/-sproch-/-spruch-)*.

sprechen ◆ der Sprecher ◆ die Sprecherin ◆ die Sprecherinnen ◆ die Sprache ◆
der Spruch ◆ die Sprüche ◆ sprachlos ◆ sprachlich

- -

besprechen ◆ die Besprechung ◆ wir versprechen ◆ das Versprechen ◆ entsprechend ◆ sie bespricht ◆
du versprichst ◆ sie versprach ◆ das Gespräch ◆ gesprochen ◆ besprochen ◆ versprochen

- -

aussprechen ◆ nachsprechen ◆ er spricht nach ◆ du sprichst aus ◆ die Aussprache ◆
ausgesprochen ◆ nachgesprochen ◆ der Widerspruch ◆ die Widersprüche ◆ anspruchsvoll

- -

die Sprechstunde ◆ das Wahlversprechen ◆ das Sprichwort ◆ die Sprachschule ◆
die Muttersprache ◆ deutschsprachig ◆ umgangssprachlich ◆
der Gesprächspartner ◆ das Telefongespräch ◆ das Gesprächsthema

Ergänzen Sie die Regeln.

erste ◆ Stammsilbe ◆ Stammvokal ◆ Umlaut ◆ Vorsilbe ◆ Wort-Endung

1 Der Wortakzent ist meistens auf der _____ . Bei vielen Wörtern ändert sich der

_____ *(sprechen – spricht – sprach – gesprochen)*, einige Wörter bildet man mit

_____ *(Gespräch, Sprüche, zählen)*.

2 Bei Wörtern mit Vorsilben *(Aussprache, nachsprechen)* ist der Wortakzent fast immer auf der (ersten)

_____ . *)* Aber: **kein** Wortakzent auf den Vorsilben

ge- *das Gespräch,* _____   ver- _____

be- _____

_____   ent- _____

3 Die _____ *(sprechen, Sprecher, Sprecherin)* hat fast nie den Wortakzent.**)

4 Bei zusammengesetzten Wörtern (Komposita) hat meistens das _____ Wort (= Spezialwort)

den Wortakzent.

*) Bei trennbaren Verben bleibt der Wortakzent auch im Satz auf der trennbaren Vorsilbe:
    Er soll die Wörter nachsprechen. – Er spricht die Wörter nach.
**) *Ausnahmen:* Die Endung „-ei" ist betont, z. B. Bäckerei, Wäscherei, Türkei.
     Einige Endungen bei Fremdwörtern sind betont, z.B. aktiv, Aktivität, Position,
     Astrologie, Journalist, neutral, Kultur, Friseur, privat, interessant, Konferenz, Student …

> **Wortakzent bei Vorsilben**
> „ge-", „be-", „ver-"
> und „er-", „zer-", „ent-"
> haben nie den Wortakzent.

C2

Markieren Sie den Wortakzent.

-sicht- besichtigen ◆ die Besichtigung ◆ der Besichtigungstermin ◆ die Stadtbesichtigung ◆
das Gesicht ◆ die Rücksicht ◆ rücksichtslos ◆ rücksichtsvoll ◆ die Vorsicht ◆
vorsichtig ◆ unvorsichtig ◆ die Absicht ◆ absichtlich ◆ unabsichtlich

- -

-zahl- die Zahl ◆ die Lottozahl ◆ zahlen ◆ zahlreich ◆ bezahlen ◆ bezahlbar ◆
unbezahlbar ◆ abbezahlen ◆ die Anzahl ◆ zählen ◆ erzählen ◆ der Erzähler

- -

-halt- halten ◆ die Haltung ◆ die Buchhaltung ◆ abhalten ◆ anhalten ◆ aushalten ◆ behalten ◆
enthalten ◆ erhalten ◆ erhält ◆ erhältlich ◆ festhalten ◆ der Haushalt ◆ der Inhalt ◆
zurückhalten ◆ zurückhaltend ◆ das Verhalten ◆ der Verhaltensforscher ◆ das Verhältnis

Hören und vergleichen Sie.

2/28

Sortieren Sie die Wörter nach Wortfamilien und markieren Sie den Wortakzent.

am liebsten ◆ aufsuchen ◆ aussuchen ◆ befreundet ◆ beliebt ◆ besuchen ◆ besucht ◆
das Lieblingsbuch ◆ der Besuch ◆ der Besucher ◆ der Freund ◆ der Freundeskreis ◆
der Schulfreund ◆ der Versuch ◆ die Besuchszeit ◆ die Freundin ◆ die Freundschaft ◆
die Liebe ◆ die Liebesgeschichte ◆ die Partnersuche ◆ die Suche ◆ die Vorliebe ◆
er suchte aus ◆ freundlich ◆ geliebt ◆ gesucht ◆ lieb ◆ lieben ◆
lieber ◆ liebeskrank ◆ liebevoll ◆ lieblos ◆ sich verlieben ◆ sie haben aufgesucht ◆
suchen ◆ unfreundlich ◆ verliebt ◆ versuchen ◆ wir versuchten

-such-   - freund-   -lieb-
aufsuchen   befreundet   am liebsten
...   .

 Diese Wörter kennen Sie noch nicht. Ergänzen Sie sie bei der passenden Wortfamilie und markieren Sie den Wortakzent. Raten Sie die Bedeutung und vergleichen Sie mit dem Wörterbuch.

beliebig ◆ der Sucher ◆ die Versuchung ◆ ersuchen ◆ freundschaftlich ◆
Freundschaftsdienst ◆ Lieblosigkeit ◆ sich anfreunden ◆ Verliebtheit

 Hören und vergleichen Sie.

2/29

Notieren Sie weitere Wortfamilien und markieren Sie die Wortakzente.

such   fahr/fuhr   nehm/nahm/nomm   steh/stand   wiss/wuss   zieh/zog/zug
kenn/kannt   kauf   schrift   stell   zahl

2/
30-34

Hören und sprechen Sie.

Wahlversprechen
Nur Sprüche, Widersprüche
und leere Versprechungen.

Sprachschule
Aussprache-Training durch
Sprechen und Nachsprechen,
anspruchsvolle Gesprächsthemen,
viel versprechende Gesprächspartner,
umgangssprachliche Sprüche.

Gute Absichten
Nimm absichtlich Rücksicht!
Fahr absichtlich vorsichtig!
Unabsichtlich rücksichtslos
und unvorsichtig
fahren die anderen.

Zahlen, die zählen
Mit den richtigen Lottozahlen
wird Unbezahlbares bezahlbar:
Man kann die Rechnungen bezahlen,
alle Kredite abbezahlen
und viel von den zahlreichen Reisen erzählen.

Halt!
● Ich halt' das nicht aus!
   ■ Halt dich zurück!
● Ich will mich aber nicht zurückhalten!
   ■ Ich halt' dich fest.
● Du sollst mich nicht festhalten!
   ■ Dann kann ich dich nicht abhalten.

Lerntipp:
Lernen Sie Wörter in Wortfamilien. Bei neuen Wörtern notieren Sie bekannte Wörter mit demselben Wortstamm. Markieren Sie die Wortakzente und die Bedeutungen (Übersetzung, ähnliche Wörter ...). Spielen Sie „Familientreffen": Schreiben Sie Sätze oder Dialoge mit möglichst vielen „Familienmitgliedern".

Lösungsschlüssel

Lektion 1

A1 1 Einfamilienhaus, das, ¨er: Haus für eine Familie
2 Wohnheim, das, -e: großes Haus mit vielen
Einzelzimmern ... 3 Ökohaus, das, ¨er: besonders
umweltfreundliches Haus 4 das Reihenhaus, das, ¨er: ein
Haus in einer Reihe von ... 5 Villa, die, -en: ein großes,
sehr teures Haus 6 Fachwerkhaus, das, ¨er: ein Haus mit
Wänden aus Holz und Lehm 7 Schloss, das, ¨er;: großes
und sehr wertvolles Haus 8 Hochhaus, das, ¨er: ein sehr
hohes Haus 9 Altbau, der, -en: ein Haus, das vor 1949
gebaut wurde 10 Bauernhof, der, ¨e: Grundstück mit
Wohnhaus eines Bauern 11 Gartenhaus, das, ¨er: kleines
Haus im Garten

A3 1 das Elternhaus 2 der Hausarzt 3 das Ferienhaus
4 der Hausmeister 5 das Wohnhaus 6 die Hausordnung
7 das Möbelhaus 8 die Haustür 9 das Krankenhaus
10 die Hausschuhe 11 das Traumhaus 12 das Haustier
13 der Hauseigentümer 14 das Treppenhaus

A5 *linke Spalte:* 15, 1, 2, 7, 10, 5, 4, 6, 13 *rechte Spalte:* 3, 8,
14, 11, 12, 16, 9, 17

B1 *1. Spalte:* Abstand, Zweizimmerwohnung, Einbauküche,
Umlagen, Kaution, Quadratmeter, Balkon, Nebenkosten;
2. Spalte: geeignet, Zimmer/Küche/Bad, von privat,
zuzüglich, zwei Monatsmieten, Dachgeschoss,
Wohnküche, sofort; *3. Spalte:* Gäste-WC, Terrasse,
Garten, Reihenhaus, Doppelhaushälfte, Tiefgarage,
Garage, Neubau

B2 2 Rödelheim 3 Häuschen im Grünen 4 Bockenheim
5 keine Wohnung

B3 *vgl. Hörtext im Cassetten-/CD-Einleger*

B5 1a 2c 3b 4b 5c 6b 7a 8c 9a 10b 11a 12b

C2 [ə] Gedicht, Liebe, beliebt, Frage, ich bügle, Besuch, ich
besuche, ich schenke, geschenkt, Geschenke, Treppe, ich
fahre, Fahrerin, Hilfe, geholfen, ich klingle [ɐ] lieber,
Besucher, Fahrer, Helfer (–) lieben, Fragen, bügeln,
besuchen, schenken, Treppen, Regel, Regeln, fahren,
helfen, Klingel, klingeln, Schlüssel

C3 Probleme, Angebote, Söhne, Woche, Größe, Pauschale,
Tiere, Küche, ich lerne, spiele, singe, lache, weine, hoffe,
wollte, musste, hatte, würde, wäre, Beruf, begonnen, beendet, bezahlbar, gegeben, genug, in zentraler Lage, mehrere
Angebote, eine feste Summe, am Jahresende, viele Möbel

D1 2–10 Schrankwand; Kerzenständer, Stereoanlage,
Obstschale, Tischdecke, Sitzecke, Stofftiere, Holzfigur,
Bodenvase 11–18 Aquarium, Spiegel, Kommode, Globus,
Pflanzen, Vorhang, Glastisch, Stehlampe *weitere
Lösungen:* Bücherregal, Balkontür

D2 *(positiv)* gemütlich, freundlich, stilvoll, luxuriös,
großzügig, ordentlich, hell; *(neutral)* extravagant,
modern, konservativ, kühl, leer, voll, nüchtern; *(negativ)*
kitschig, langweilig, protzig, chaotisch *(Lösungsvorschlag)*

D4 1 Garten 2 Küche 3 Esszimmer 4 Wohnzimmer 5 Bad
6 Arbeitszimmer 7 Kinderzimmer 8 Schlafzimmer
9 Toilette 10 Flur 11 Keller 12 Hobbyraum 13 Garage

D5 *nach Spalten:* 11, 2, 3, 10, 9, 8, 4, 7, 6, 1, 5, 12

D6 1 Einsamkeit 2 hatten eine schwere Zeit

D7 *vgl. Hörtext im Cassetten-/CD-Einleger*

D8 *vgl. Hörtext im Cassetten-/CD-Einleger*
Liste: Der „Infinitiv mit zu" *nach Verben:* anfangen,
lernen, schwer fallen, vorhaben, überreden, (sich) freuen,
bitten, hoffen, aufhören, versuchen; *nach
Adjektiv/Nomen + „sein":* froh sein, superglücklich sein,
es ist anstrengend, ... , es ist nicht leicht, ... , es ist schlimm,
... , es ist wichtig, ..., es ist normal, ..., es ist schwierig, ... ,
es ist toll, ... ; *nach Nomen + „haben":* Angst haben,
Lust haben, das Gefühl haben
1 Adjektiven und Nomen; das Verb 2 Verbstamm
3 „sein" oder „haben" 4 beide Verben; Verb + „zu" +
Modalverb

D10 *vgl. Hörtext im Cassetten-/CD-Einleger*

E1 das/alles Ähnliche, etwas/nichts Ähnliches; das/alles Neue,
etwas/nichts Neues; das/alles Passende, etwas/nichts
Passendes; das/alles Schöne, etwas/nichts Schönes;
das/alles Wichtige, etwas/nichts Wichtiges; das/alles
Interessante, etwas/nichts Interessantes
1 alles; etwas; nichts; neutrum 2 Nach „etwas" und
„nichts"...-es, ...nach „das" und „alles" ... -e 3 Adjektive
schreibt man *klein*; Adjektiv-Nomen ... *groß*

E2 *vgl. Hörtext im Cassetten-/CD-Einleger*

F2 3 Franz 4 Franz 5 Gabi 6 Gabi 7 Peter 8 Gabi
9 Peter 10 Franz

F3 1a 2b 3a 4a 5a 6b 7a 8b

F4 in der Hasengasse; wohnt gleich nebenan; blonden
Ringellocken, einem Herzkirschenmund und
veilchenblauen Sternenaugen; bekommt er eine Pieps-
Stimme; ein Mädchen; weil du für einen Buben einfach zu
schön bist; Wirklich lieben kann ich nur wirklich schöne
Menschen; fährt Gabi zu ihrer Tante Anneliese aufs Land;
kann angeblich über eine zwei Meter hohe Mauer springen,
beim Raufen gegen drei große Jungs gewinnen und bis in
den Wipfel einer riesigen Tanne klettern. Er kann singen.
Aus Holz eine Mickymaus schnitzen, beim Schirennen den
ersten Preis gewinnen., ist klug, weiß alles; der Peter
wirklich schön ist.

Lektion 2

A1 *linke Spalte:* 5, 3, 1, 2, 10 *rechte Spalte:* 7, 6, 4, 9, 8

B2 **regelmäßige Verben/Mischverben:** arbeitete, heiratete,
machte, musste, studierte, veröffentlichte, wusste;
unregelmäßige Verben: begonnen, bekam, erhielt, gab,
schrieb, wurde
1 *Präteritum:* ..., schriftliche Berichte, ... *Perfekt:* ...,
mündliche Berichte, ... 2 *Verb-Endung:* „-t-"; *ich* und
sie/er/es; bei wir und sie Endung „-en" 3 Verbstamm;
Verb-Endung

B3 **Verben ohne Vokalwechsel im Präsens:** beginnen,
begann, begonnen; bleiben, blieb, geblieben; denken,
dachte, gedacht; finden, fand, gefunden; fliegen, flog,
geflogen; gehen, ging, gegangen; kommen, kam,
gekommen; kriechen, kroch, gekrochen; singen, sang,
gesungen; sitzen, saß, gesessen; trinken, trank, getrunken;
verbringen, verbrachte, verbracht

Verben mit Vokalwechsel im Präsens: essen, isst, aß, gegessen; fahren, fährt, fuhr, gefahren; geben, gibst, gab, gegeben; lesen, liest, las, gelesen; nehmen, nimmt, nahm, genommen; schlafen, schläft, schlief, geschlafen; sehen, siehst, sah, gesehen; sprechen, spricht, sprach, gesprochen; sterben, stirbt, starb, gestorben; treffen, trifft, traf, getroffen; vergessen, vergisst, vergaß, vergessen; wissen, wusste, gewusst

C1 *von links nach rechts:* **1** riechen – Geruch – Nase – Parfum, Schweiß **2** schmecken – Geschmack – Zunge – Salz, Zucker **3** hören – Geräusch – Ohren – Musik, Stimmen **4** sehen – Augen – Foto, Bilder, Farben

C2 *linke Spalte:* Gehirn, Gedächtnis, Erfahrung; *rechte Spalte:* Gefühl, Stimmung, Persönlichkeit

C4 *hören:* der Donner, der Bohrer, der Wasserhahn, der Regen, das Gewitter *sehen:* der Blitz, die Faust, der Regen *fühlen:* der Regen, der Wind *riechen:* der Regen *(Lösungsvorschlag)*

C5 der Wasserhahn tropfte, die Treppe knarrte, der Wind wehte, Flugzeuge starten, lautes Donnern, mit der Faust gegen eine Holztür schlagen

C6 **1** Als, war; *b* **2** wenn, ging; *c* **3** wenn, wehte; *c* **4** wenn, herausholte; *c* **5** als, sah; *b* **6** als, erleuchtete; *b* **7** als, anmachte; *b* **8** wenn, kriechen; *a*

C7 **1** temporale, am Anfang **2** *Gegenwart oder Zukunft:* wenn; *Vergangenheit: ein Zustand oder einmaliges Ereignis:* als

C8 *vgl. Hörtext im Cassetten-/CD-Einleger*

C9 *vgl. Hörtext im Cassetten-/CD-Einleger*

D1 bleiben – blieben, hieß – heiß, leider – Lieder, reichen – riechen, schrieben – schreiben, seit – sieht, Wien – Wein, Ziele – Zeile, Zeit – zieht

D2 **unbetontes „ie" und „ien":** Asien, Australien, Brasilien, Familie, Ferien, Immobilie, Italien, Komödie, Linie, Materialien, Medien, Petersilie, Prinzipien, Spanien, Studien, Textilien
betontes „ie" und „ien": Allergien, Biografie, Energie, Fantasie, Garantie, Knie, Melodien

D3 Jahr, jemand, jetzt, Jugend, Juli, Junge, Konjunktion, New York, Objekt, Projekt, Yuppie
1 j **2** y

E1 **2** ein Grenzübergang **3** eine Botschaft **4** die Bürger **5** DDR **6** ein Ausreiseantrag **7** der Protest **8** Reformen **9** die Führung **10** die Opposition **11** eine Partei **12** die Versammlungsfreiheit **13** das Gesetz **14** eine Menschenmasse

E2 Reformen, Führung, DDR, Bürger, Ausreiseantrag, Botschaft, Grenze, Opposition, Protesten, Parteien, Versammlungsfreiheit, Gesetz, Grenzübergängen, Menschenmassen

E3 *vgl. E2*
1 Vergangenes, Plusquamperfekt **2** „hatt-" oder „war-" **3** nachdem

E4 Nachdem Bayern München die ... gewonnen hatte, feierten die Münchner ...; Nachdem Berlin die ... geworden war, zogen die meisten ausländischen Botschaften ...; Nachdem der Bundestag ein neues ... verabschiedet hatte, stellten viele Ausländer .; Nachdem Rot-Grün ... gewonnen hatte, wählte der Bundestag ...;. Nachdem Lady Di ... verunglückt war, trauerten viele Menschen ...; Nachdem die Telekom die Telefongebühren gesenkt hatte, stieg die Zahl der Internet-Anschlüsse .; Nachdem die Kultusministerkonferenz die ... beschlossen hatte, mussten

viele Verlage ....; Nachdem in ... die Ferien begonnen hatten, waren die Autobahnen ...; Nachdem die Proteste gegen die ... zugenommen hatten, versprach die Regierung ...; Nachdem Nelson Mandela ... geworden war, feierten die Menschen ...; Nachdem der Euro ... geworden war, musste man bei Urlaubsreisen ...

F1 *Häufigkeit:* immer, manchmal, nie, oft, ständig; *Reihenfolge/Zeitpunkt:* damals, danach, dann, einmal, früher, jetzt, später, letztes Jahr, schließlich, zuerst; *Zeitdauer:* stundenlang, ein paar Wochen, kurz, lange, seit drei Jahren

F2 *vgl. Hörtext im Cassetten-/CD-Einleger (Lösungsvorschlag)*

G2 **1** Hosenknöpfe **2** Stirnband **3** Nussknacker **4** Briefpapier **5** Duschhaube **6** Ansteckknopf **7** Schraubenzieher **8** Quakfrosch aus Blech

G3 **1**r **2**r **3**r **4**f **5**f **6**r **7**r **8**r **9**f

G4 **1**c **2**h **3**a **4**g **5**j **6**d **7**i **8**b **9**e **10**f

Lektion 3

A1 *von links nach rechts:* 7, 2, 9, 1, 3, 5, 4, 6, 8

A2 **1** Aussichtsturm **2** Bahnhof **3** Denkmal **4** Zoo **5** Museum

A3 **1**b **2**a **3**a **4**c **5**a **6**b **7**c

B1 **1** Radio im Zimmer **2** Doppelzimmer **3** Hunde erlaubt **4** Telefon im Zimmer **5** Vollpension **6** TV im Zimmer **7** Fitnessraum **8** Restaurant **9** Minibar **10** Parkplatz **11** Halbpension **12** Gepäckträger **13** Einzelzimmer **14** behindertengerecht

B2 *Pension Ing. Johannes:* interessant für Hundebesitzer, Radio in allen Zimmern, Restaurant, selbst gebackene Kuchen und Torten, ist günstiger *Grand Hotel Wiesler:* „Fünf-Sterne-Hotel", interessant für Geschäftsleute, Radio in allen Zimmern, Minibar in allen Zimmern, TV in allen Zimmern, Restaurant, im Internet

B4 D **1**, I **2** e D **3**, I **4** h I **5**, D **6** a D **7**, I **8** g I **9**, D **10** b I **11**, D **12** f D **13**, I **14** c I **15**, D **16** i D **17**, I **18** j D **19**, I **20** d
1 Verb, Am Anfang **2** „ob" **3** Bei Fragen ..., bei Aussagen *steht* .... Zwischen Hauptsatz *und* Nebensatz ....

B5 *vgl. Hörtext im Cassetten-/CD-Einleger*

B7 *vgl. Hörtext im Cassetten-/CD-Einleger*

C1 **2** der Wert **3** die Arbeit **4** die Liebe **5** das Herz **6** die Sprache **7** der Sinn **8** die Grenze **9** der Reiz **10** die Treue **11** die Pause **12** die Rücksicht

C2 **1** *Die Zusätze* -los *und* -voll *machen aus Nomen* Adjektive. **2** *Der Zusatz* -voll *bedeutet mit, der Zusatz* -los *bedeutet ohne.* ... **3** *Ein* -e *am Ende ... Man nimmt die* Plural-Form. *Man ergänzt ein* -s-.

C3 **1** Persönliche ... reizvoller ... sinnvoller ...telefonische ...: berufliche ... menschliche **2** Sie ist eine liebevolle Mutter, ein ruhiger und geduldiger Mensch, ... rücksichtsvoll und herzlich ... grenzenlos: ... pausenlos ... energisch werden. **3** Seit er arbeitslos ist, ... täglich ... lustlos zu Hause herum ... humorlos und hat ... vernünftigen Ideen ...traurig. **4** Er war treulos, sie war sprachlos. Er ... bedeutungslos, sie ... rücksichtslos. Er ... kopflos, sie ihn herzlos. Er ... schuldig, ... stillos. So ... endlos, bis sie dann grußlos, ziellos und partnerlos loszog.

D2 Page, Portier, Zimmermädchen, Kellner, Hotelmanager, Aufseher *Liste:* noch eine Scheibe Toast, Uhrzeit,

Information, frische Luft, Portion gegrillte Kalbsleber, mit Luxuslimousine ausfahren, Bauchtänzerinnen

D3 2 mich, Erzähler 3 sie, Zimmernummer 4 sie, Seife 5 sie, Antwort 6 ihn, Hotelmanager 7 Sie, Erzähler 8 uns, die Angestellten 9 ihn, Orangensaft 10 es, Missverständnis 11 sie, Portion Kalbsleber 12 sie, 29 Portionen Kalbsleber

D4 *vgl. Grammatik*
1 ersetzen Pronomen *bekannte* Nomen. ... Nomen. ... *benutzt man das kürzere* Pronomen. *2 Das* Bezugswort ..., *das* Verb *oder die* Präposition *bestimmen den* Kasus.

D5 *vgl. Hörtext im Cassetten-/CD-Einleger*

E1 *linke Spalte:* 7, 5, 10, 11, 4, 6 *rechte Spalte:* 1, 8, 9, 2, 3

E2 *vgl. Hörtext im Cassetten-/CD-Einleger*

F1 *gutes Wetter:* freundlich, Föhn, heiß, das Hoch, klar, kühl, mild, Sonne, sonnig, trocken, warm, ... *schlechtes Wetter:* Blitz, Donner, Eis, Frost, Gewitter, gewittrig, Hagel, kalt, Nebel, Niederschlag, Regen, Schauer, Schnee, Sturm, Tief, unbeständig, windig, Wind, Wolken, ...
(Lösungsvorschlag)

F2 1r 2f 3f 4f 5r

F3 1a, c 2a, b 3a, c 4b

G1 [v] **w**as, **W**ein, **W**olle, **V**erben, **W**ortakzent, **V**ase, Kra**w**atte, ner**v**ös, Adjekti**v**e
[f] **F**ass, **f**ein, **v**olle, **v**erbinden, **V**orsilbe, **Ph**ase, Kara**ff**e, per**f**ekt, Adjekti**v**
1 *„w:"* [v], *„f"* und *„ph:"* [f] 2 *Deutsche Wörter mit „v":* [f]. *Internationale Wörter mit „v":* [v], *„v" am Wortende:* [f]

G2 vier, feiern, viele, Feste, Verwandte, Freunde, fragen, frischer, Fisch, fällt, offen, Frost, Frühling, Föhn, verwöhnt, kreativ, vorlesen, Vergnügen, Vorsicht, davon, Phonetik, Fan, Diphthonge, verwechseln, verstehen, von, Alphabet, Vater, Philosoph, hoffen, Wilfried, halbfertig

H3 1A 2C 3E 4B 5G 6H 7D 8F

H4 2 kassieren 3 verzweifelt 4 auf und ab 5 gleich ... gleich 6 Gipfel 7 Wort 8 tief 9 hüpfen 10 Unrecht 11 prächtige 12 kugelrunden ... offenem 13 schlechtes 14 schaffen

Lektion 4

A1 *persönliche Eigenschaften:* ehrlich (+), anspruchsvoll (+), charmant (+), energisch (+), erfolgreich (+), fantasievoll (+), optimistisch (+), gefühlvoll (+), humorvoll (+), intelligent (+), lebenslustig (+), lieb (+), niveauvoll (+), romantisch (o), selbstbewusst (+), tolerant (+), treu (+); *beides:* langweilig (–); *Aussehen:* blond (o), dunkelhaarig (o), gut aussehend (+), hübsch (+), schlank (+)
(Lösungsvorschlag)

A2 aktiv, attraktiv, ehrlich, häuslich, leidenschaftlich, naturverbunden, natürlich, offen, schön, sensibel, seriös, sportlich, unkompliziert, zärtlich, zuverlässig

A3 1 Aus Spaß wird Ernst 2 Familienfeste – kein Grund zur Freude 3 Liebe – nicht mehr als ein Geschäft? 4 Ehrlichkeit ist wichtig

A4 1c 2a 3b 4b

A5 1 beeile dich 2 freue mich 3 Interessieren Sie sich 4 euch ... treffen 5 uns amüsieren wollen 6 freut sich 7 möchte sich ... verlieben 8 entscheiden sich 9 findet sich ... wieder 10 Präsentiere dich

1 *Verben mit* Reflexivpronomen. ... *zeigt zurück auf das* Subjekt 2 *Reflexivpronomen und* Personalpronomen *sind im Akkusativ gleich.* ... *im Singular und Plural*

A6 *vgl. Hörtext im Cassetten-/CD-Einleger*

B1 *von oben nach unten:* 7, 9, 8, 3, 4, 2, 10, 6, 1, 5

B2 1r 2f 3f 4f 5r 6f 7f 8f

C1 *etwas in der Gegenwart oder Vergangenheit:* freuen + sich + über (AKK); *bei (=Person); für (=Anlass, Grund)*

C2 *vgl. Hörtext im Cassetten-/CD-Einleger*

D1 1 Ich helfe ihnen. 2 Ich vertraue ihr. 3 Ich glaube es Ihnen. 4 Ich sage ihr die Meinung. 5 Ich schreibe ihm einen Brief. 6 Ich frage ihn. 7 Ich verabrede mich mit ihr.
(Lösungsvorschlag)
Verb + AKK: fragen; *Verb + DAT:* helfen, vertrauen; *Verb + DAT + AKK:* glauben, sagen, schreiben

D2 *gemeinsame Erlebnisse:* Holger, Martin; *Vertrauen:* Oliver, Eva, Heinrich, Tanja; *Kritik und Offenheit:* Gerda und Walter, Tanja

D3 *vgl. D2*
1 die Verben 2 rechts 3 beginnen 4 Relativpronomen, Hauptsatz, Relativsatz 5 Relativpronomen, Dativ Plural

D4 1 die, der, der, die, die 2 der, den, dem, den, dem 3 die, denen, die, die, die, denen

D6 *vgl. Hörtext im Cassetten-/CD-Einleger*

E1 1 abnehmen 2 annehmen 3 besichtigen 4 feiern 5 gratulieren 6 bekommen 7 zusagen 8 bedanken 9 holt ab

E2 2 das Sternzeichen 3 der Krebs 4 die Sternenkonstellation 5 das Horoskop

E3 2 eine Erfindung der Konsumgesellschaft 3 wollen mich in ihre Gesellschaft integriert sehen 4 scheitert 5 meine Zukunft hängt von diesem Datum ab
Gemeinsamkeiten: leben in Deutschland, haben nicht die deutsche Nationalität, finden Geburtstage nicht wichtig, in ihrer Kultur feiert man Geburtstage nicht

E4 *vgl. E2 und E3*
1 keine *weitere* Akkusativ-Ergänzung ... Akkusativ 2 eine, Dativ 3 Personalpronomen, sich

F1 [pf] **Pf**effer, Schnu**pf**en, Ko**pf**, **Pf**lanze, tro**pf**en, **pf**legen, **Pf**und, Ä**pf**el [kv] **Qu**atsch, **Qu**alität, A**qu**arium, **qu**engeln, **Qu**ote, **qu**er, Anti**qu**ität, **Qu**al [ts] ziemlich, Partizip, ganz, Sitz, nutzlos, Sätze, nichts, Rätsel [ks] Fax, reflexiv, links, denkst, magst, wächst, sechs, Wechsel
1 [pf] 2 [kv] 3 tz, ts 4 ks, gs, chs

F2 Hochzeitstag, jetzt, Herz, Konjunktion, Wanze, Zäpfchen, Spezialist, Ergänzung, zart, schmutzig, Platz, verzweifelt, Präposition, Zeug, Schmerzen, Zahnarzt, plötzlich

G4 2 Franz zu Franz-Mama 3 Franz zu Franz-Papa 4 Gabi und Sandra zu Franz 5 Gabi und Sandra zu Franz 6 Franz-Papa zu Franz 7 Franz zu Franz-Papa 8 Gabi zu Gabi-Mama 9 Gabi-Mama zu Franz 10 Franz zu Gabi 11 Franz zu Gabi 12 Gabi zu Franz 13 Gabi zu Gabi 14 Gabi zu Franz und Sandra 15 Sandra zu Franz 16 Franz zu Sandra 17 Gabi zu Franz 18 Franz zu Gabi 19 Gabi zu Franz

Lektion 5

A1 2 der Geist **e** 3 der Außerirdische **h** 4 der Engel **a**
5 die Fee **d** 6 der Hellseher **c** 7 die Hexe **f** 8 der Vampir **b**

A3 *vgl. Hörtext im Cassetten-/CD-Einleger*

A4 *vgl. Hörtext im Cassetten-/CD-Einleger*

A5 1 Absicht 2 Hauptsatz 3 zu

B1 1 Telefon 2 Automobil 3 elektrisches Licht 4 Dynamit
5 Dampfmaschine 6 Relativitätstheorie 7 Antibiotika
8 DNA 9 Computer 10 Buchdruck 11 Kernspaltung

B2 1, 2, 4, 5, 6, 8, 10, 11

B3 1 Präsens 2 werden 3 Position 2 4 Satzende

C2 1 Licht 2 nicht 3 nicht 4 Kino 5 Kilo 6 Kino 7 weil
8 weil 9 Wein 10 halt 11 Hand 12 halt 13 führen
14 fühlen 15 fühlen 16 reicht 17 reicht 18 leicht
19 Welt 20 Wert 21 Welt 22 vier 23 viel 24 viel

C5 Frühling, prima, Gefühl, Insel, Inserat, Technik, Klima,
treffen, künstlich, Computer, Engel, singen, bügeln,
schlafen, Herz, Kühle, rechts, links, allein, leer, denn,
überall, lautlos, Stille, plötzlich, verwechseln, schnell,
sprechen, lächeln, hell

D2 1a 2h 3f 4g 5d 6e 7b 8c

D3 1A 2D 3B 4C

D4 *Hauptsatz:* Ich **werde** überhaupt nicht **ernst genommen.**
… **werden** mir meistens Antibiotika **verschrieben.**; Durch
Gespräche … **können** diese Ängste **bewusst gemacht** und
behandelt werden.; Mit Hilfe dieser Bakterien **wird** Ihr
Darm **saniert.** *Nebensatz:* …, dass Heuschnupfen mit
einer … **behandelt werden kann.**; … immer nur
untersucht oder **geröntgt zu werden.**; … wie ihre
Darmerkrankung **behandelt werden kann** …
1 Personen 2 werden, Partizip Perfekt 3 Passiv-
Hauptsatz 4 Passiv-Nebensatz

D5 *Eigenbluttherapie:* … Dann wird Blut in den rechten
Gesäßmuskel eingespritzt *Inhalieren:* Zuerst wird
…gegeben. Dann wird … über den Kopf gelegt und der
heiße Dampf wird inhaliert. *Wadenwickel:* Zuerst werden
… bereitgestellt. Dann werden … gewickelt und der Patient
wird gut zugedeckt.

D6 *vgl. Hörtext im Cassetten-/CD-Einleger*

E1 auf, auf, mit, an, von, zu, auf, über, über, an, an, von, nach,
mit, mit, über, bei, zu, um

E2 *vgl. E1*

F3 2r 3f 4r 5r 6f 7r 8f 9r 10f

F4 2g 3l 4j 5a 6i 7b 8k 9d 10f 11h 12e

Lektion 6

A1 **1 a** (G) L 1, A **2 a** (W) L 1, B **3 c** (W) L 1, B **4 b** (W) L
1, B **5 c** (G) L 1, C **6 b** (G) L 1, C/D **7 b** (G) L 2, C
8 c (G) L 2, C **9 a** (W) L 2, C **10 b** (G) L 2, D **11 a** (G)
L 2, D **12 c** (W) L 2, D **13 c** (W) L 3, A **14 a** G) L 3, B
15 a (G) L 3, B **16 b** (G) L 3, D **17 c** (W) L 3, E
18 b (W) L 3, F **19 b** (W) L 4, A **20 c** (G) L 4, A
21 b (W) L 4, C **22 b** (G) L 4, D **23 a** (G) L 4, E
24 c (W) L 4, E **25 a** (G) L 5, A **26 a** (G) L 5, B **27 c** (G)
L 5, D **28 b** (G) L 5, D **29 b** (W) L 5, E **30 b** (W) L 5, E

B2 1f 2r 3f 4r 5r 6r 7f

B4 1B 2A 3E 4C 5D

B6 1 Du sitzt auf den Ohren! **a** 2 Das ist ein Ohrwurm **b**
3 Wer nicht hören will, … **c** 4 Der Lauscher an der Wand
… **e** 5 Auf dem Ohr bin ich taub **d** 6 Ich bin ganz Ohr **f**
7 Man höre und staune! **g**

C1 sprechen, der Sprecher, die Sprecherin, die Sprecherinnen,
die Sprache, der Spruch, die Sprüche, sprachlos, sprachlich
besprechen, die Besprechung, wir versprechen, das
Versprechen, entsprechend, sie bespricht, du versprichst,
sie versprach, das Gespräch, gesprochen, besprochen,
versprochen
aussprechen, nachsprechen, er spricht nach, du sprichst
aus, die Aussprache, ausgesprochen, nachgesprochen, der
Widerspruch, die Widersprüche, anspruchsvoll
die Sprechstunde, das Wahlversprechen, das Sprichwort,
die Sprachschule, die Muttersprache, deutschsprachig,
umgangssprachlich, der Gesprächspartner, das
Telefongespräch, das Gesprächsthema
1 Stammsilbe, Stammvokal, Umlaut 2 Vorsilbe
3 Wort-Endung 4 erste

C2 – sicht – besichtigen, die Besichtigung, der
Besichtigungstermin, die Stadtbesichtigung, das Gesicht,
die Rücksicht, rücksichtslos, rücksichtsvoll, die Vorsicht,
vorsichtig, unvorsichtig, die Absicht, absichtlich,
unabsichtlich – zahl – die Zahl, die Lottozahl, zahlen,
zahlreich, bezahlen, bezahlbar, unbezahlbar, abbezahlen,
die Anzahl, zählen, erzählen, der Erzähler – halt – halten,
die Haltung, die Buchhaltung, abhalten, anhalten,
aushalten, behalten, enthalten, erhalten, erhält; erhältlich,
festhalten, der Haushalt, der Inhalt, zurückhalten,
zurückhaltend, das Verhalten, der Verhaltensforscher, das
Verhältnis

C3 such aufsuchen, aussuchen, besuchen, besucht, der Besuch,
der Besucher, der Versuch, die Besuchszeit, die
Partnersuche, die Suche, er suchte aus, gesucht, sie haben
aufgesucht, suchen, versuchen, wir versuchten, der Sucher,
die Versuchung, ersuchen **freund** befreundet, der Freund,
der Freundeskreis, der Schulfreund, die Freundin, die
Freundschaft, freundlich, unfreundlich, freundschaftlich,
Freundschaftsdienst, sich anfreunden **lieb** am liebsten,
beliebt, das Lieblingsbuch, die Liebe, die Liebesgeschichte,
die Vorliebe, geliebt, lieb, lieben, lieber, liebeskrank,
liebevoll, lieblos, sich verlieben, verliebt, beliebig,
Lieblosigkeit, Verliebtheit

Wortliste

Seite W1–W24

Wortliste

Wörter, die für das Zertifikat nicht verlangt werden, sind kursiv gedruckt
Bei sehr frequenten Wörtern stehen nur die ersten acht bis zehn Vorkommen
„nur Singular“: Diese Nomen stehen nie oder selten im Plural
„Plural“: Diese Nomen stehen nie oder selten im Singular
Artikel in Klammern: Diese Nomen braucht man meistens ohne Artikel

A

ab sofort 12
ab wann 12.
abbezahlen + AKK 4
abbilden + AKK + SIT du bildest ab, sie/er/es bildet ab 15
abbrennen brannte ab, ist abgebrannt 3
Abendluft die, ⁻e AB 37
Abfahrt die, -en 30, 31
abfinden + sich + mit DAT du findest dich ab, sie/er/es findet sich ab fand ab, hat abgefunden 22
abgeben + AKK du gibst ab, sie/er/es gibt ab gab ab, hat abgegeben AB 64, AB 65
abgehen + die Post + SIT 53, 54
abhalten + AKK du hältst ab, sie/er/es hält ab hielt ab, hat abgehalten AB 67, AB 85, AB 86
abhängig sein + von DAT 19
Abitur das (Singular) AB 18
abkürzen + AKK du kürzt ab 56, 66
Abkürzung die, -en 39, 68
ablehnen + AKK AB 56
abmelden + sich du meldest dich ab, sie/er/es meldet sich ab AB 74, AB 80
Abnabelungsprozess der, -e 9
Abrechnung die, -en AB 8
Absage die, -n AB 31
absagen + AKK 51
Abschied der, -e 53, 65
abschließen + AKK du schließt ab schloss ab, hat abgeschlossen AB 2
abschneiden + AKK du schneidest ab, sie/er/es schneidet ab schnitt ab, hat abgeschnitten 22, 39
Abschnitt der, -e 19
Absicht die, -en 57
absichtlich AB 85, AB 86
absolut 5
abspielen + sich + SIT 22, 24, 26
Abstand: Abstand zahlen 3, 5
abwarten + indirekte Frage du wartest ab, sie/er/es wartet ab AB 64

achten + auf AKK du achtest, sie/er/es achtet 66, 68, 72
Affenhitze die (Singular) 38
Afrika (das) (Singular) 39
Ägypten (das) (Singular) 63
Akademiker der, - AB 48
aktiv 42
Akupunktur die (Singular) 62, 63
akzeptieren + AKK hat akzeptiert 9
all das 8, 30
alle zusammen 72
alle zwei Tage 6
alleine 16, 26, 53, 66
Alleinsein das (Singular) 42
Alleinstehende die/der, -n (ein Alleinstehender) 45
allen 56, 57
aller 63
allerdings 9, 64
allergisch AB 71, AB 72
allerhand AB 76
alles andere 5
allgemein 49, 71
Alltag der (Singular) 45, 55
alltäglich AB 74
Alltagsthema das, -themen AB 37
Alpen die (Plural) AB 41
Alsterblick der (Singular) 56
Altbau der, -ten AB 1, AB 2
Altbauwohnung die, -en 2, 8
alte Sachen 9
älter 5, 42
alternativ 62, 64, 65
Altersheim das, -e AB 14, AB 77
altrosa 6
am Anfang 9, 20, 25
am besten 40, 59, 70, 71
am Ende 10, 11, 32, 49, 64
amerikanisch 56, 57
amüsieren + sich + QUA hat amüsiert AB 48, AB 50
anbieten + AKK + DAT du bietest an, sie/er/es bietet an bot an, hat angeboten 56
Anbindung die (Singular) 29

ander- AB 2, AB 15, AB 25, AB 41, AB 47, AB 48, AB 50
andere: eine … nach der anderen 66
ändern 38, 45
Änderung die, -en 59, 66
andre = andere 5
aneinander AB 1
anerkannt 63
anfangen du fängst an, sie/er/es fängt an fing an, hat angefangen AB 48, AB 60, AB 61
Anfänger der, - AB 48, AB 74
Anfrage die, -n 31
anfreunden + sich + mit DAT du freundest dich an, sie/er/es freundet sich an AB 86
Angabe die, -n 32
angeben + AKK du gibst an, sie/er/es gibt an gab an, hat angegeben AB 37, AB 38
angeblich AB 15
angebracht AB 74
angehen + AKK + nichts/etwas ging an, ist angegangen 39
angestellt: fest angestellt sein 5
Angstzustände die (Plural) AB 23
angucken + AKK AB 50
anhalten + AKK du hältst an, sie/er/es hält an hielt an, hat angehalten AB 70, AB 85
anhören + sich + AKK AB 83
anhören: es hört sich an + QUA 56
ankommen: es kommt an + auf AKK kam an, ist angekommen 46
ankündigen + AKK AB 25
anlächeln + AKK 22
Anlage die, -n AB 8
anmachen + AKK AB 22
Annahmestelle die, -n AB 64
annehmen + AKK du nimmst an, sie/er/es nimmt an nahm an, hat angenommen 60
anonym 1, 3, 11
anreden + AKK + QUA du redest an, sie/er/es redet an AB 76

Deich der, -e 7
Delfin-Show die, -s 58
Deluxe 31
demnächst AB 6
Demo die, -s AB 74
demokratisch AB 25
Demonstration die, -en 69
denen 48, 49, 54
denken + an AKK 20
denken + dass … dachte, gedacht 16,
    47, 56, 66
Denkmal das, ¨er AB 31
Deoroller der, - 48
Depression die, -en 63
derselbe AB 51
desto 39
Deutsch-Materialien die (Plural) 14
Deutschstunde die, -n 32
Dezember der 22, 35
Dia das, -s 31
dichten + AKK du dichtest, sie/er/es
    dichtet 1
die finanziellen Mittel 9
Dienstleistung die, -en AB 37
dies 5, 47
dieselbe 49, 52
Dimension die, -en 56
Diphthong der, -e AB 43
Direktwahl die (Singular) AB 32
Direktwahltelefon das, -e 30
Diskussion die, -en 14
DJH-Mitglied das, -er 31
dkl.haarig = dunkelhaarig 42
dokumentieren + AKK hat dokumentiert
    19
Dom der, -e 37, 40
Donner der (Singular) AB 21, AB 22,
    AB 23, AB 42, AB 44
donnern: es donnert AB 22
donnerstags 9
Doppelhaushälfte die, -n AB 4
Doppelzimmer das, - 30, 32
Dorf das, ¨er 9
Dr. = Doktor der, -en 45
Drama das, Dramen 28
dramatisch AB 25
dran = daran 5, 39
dran haben = am Telefon haben 5
dranbleiben AB 11
drauf AB 77
draußen 19, 56
Dreck der (Singular) 40
drein AB 77
dreitausend 63
Dreizimmerwohnung die, -en AB 4
Dresdnerin die, -nen 17, 26

drin = darin 27
dringend 3, 5
Drink der, -s 30
Druck der (Singular) 64
drücken + AKK 64
drücken: in die Hand drücken 4
Duft der, ¨e 20, 26, 63
duften + nach DAT du duftest, sie/er/es
    duftet 20
Duftöl das, -e 63
dulden + AKK du duldest, sie/er/es
    duldet AB 77
Dummheit die, -en 19
dunkelhaarig AB 47, AB 50
Durchblutung die (Singular) 64
durchdringend AB 37, AB 38
durcheinander 9, 65
Durchfall der (Singular) AB 70, AB 72
durchführen + AKK AB 72
durchmachen + AKK AB 61
durchsetzt 63
durchströmen + AKK 63
Durchzug der (Singular) AB 42
Dusche die, -n 30
Duschhaube die, -n AB 28
Dutzend das, -e AB 75
Dynamit das (Singular) AB 66
e. V. = eingetragener Verein 31

E

Ebene die, -n 28
ebenfalls 4
Echofrage die, -n 33, 40
echt 53
Ecke die, -n 11, 37, 53, 69
Editorial das, -s 45
Ehe die, -n 47, 68
Ehefrau die, -en 16
Ehepaar das, -e 3, 4, 5, 22, 23
Ehepartner der, - 45, 50, 54
ehrlich 12, 42, 48, 66
ehrlich gesagt 8
Ehrlichkeit die (Singular) AB 47, AB
    48, AB 54
Eifersucht die (Singular) AB 15
eifersüchtig AB 15, AB 60, AB 61
Eiffelturm der 58
eigen sein 5
Eigenbluttherapie die, -n 66
eigenhändig 34, 35
Eigenheim das, -e 7
Eigenschaft die, -en 44
Eigentümer der, - AB 2
Eigentumswohnung die, -en 7, 8, 11, 12
Ein-Personen-Haushalt der, -e 45
ein bisschen 9, 12, 39

ein wenig 9
einander AB 28, AB 29
einatmen + AKK du atmest ein, sie/er/es
    atmet ein 63
einbiegen + in AKK bog ein, ist
    eingebogen 31
Einbildung die (Singular) AB 42
Einbürgerung die, -en AB 27
Eindruck der, ¨e 19
Eindruck machen 5
eine Rolle spielen 19
eine Zeit lang 63
eineiig AB 51
einfallen + DAT sie/er/es fällt ein fiel
    ein, ist eingefallen AB 28, AB 76
Einfamilienhaus das, ¨er AB 1
Einfluss der, ¨e 16, 19
Eingang der, ¨e 28
eingehen ging ein, ist eingegangen 39
eingeladen sein 51
Einheit die, -en AB 59
einig- 10
Einkaufsstraße die, -n 22
Einkaufszentrum das, Einkaufszentren
    8, 28, 40
einkleiden + AKK du kleidest ein,
    sie/er/es kleidet ein 35, 40
Einladung die, -en 51, 52
einleiten + AKK du leitest ein, sie/er/es
    leitet ein AB 25, AB 69
Einleitung die, -en AB 35
einmalig 20
einmischen + sich + in AKK 9
einnehmen + AKK du nimmst ein,
    sie/er/es nimmt ein nahm ein, hat
    eingenommen 63
einreiben + AKK rieb ein, hat
    eingerieben 63, 64
einrichten + AKK du richtest ein,
    sie/er/es richtet ein 9
Einrichtung die, -en 8
Einrichtungsgegenstand der, ¨e AB 9
einsammeln 58
Einsatz der, ¨e 63, 65
Einschränkung die, -en AB 51
einsetzen + AKK + zu DAT du setzt ein
    19, 63
einspritzen + AKK + DIR du spritzt ein
    AB 72
einstellen + sich 64
Einstellung die (Singular) 45
Eintrag der, ¨e AB 2, AB 36
einverstanden 4, 46
Einweihungsparty die, -s AB 62
einzeichnen + AKK + SIT du zeichnest
    ein, sie/er/es zeichnet ein 36

faxen + AKK *du faxt* AB 59

Faxer der, - AB 59

Faxgerät das, -e AB 32, AB 74

Fee die, -n AB 63

fehlende 35

Fehler *der,* - 19, 44, 70

Fehlerliste die, -n AB 81

Feier *die,* -n 47

feierlich AB 28

Feiertag der, -e 30

fein 31

Feldweg der, -e 56, 57, 66

Fell das, -e 39

Fenster *das,* - 8, 63

Ferien die (Plural) AB 2, AB 24

Ferienbeginn der (Singular) AB 26

fern 48

fernöstlich 63

Fernreise die, -n AB 17

Fernsehsendung die, -en 42

festhalten + AKK *du hältst fest, sie/er/es*
   hält fest hielt fest, hat festgehalten
   AB 55, AB 85, AB 86

festlegen + AKK 63

feststellen + *dass ...* 9, 65

Festtag der, -e AB 49

Feuer *das,* - 19

feuerrot AB 19

fiel Präteritum von ' *fallen* 9, 56

Figur *die (Singular)* 42, 43, 54

Figurenspiel das, -e AB 41

Filmkomiker der, - 61

Filmregisseur der, -e 14

Finalsatz der, ⸚e 57, 66

Finanzamt das, ⸚er 4

finanziell 42

finanzieren + AKK *hat finanziert* 8

Finanzspritze die, -n 9

fing Präteritum von ' *fangen* 9, 51

fischen + AKK AB 43

Fitness die (Singular) 31

Fitnessraum der, ⸚e 30

Fitnesstraining das (Singular) 53

FKK (das) = *Freikörperkultur die*
   (Singular) 39

flach AB 23

Fläschchen das, - AB 74

Fleck *der,* -en AB 72

flexibel 19

Fliederbusch der, ⸚e AB 5

fliehen + DIR *floh, ist geflohen* AB 25

Flipchart die, -s 31

Flur der, -e 56, 57, 66

Föhn der (Singular) AB 42, AB 43

Föhnwind der, -e AB 43

Folge die, -n 10, 11, 19

folgen + *auf* DAT / + DAT 4, 38

folgende 4, 5, 9, 20, 62, 68, 69

fordern 28

formulieren + AKK + QUA *hat*
   formuliert AB 48

Forscher der, - AB 42

Forschung *die,* -en AB 51

Forum das, Foren 63

Fotoalbum das, -alben AB 17

Fotograf der, -en 14

Fotografie die, -n 14

Fotokiste die, -n AB 18

Fragebogen der, ⸚ 4

Fragesatz der, ⸚e 33, 40

Fragesturm der, ⸚e AB 57

Fragewort das, ⸚er 33

Fragezeichen das, - 33

Franziskanerkloster das, ⸚ 40

Freibad das, ⸚er 39

Freiheit *die (Singular)* 22

Freiheiten die (Plural) 11

Freikörperkultur die (Singular) 39

Freiparkplatz der, ⸚e 30

Freitag der, -e 32, 51

Freitagabend der, -e 56, 57, 66

Freizeitmöglichkeiten die (Plural) 31

Freizeitreise die, -n 30

Fremde die/der, -n *(ein Fremder)* AB 8

Fremdsprachenkorrespondentin die,
   -nen AB 10

Freude *die (Singular)* 22, 23, 24, 25, 26

Freude haben + *an* DAT 8

Freudentag der, -e 51

freuen + *sich* + *auf* AKK 9, 35, 40, 42,
   53, 54, 68

freuen + *sich* + *über* AKK 9, 20, 24, 44,
   51, 68

freundschaftlich AB 86

Freundschaftsdienst der, -e AB 86

Friedensgebet das, -e 28

friedlich 56

Frist die, -en AB 36

Frisur die, -en 58

froh 9, 39, 50

fror Präteritum von ' *frieren fror, hat*
   gefroren 56

Frost der, ⸚e AB 42, AB 43

Frucht die, ⸚e AB 48

Frühaufsteher der, - 30

früher 8, 18, 26, 33, 39, 45, 46, 48

Frühjahr das (Singular) 47, 63

Frühling der, -e 42, 63

Frühlingstag der, -e AB 48

Frühstücksbuffet das, -s 30

Frühstückspension die, -en AB 32

Frühstücksraum der, ⸚e AB 33, AB 34

frustriert 42

fühlen + AKK 9, 10, 11, 19, 20, 21, 26,
   56, 63

fuhr Präteritum von ' *fahren* 26, 28, 56,
   57, 66

führen 60

fünftausend 64

fürs = *für das* 8, 10, 12, 48

Fürst der, -en AB 1

Fußball-Fan der, -s 44

Fußminute die, -n 7

Fußreflexzonenmassage die, -n 62, 64

Futur das (Singular) 60, 66

G

gab Präteritum von ' *geben* 16

gab's = gab es Präteritum von ' *geben*
   39

Gammelklamotten die (Plural) 9

gemütlich 9

Nähe: in der Nähe 8

ganze 23, 27, 61, 63

gar 5, 20, 35

Garage die, -n AB 4, AB 6, AB 10

garantieren + *für* AKK *hat garantiert*
   30

Gardine die, -n AB 74

Garten *der,* ⸚ 7, 9, 29, 31, 51

Gartenhaus das, ⸚er AB 1

Gartenpflege die (Singular) AB 8

Gas das, -e 56

Gasse die, -n 37

Gast *der,* ⸚e 34, 35, 40, 53, 68

Gastarbeiter der, - AB 20

Gasthof der, ⸚e 51

Gastlichkeit die (Singular) 31

Gastronomie die (Singular) 31

geb. = *geboren* 61

Gebäude *das,* - 28

geben: Gas geben *gab, hat gegeben* 56

Konzert *das,* -e 16, 24

geborene 16, 17, 26

geborgen 20, 26

gebrauchen + AKK 66

Gebrauchtwagen der, - AB 48, AB 49

Geburt *die,* -en 16, 17

Geburtsdatum das, Geburtsdaten 2

Geburtshoroskop das, -e AB 74, AB 75

Geburtstagfeier die, -n AB 57

Geburtstags-Mega-Party die, -s 51

Geburtstagseinladung die, -en AB 57

Geburtstagsgeschenk das, -e 68

Geburtstagsparty die, -s 51

Gedächtnis das (Singular) 18, 19

Gedächtnispreis der, -e AB 30

Gedanke *der,* -n 68

Hahn der, ¨-e 38
halbfertig AB 43
Halbpension die (Singular) 32
Hallenbad das, ¨-er 34
Halsschmerzen die (Plural) AB 70
Halswickel der, - AB 70, AB 78
Halswirbelsäule die, -n 63
halten + AKK + für AKK du hältst,
    sie/er/es hält hielt, hat gehalten 46
halten + sich + für QUA 45
halten + viel/wenig/nichts + von DAT
    54, 66
halten: geschlossen halten + AKK 63
Haltestelle die, -n 30, 31
Haltung die, -en 46
Hamburger der, - 6
Hammer der, ¨- 34
Hand in Hand 48
Handauflegen das (Singular) AB 75
handeln 46, 64
Handgriff der, -e 63
Handlesen das (Singular) AB 74
Handlung die, -en 47, 64
Handschuh der, -e 56
hängen + AKK + DIR 34, 35, 58, 66
harmonisch 42
harmonisieren + AKK hat harmonisiert
    63
hassen + AKK du hasst 42, 63
hässlich 48
hätte Konjunktiv II von ' haben 56
Hauch der (Singular) 28, 40
häufig 19
Häufigkeit die, -en AB 27
Hauptbahnhof der, ¨-e 28, 30, 31, 40
Hauptplatz der, ¨-e 37
Hauptpost die (Singular) AB 40
Hauptsache die, -n 71
Hauptwerk das, -e AB 41
Hausarzt der, ¨-e 65
Hausbesitzer der, - 4
Hausbewohner der, - AB 2
Häuschen das, - 1, 9
hauseigen AB 32
Haushaltshilfe die, -n 6
häuslich 42
Häuslichkeit die (Singular) AB 47
Hausmeister der, - 35
Hausmittel das, - AB 70
Hausmusik die (Singular) 5
Haustier das, -e 1, 2, 3, 5
Haustür die, -en 34, 35
Haustyp der, -en AB 1
Hautarzt der, ¨-e 66
Hautkrankheit die, -en AB 71
Hbf. = Hauptbahnhof der, ¨-e 31

Hecht der, -e 61
heftig 65
heilen 63
Heilmethode die, -n 62, 63, 64, 68
Heilmittel das, - 65
Heilpraktiker der, - AB 72
Heilpraktikerin die, -nen AB 72, AB 74
Heilung die (Singular) AB 72
Heimatdorf das, ¨-er 26
Heimatstadt die, ¨-e 69
heimgehen AB 61
Heimweg der, -e 22, 24
Heimweh das (Singular) 9, 11
Heirat die (Singular) 13, 16, 25, 47
Heiratsinstitut das, -e 42, 45, 50, 69
heiß 19, 66
hektisch AB 39, AB 71
hellgrau 56
Hellseher der, - 58
hemmungslos 22, 23, 24, 26
her 14, 21, 53
her: von … her 8
herausfinden + AKK du findest heraus,
    sie/er/es findet heraus fand heraus,
    hat herausgefunden 70
Herbergsleiter der, - 31
Herbsttag der, -e 56
hergeben + AKK du gibst her, sie/er/es
    gibt her gab her, hat hergegeben 53
herkommen + DIR kam her, ist
    hergekommen AB 44
herkömmlich 65
herrlich 8
herstellen + AKK 14
herumdoktern 66
herumgehen + um A 40
herumhängen + SIT hing herum, hat
    herumgehangen AB 36, AB 40, AB
    41, AB 69, AB 76, AB 80
herumkriechen + SIT kroch herum, ist
    herumgekrochen 56, 57, 66
herunterfallen + DAT du fällst herunter,
    sie/er/es fällt herunter fiel herunter,
    ist heruntergefallen 56
Herzbeschwerden die (Plural) 63
Herzkirschenmund der, ¨-er AB 14
herzlich 30, 47, 48, 51
Herzlichkeit die (Singular) 35
herzlos AB 35
Herzspezialist der, -en AB 59
Heu das (Singular) AB 44
Heuschnupfen der, - 63
heut' = heute 39, 53
heutig AB 65
heutige 45
Hexe die, -n AB 63

Hexenschuss der (Singular) 63
hierher 9
hiermit 51
hilfreich AB 72
Himmelsbild das, -er AB 56
Himmelstür die, -en AB 22
hin- und herfahren + zwischen DAT und
    DAT fuhr, ist gefahren AB 11
hin 25, 61, 64
hinaus: hoch hinaus wollen 5, 8
hinausfahren + DIR du fährst hinaus,
    sie/er/es fährt hinaus fuhr hinaus, ist
    hinausgefahren 56, 66
hinauswerfen + AKK + aus DAT du
    wirfst hinaus, sie/er/es wirft hinaus
    warf hinaus, hat hinausgeworfen 8
hindeuten auf AKK du deutest hin,
    sie/er/es deutet hin 64
hineinschreiben + AKK + DIR schrieb
    hinein, hat hineingeschrieben AB 76
hingehen ging hin, ist hingegangen 25,
    51, 61, 65
hinschreiben + SIT schrieb hin, hat
    hingeschrieben AB 33
hinsetzen + sich du setzt dich hin 65
hinstellen + SIT AB 37
hintereinander AB 59
hinterher 8, 56
hinterhergucken + DAT 56
hinterlassen + AKK du hinterlässt,
    sie/er/es hinterlässt hinterließ, hat
    hinterlassen 8
hinterrücks 1
hinweg 22
Hip-Hop (der) (Singular) 52
Hirte der, -n AB 44
historisch 28, 31
Hit der, -s 5
hitzefrei 39
Hitzewelle die, -n 39
Hobbyraum der, ¨-e 3
hoch hinaus wollen 5, 8
Hochhaus das, ¨-er 3, 5
hochheben + AKK hob hoch, hat
    hochgehoben 65
hochheilig AB 44
Hochschule die, -n 63
höchst AB 2
höchstens 8, 10, 45
Höchsttemperatur die, -en AB 42
Hochzeit die, -en 20, 47, 50, 51, 52,
    68
Hochzeitsfeier die, -n 25, 50
Hochzeitstag der, -e 50
Hochzeitstorte die, -n 68
Hocker der, - 65

Mathematiklehrer der, - AB 79

Matratze die, -n 7

Mauer-Fest das, -e 23

Mauer die, -n 22, 23, 26

Mauerbau der (Singular) AB 25

Medien die (Plural) 30

Medikament das, -e 63, 65

meditieren hat meditiert AB 74

Medizin die (Singular) 29, 62, 63, 64

medizinisch 63

Medizinmann der, ¨er 64

Medizinmeteorologe der, -n AB 42

Megaparty die, -s 51

mehrere 63

mehrmals AB 72

Mehrwertsteuer die, -n 30, 31

Meinung die, -en 19, 40, 46, 48, 54, 65

melancholisch AB 48, AB 49

melden + sich + SIT du meldest dich, sie/er/es meldet sich 42, 51, 54

Melisse die (Singular) 63

Melodie die, -n 18

Menschenmasse die, -n AB 25

Menschenwürde die (Singular) 4

Menschheit die (Singular) 25

menschlich 18

Menstruationsbeschwerden die (Plural) 64

Meridian der, -e 63

merken + sich + AKK 19, 26

merkwürdig 20, 26

Messe die, -n 29, 31

Messegelände das, - 29, 30

Messestadt die, ¨e 29

Messwert der, -e 38

Meter der oder das, - 39

Mietbeginn der (Singular) 2

Miete die, -n 2, 4, 8, 68

Mieter der, - 4, 5, 68

Mietverhältnis das, -se 2

Mietvertrag der, ¨e 2, 4

Mietwagen der, - AB 35

Mietwohnung die, -en 9

Migräne die, -n 63, 64

Migränebehandlung die, -en 63

Milchmann der, ¨er 39

mild AB 42

Millionär der, -e 58

Millionenbudget das, -s 8

Min. = Minute die, -n 3

Minibar die, -s 31

mischen + AKK 44

Mischverb das, -en 16, 17, 26

Misserfolg der, -e 19, 39

Missverständnis das, -se AB 37, AB 38

mit neun 16

Mitarbeiter der, - 72

mitbauen + AKK 21

Mitbewohner der, - 6

mitbringen + AKK brachte mit, hat mitgebracht 51, 54

miteinander 19

mitleidig AB 37

mitreden du redest mit, sie/er/es redet mit 66

Mitteilung die, -en AB 6

Mittel das, - 65

Mitteleuropa (das) 38

Mittelpunkt der, -e 51

mitten 8, 22, 23, 24

Mitwohnzentrale die, -n AB 4

Mobilisation die (Singular) 63

mobilisieren + AKK hat mobilisiert 63

Mobiltelefon das, -e AB 67

Mode die, -n 29, 63, 65

Modelleisenbahn die, -en 29

Modem das, -s 30

Modemesse die, -n 29, 40

mogeln AB 29

momentan 9

monatelang 56

monatl. = monatlich 2, 4

Monatseinkommen das, - 2

Monatsmiete die, -n 2, 12

Monatsrente die, -n AB 2

Mond der, -e AB 67, AB 68

montags 28

Moorleiche die, -n 56

Morgengrauen das (Singular) 22, 24

Motorrad das, ¨er 29

Mountainbiking das (Singular) 53

Mücke die, -n 39

Mühle die, -n 51

Multivisionsshow die, -s 14

mündlich 16

musikalisch 16

Musiker der, - 28

Musikinstrument das, -e 2

Musikpädagogin die, -nen 16

Musikstück das, -e 18

Muskel der, -n 63, 64

Muskelkater der (Singular) 66

Muskelverspannung die, -en 63, 64

müsste Konjunktiv II von ' müssen 56, 66

Muster das, - 21

mutlos AB 71

Mutti (die), -s 34, 35, 40

MwSt. = Mehrwertsteuer die (Singular) 30

mysteriös AB 64

Mythos der, Mythen 45

N

na ja 20, 41, 54

nach all den Jahren 25

nach unseren Wünschen 9

Nachbarhaus das, ¨er 28

Nachbarschaft die (Singular) 11

nachdem 22, 23, 24, 25, 26, 47

nachdenken + über AKK dachte nach, hat nachgedacht 4, 8, 33

Nachfrage die (Singular) 4

nachher 23

nachlassen du lässt nach, sie/er/es lässt nach ließ nach, hat nachgelassen 64

Nachmieter der, - 3

Nachrichten die (Plural) 23

nächst- 9, 23, 33, 38, 47, 56, 66

nächtelang AB 74

nachweisen + dass … du weist nach wies nach, hat nachgewiesen AB 42

nachzahlen + AKK AB 8

nackt 39

Nadel die, -n 63

Nagel der, ¨ 34

nah 9, 59, 66

nahe AB 32

näher AB 6, AB 27, AB 55

nahm Präteritum von ' nehmen 34, 56

nähren + AKK 21

nannte Präteritum von ' nennen 16

Nasenbluten das (Singular) AB 70

nass 39

Nationalität die, -en AB 57

Natur die (Singular) 1, 2, 11, 18

Natürlichkeit die (Singular) AB 47

naturverbunden 42

Naturverbundenheit die (Singular) AB 47

ne = eine 5, 53

Nebel der (Singular) AB 42

Nebenkosten die (Plural) 12

nehmen: Abschied nehmen + von DAT nahm, hat genommen 65

nehmen: ernst nehmen + AKK 65

nennen: so genannt 65

Nervenbahn die, -en 19

Nervosität die (Singular) 25, 63, 64

netto AB 2

Nettoeinkommen das, - 4

neu gegründet 16

Neuanfang der, ¨e 42

Neubau der, -ten AB 4

Neubauwohnung die, -en 7

Neugier die (Singular) 22, 24, 25

neugierig 24, 31

Neuigkeit die, -en AB 77

umschlagen + AKK du schlägst um,
    sie/er/es schlägt um schlug um, hat
    umgeschlagen 21
umso 19
umweltfreundlich 30
umziehen zog um, ist umgezogen 3, 8,
    10, 11, 12
Umzug der, ⁻e 3, 25, 33, 40, 56
unabsichtlich AB 85, AB 86
unanständig 4
unbegrenzt 2
unbeherrscht AB 37
unbeirrt 39
unbemerkt AB 67
unbeschreiblich 22, 23, 24, 26
unbeständig AB 42
unbetont AB 7, AB 24
unbezahlbar AB 85, AB 86
undeutlich AB 83
unendlich 19
unentwegt AB 77
unerhört AB 77
unerwartet 10, 11
ungefähr 9, 56, 64
ungemütlich 11, 40
ungestört 70
ungewöhnlich 56
unglaublich 22, 65
unglücklich AB 46
unheimlich 55, 56, 69
unhöflich AB 77
Uni-Nähe die (Singular) 3, 12
Uni die, -s 51
Universitätsprofessor der, -en AB 51
unkompliziert 42, 54
Unkompliziertheit die (Singular) AB 47
unmittelbar 29
unmöglich 9
Unordnung die (Singular) 8, 9
Unrecht das (Singular) AB 45
unruhig AB 71
unseriös 59
unsicher AB 25
Unsicherheit die, -en 46
Unsinn der (Singular) 46
unsre = unsere 21
unter einem Dach 9
unterbringen + AKK + SIT brachte
    unter, hat untergebracht 35
Unterhaltung die, -en 38
Unterkunft die, ⁻e 30, 31, 51
Unterlippe die, -n AB 43, AB 59
Unterrichtsraum der, ⁻e AB 16
Unterrichtsveranstaltung die, -en 14
unterschiedlich 19, 65
Unterschrift die, -en 2

unterstützen + AKK du unterstützt 35
Unterstützung die (Singular) 59, 66
untersuchen + AKK AB 64, AB 72
Untersuchung die, -en 45
unterziehen + sich + DAT unterzog, hat
    unterzogen 56, 65
unüblich AB 51
unverdünnt 63, 64, 66
unverschämt 4
unverständlich AB 83
unvorsichtig AB 85, AB 86
unvorstellbar 22, 23, 26
Unzufriedenheit die (Singular) AB 25
uralt 64
Urlaubsreise die, -n AB 27
Urlaubszeit die, -en 39
Ursache die, -n 10, 65

V

Vampir der, -e 58, 66
veilchenblau AB 14
verabreden + sich + mit DAT du
    verabredest dich, sie/er/es verabredet
    sich AB 11, AB 53
verabschieden + sich + von DAT du
    verabschiedest dich, sie/er/es
    verabschiedet sich 42, 44, 45
verändern 16, 18, 19, 21
verändern + sich AB 58, AB 66, AB 80,
    AB 83
verantwortlich 9
verbessern 70
Verbgruppe die, -n AB 18, AB 20
verbieten + DAT + AKK du verbietest,
    sie/er/es verbietet verbot, hat
    verboten 11
Verbindung die, -en 47, 65, 70
verbracht Partizip Perfekt von '
    verbringen 16, 17, 26
verbreiten + AKK du verbreitest,
    sie/er/es verbreitet 28, 40
verbringen + AKK + SIT verbrachte, hat
    verbracht 16, 17, 26, 47
Verbstamm der, ⁻e 10, 16, 17
verbunden Partizip Perfekt von '
    verbinden 19, 63
Verdacht der (Singular) AB 29
Verdauungsstörung die, -en 64
vereinbaren + AKK + mit DAT 5, 56,
    66
Vereinigung die, -en 28
Verfahren das, - 63
verfügbar 30
verfügen + über AKK 30
Vergangenes (das Vergangene) 16, 19,
    23, 25

Vergangenheit die (Singular) 18, 19, 20
vergeblich 56
Vergnügen das, - AB 43
vergnügt AB 77
Verhalten das (Singular) AB 85
Verhaltensforscher der, - 45
Verhältnis das, -se 1
Verkehrsanbindung die, -en 29
Verkehrslärm der (Singular) 18
Verkehrsmittel das, - 30
verkrampft 64
Verlag der, -e 14
verlängern + AKK + auf AKK / + um
    AKK AB 11
verlassen + sich + auf AKK du verlässt
    dich, sie/er/es verlässt sich verließ,
    hat verlassen 34, 68
verlegen + AKK + SIT AB 74
verlieben + sich 42, 44, 45, 47, 54
Verliebtheit die (Singular) AB 86
verlieren + AKK verlor, hat verloren
    66
verließ Präteritum von ' verlassen 56,
    57, 66
verloben + sich 46, 47, 48, 52
Verlobte die/der, -n (ein Verlobter) 48,
    54
Verlobung die, -en 47
vermeiden + AKK du vermeidest,
    sie/er/es vermeidet vermied, hat
    vermieden 35
vermieten + AKK + an AKK du
    vermietest, sie/er/es vermietet 2, 5
Vermieter der, - 3, 4, 5, 68, 69
Vermieterin die, -nen 5
Vermietung die, -en 42
Vermittlungsprovision die, -en 2
Vermögen das, - 4
vermutlich 59
Vermutung die, -en 19, 22, 45
vernichten + AKK du vernichtest,
    sie/er/es vernichtet 1
vernünftig 9
veröffentlichen + AKK AB 19
Veröffentlichung die, -en AB 30
verraten + DAT + indirekte Frage du
    verrätst, sie/er/es verrät verriet, hat
    verraten AB 33
verreisen du verreist 8
verrückt 8, 12
versagen 63
Versammlungsfreiheit die (Singular)
    AB 25
verschieden 51, 65
verschlafen haben AB 23
verschlimmern + sich AB 72

Ziegel der, - AB 1
ziehen + AKK zog, hat gezogen 58, 60
ziehen + DIR zog, ist gezogen 9, 11
Zierrand der, ¨er AB 28
Zimmerausstattung die (Singular) AB 32
Zimmermädchen das, - AB 37, AB 39
Zimmernummer die, -n AB 33, AB 37, AB 38
Zimmerpreis der, -e 30
Zimmerschlüssel der, - AB 34
Zimmervermittlung die (Singular) 32, 33
Zitrone die, -n 63
zivilisiert AB 37
zog Präteritum von ' ziehen 39
zoologisch 31
zu Ende 65 Zert.
zu Fuß 31
zu Hause 9, 11, 12, 16, 23, 63
zu kalt 8
zu Lebzeiten 17, 24, 26
zu verkaufen 11
zu viel 63
zu wenig 9, 63
Zufall der, ¨e 26
zufällig 50
Zufallsbekanntschaft die, -en 50
zuflüstern + AKK + DAT AB 67
zufrieden 46, 47
Zufriedenheit die (Singular) 8
Zugang der, ¨e 31
zugeben + AKK du gibst zu, sie/er/es gibt zu gab zu, hat zugegeben 56, 66
zugehen + auf AKK ging zu, ist zugegangen AB 11

Zuhause das, - 28
Zuhörer der, - 28
Zukunftsdeuter der, - 58
Zukunftsprognose die, -n AB 69
Zukunftsvorhersage die, -n 59
zum Beispiel 9, 19, 63, 64
zum Essen 8
zumindest AB 48
Zunge die, -n AB 21, AB 79
zuordnen + AKK + DAT du ordnest zu, sie/er/es ordnet zu 19, 34, 64
zur Ruhe 65
zurechnen + AKK + DAT du rechnest zu, sie/er/es rechnet zu 64
zurückbekommen + AKK bekam zurück, hat zurückbekommen 48
zurückblicken 28
zurückfragen 33
zurückgezogen 17
zurückhalten + AKK du hältst zurück, sie/er/es hält zurück hielt zurück, hat zurückgehalten AB 64, AB 85, AB 86
zurücklegen + AKK 8, 10, 12
zurückschauen 34, 40
zusagen AB 56
zusammenarbeiten + mit DAT du arbeitest zusammen, sie/er/es arbeitet zusammen 50
Zusammenfassung die, -en AB 49
zusammenfinden du findest zusammen, sie/er/es findet zusammen fand zusammen, hat zusammengefunden AB 48
zusammengehören 7
Zusammenhang der, ¨e 35, 40
zusammenleben 9

zusammenpassen + mit DAT du passt zusammen 11, 41
zusammenreißen + sich du reißt dich zusammen riss zusammen, hat zusammengerissen 53, 54
zusammengesetzt AB 85
zusammenwachsen du wächst zusammen, sie/er/es wächst zusammen wuchs zusammen, ist zusammengewachsen AB 25, AB 59
Zusatz der, ¨e AB 36
Zusatzbezeichnung die, -en 63
zusätzlich 17
Zuschauer der, - AB 65
Zuschrift die, -en AB 48, AB 49
Zustand der, ¨e 20, 47
zuständig AB 33
zustimmen 46
zustoßen + DAT es stößt zu stieß zu, ist zugestoßen AB 67
Zutritt der (Singular) 51
zuverlässig 42
Zuverlässigkeit die (Singular) AB 47
zuvor 63, 65
zuzüglich AB 4
zweimal die Woche 9
zweit- 63
Zweizimmerwohnung die, -en 8
Zwiebelscheibe die, -n AB 70
Zwilling der, -e AB 51
zzgl. = zuzüglich 3, AB 4

Buchstaben und ihre Laute

Vokale

einfache Vokale:
Der Ton macht die Musik

a	[a]	dann, Stadt
a, aa, ah	[a:]	Name, Paar, Fahrer
e	[ɛ]	setzen, Geste
	[ə]	setzen, Geste
e, ee, eh	[e:]	den, Tee, nehmen
i	[ɪ]	Bild, ist, bitte
i, ie, ih	[i:]	mir, Spiel, ihr
o	[ɔ]	doch, von
o, oo ,oh	[o:]	Cola, Zoo, wohnen
u	[ʊ]	Gruppe, hundert
u, uh	[u:]	gut, Stuhl
y	[y]	Gymnastik
	[y:]	Typ

Umlaute

ä	[ɛ]	Gäste
ä, äh	[ɛ:]	spät, wählen
ö	[œ]	Töpfe, zwölf
ö, öh	[ø:]	schön, fröhlich
ü	[y]	Stück, Erdnüsse
ü, üh	[y:]	Tür, Stühle

Diphthonge

ei, ai	[ai]	Weißwein, Mai
eu, äu	[ɔy]	teuer, Häuser
au	[aʊ]	Kaufhaus, laut

Vokale in Wörtern aus anderen Sprachen

ant	[ã]	Restaurant
ai, ait	[ɛ]	Portrait, Saison
ain	[ɛ̃]	Refrain
au	[o]	Restaurant
äu	[ɛ:ʊ]	Jubiläum
ea	[i:]	Team
ee	[i:]	Darjeeling
eu	[e:ʊ]	Museum
	[ø:]	Friseur
ig	[aɪ]	Design
iew	[ju:]	Interview
on	[õ]	Saison
oa	[oʊ]	Toaster
oo	[u:]	cool
ou	[aʊ]	Couch
u	[ʌ]	Curry, Punk, Puzzle

Konsonanten

einfache Konsonanten

*b, bb	[b]	schreiben, Hobby
*d	[d]	einladen
f, ff	[f]	Freundin, Koffer
*g	[g]	Wagen
h	[h]	Haushalt
j	[j]	Jahr
k, ck	[k]	Küche, Zucker
l, ll	[l]	Telefon, alle
m, mm	[m]	Lampe, Kaugummi
**n, nn	[n]	Mantel, kennen
**p, pp	[p]	Papiere, Suppe
qu	[kv]	Qualität
*r, rr, rh	[r]	Büro, Gitarre, Rhythmus
**s, ss	[s]	Eis, Adresse
	[z]	Sofa, Gläser
ß	[s]	heißen
t, tt, th	[t]	Titel, Mittag, Methode
v	[f]	verheiratet, vielleicht
	[v]	Varieté, Verb, Video
w	[v]	Wasser
x	[ks]	Infobox
z	[ts]	Zettel

*am Wortende / am Silbenende

-b	[p]	Urlaub
-d, -dt	[t]	Fahrrad, Stadt
-g	[k]	Dialog
nach -i-	[ç]	günstig, ledig
-r	[ɐ]	Mutter

**Konsonanten mit Varianten

ch	[ç]	nicht wichtig
	[x]	Besuch
	[k]	Chaos, sechs
	[ʃ]	Chance, Chef
ng	[ŋ]	langsam
ph	[f]	Alphabet
sch	[ʃ]	Tisch
st *am Silben-anfang*	[ʃt]	stehen, verstehen
sp *am Silben-anfang*	[ʃp]	sprechen, versprechen
-t- *vor* ion	[ts]	Spedition

Quellenverzeichnis

Umschlagfoto mit Freya Canesa, Susanne Höfer und Robert Wiedmann: Gerd Pfeiffer, München

Kursbuch

Seite 1: Alle Fotos: Alastair Penny, Berlin; Gedicht aus: Heinz Erhardt, Das große Heinz-Erhardt-Buch, © Fackelträger-Verlag, Oldenburg

Seite 2: Fotos A und D: Gerd Pfeiffer, München; alle anderen: Torsten Warmuth, Kassel

Seite 5: Fotos: Gerd Pfeiffer, München

Seite 6–9: Fotos: Rolf Lang, Anita und Armin: Torsten Warmuth, Kassel; alle anderen aus: Allegra 1/97, S.18-21, Fotograf: Gunter Glücklich für Allegra; alle Texte aus: Allegra 1/97, S. 18-21, Stefan Schäfer für Allegra

Seite 11: Cartoon by Papan, Köln

Seite 13: Fotos 7 und 9: Werner Bönzli, Reichertshausen; alle anderen: Gerd Pfeiffer, München

Seite 14: Fotos: Gerd Pfeiffer, München

Seite 15: Abbildungen rechts unten: AKG, Berlin

Seite 17: Wörterbuchauszüge: Langenscheidts Großwörterbuch Deutsch als Fremdsprache; Neubearbeitung 1998

Seite 18: Foto: Deutsche Bahn AG, Berlin/Kirsche

Seite 20: Fotos: Gerd Pfeiffer, München

Seite 21: Liedtext: Wolfgang Tilgner, Hohen Neuendorf; Foto: Internet

Seite 22: Fotos: 1, 2, 3: Krimmer; 4: Zenit-Langrock/Voller Ernst, Berlin

Seite 25/53: Cartoon: Thomas Körner, Berlin

Seite 27: Fotos: Auerbachs Keller, Nikolaikirche, Stadtbad, Bachmuseum, Hauptbahnhof: Joachim Rosse, Leipzig; Gewandhausorchester: Gert Mothes, Leipzig

Seite 29: alle Fotos: Joachim Rosse, Leipzig

Seite 30: Text und Bilder mit freundlicher Genehmigung: Accento Hotel, Leipzig

Seite 31: links: Text und Bilder mit freundlicher Genehmigung: Kempinski Hotel Fürstenhof, Leipzig; rechts: Deutsches Jugendherbergswerk, Chemnitz

Seite 32: Foto: Joachim Rosse, Leipzig

Seite 34/35: Text und Fotos mit freundlicher Genehmigung der Familie Ebner, Ebner's Waldhof Silence Hotel, Fuschl am See

Seite 36: Foto rechts unten: Harry Schiffer, Graz; alle anderen: Graz Tourismus

Seite 37: Straßenschilder: Gabriele Lohinger, Graz

Seite 38: Abbildungen oben: MHV-Archiv; Wetterkarte aus: Fuldaer Zeitung Nr. 96

Seite 39: Liedtext: © Thomas Woitkewitsch, Köln; Emil: Cartoon-Caricature-Contor, München

Seite 41: Fotos: Gerd Pfeiffer, München

Seite 42: Foto links oben: Claus Breitfeld, Madrid; rechts: Erna Friedrich, Ismaning; alle anderen: Gerd Pfeiffer, München

Seite 44: Foto: Gerd Pfeiffer, München

Seite 45: Foto: MHV-Archiv (Dieter Reichler)

Seite 50: Foto 1: Jenner Zimmermann, München; 3: Bauerntheater Ismaning; 6: Katja Gartz, München; alle anderen: Gerd Pfeiffer, München

Seite 51: Foto: Anja Schümann, München

Seite 52: Foto: Jenner Zimmermann, München

Seite 55: Bild links oben von Richard Oelze (© Elisabeth Schargo von Alten, Aerzen): Artothek, Peissenberg; rechts oben: Filmfoto aus Nosferatu; alle anderen: Werner Bönzli, Reichertshausen

Seite 58: Foto A: Bavaria Bildagentur, Gauting (Photo Shot); B: MHV-Archiv (Dieter Reichler); D: Werner Bönzli, Reichertshausen; F: Gerd Pfeiffer, München; E: Statistisches Bundesamt, Forschungsgruppe Wahlen; G: Globus Infografik, Hamburg

Seite 60/68: Karten aus: Heidenhain/Fährmann, Bildkarten für den Sprachunterricht, Max Hueber Verlag

Seite 61: Foto: Deutsches Institut für Filmkunde, Frankfurt; Liedtext: M.C. Krüger © 1952 by EDITION SUEDROPA (alle Rechte für die Welt)

Seite 62: Abbildungen: A,B,D: Werner Bönzli Reichertshausen; C: MHV-Archiv; E: +49 photo/Visum, Hamburg; F: mit freundlicher Genehmigung von Herrn Hanak, Weilheim © Werner Meidinger, München

Seite 65: Peter Gayman: Cartoon-Caricature-Contor, München

Seite 67: Fotos: Elisabeth Stiefenhofer, Kempten; Erna Friedrich, Ismaning

Seite 68: Foto A+B links oben: Claus Breitfeld, Madrid

Seite 72: Text: © Ida Heißenbüttel; Abbildungen: Bremer Touristik Zentrale GmbH

Arbeitsbuch

Seite 1: Fotos: Alastair Penny, Berlin

Seite 2: Fotos: Gerd Pfeiffer, München

Seite 9: Türen: Gerd Pfeiffer, München; Fotos unten: Werner Bönzli, Reichertshausen

Seite 10: Fotos: Claus Breitfeld, Madrid

Seite 14/15: Text und Abbildungen aus: Christine Nöstlinger, *Die Franz-Geschichten* © Verlag Friedrich Oetinger, Hamburg; Illustrationen von Erhard Dietl

Seite 17: Fotos: Anja Schümann, München

Seite 18: Foto: Gerd Pfeiffer, München

Seite 19: Foto von Christine Nöstlinger: Alexa Gelberg, Weinheim

Seite 20/57: Text und Foto: Sinasi Dikmen, Frankfurt

Seite 22: Foto: Deutsches Institut für Filmkunde, Frankfurt

Seite 28: Text und Zeichnungen aus: Christine Nöstlinger, *Die Franz-Geschichten* © Verlag Friedrich Oetinger, Hamburg; Illustrationen von Erhard Dietl; Abbildungen: Werner Bönzli, Reicherthausen

Seite 32: Texte und Abbildungen mit freundlicher Genehmigung von Pension Ing. Johannes, Graz und Grand Hotel Wiesler, Graz

Seite 37: Text aus: Ephraim Kishon: *Kishons beste Reisegeschichten* © by Langen Müller in F.A. Herbig Verlagsbuchhandlung, GmbH. München; Umschlaggestaltung: Franz Nellissen

Seite 39: Fotos: Grand Hotel Wiesler, Graz

Seite 40/41: Stadtplan/Fotos: Bern Tourismus

Seite 43: Zeichnung von Katja Dalkowski aus: Sprechen Hören Sprechen, Verlag für Deutsch, Ismaning

Seite 44: Abbildung: MHV-Archiv

Seite 45: Zeichnungen aus: Christine Nöstlinger, *Die Franz-Geschichten* © Verlag Friedrich Oetinger, Hamburg; Illustrationen von Erhard Dietl

Seite 47: Fotos: siehe Kursbuch Seite 42

Seite 48: Text *Ein Frommer sucht die Frömmlerin* (leicht geändert und gekürzt) von Christian Nürnberger aus: Spiegel special, Nr. 5/1998, S. 64-67

Seite 51: Gedicht aus: Hans Manz, Die Welt der Wörter, 1991 Beltz Verlag, Weinheim und Basel, Programm Beltz & Gelberg, Weinheim

Seite 55: Text unten: Zitat nach H. Grit Seuberlich

Seite 56: Text *Sternzeichen* aus: Rafik Schami, Gesammelte Olivenkerne. Aus dem Tagebuch der Fremde © Carl Hanser Verlag, München-Wien

Seite 60: Text und Zeichnungen aus: Christine Nöstlinger, *Die Franz-Geschichten* © Verlag Friedrich Oetinger, Hamburg; Illustrationen von Erhard Dietl

Seite 73: Gedicht *lichtung* von Ernst Jandl aus: Poetische Werke in 10 Bänden hg. von Klaus Siblewski, ©1997 Luchterhand Literaturverlag GmbH, München

Seite 76: Foto: MHV-Archiv

Seite 80/81: Text und Zeichnungen aus: Siehe Seite 60

Einen herzlichen Dank an das Einrichtungshaus Böhmler (München), das uns die Fotoaufnahmen auf Seite 41 ermöglicht hat.

Wir haben uns bemüht, alle Inhaber von Bild- und Textrechten ausfindig zu machen. Sollten Rechteinhaber hier nicht aufgeführt sein, so wäre der Verlag für entsprechende Hinweise dankbar.